Het geboortehuis

AMI McKAY

Het geboortehuis

SIJTHOFF

Oorspronkelijke titel: *The Birth House*
Vertaling: Elles Theulen
Omslagontwerp: Karel van Laar
Omslagfotografie: Hollandse Hoogte/Nonstock/Picture Art

ISBN 90 245 5619 8 / 9789024556199
NUR 302

www.boekenwereld.com

Voor mijn man Ian.
Mijn hart, mijn liefde, mijn thuis

Proloog

Mijn huis staat aan het eind van de aarde. Gezamenlijk hebben mijn huis en ik standgehouden tegen het kolkende tij van Fundy. Twee zusters, door en door hardnekkig.

Mijn vader, Judah Rare, bouwde deze boerderij in 1917. Het was mijn huwelijksgeschenk. *Een vrouw van Rare moet een sterk huis hebben,* zei hij. Ik was achttien. Samen met zijn vijf broers, die scheepsbouwers waren, bouwden ze haar op zo'n manier dat ze het hout van mijn grootvaders land meer dan waard was. Eik voor stabiliteit en zekerheid, gouden berk voor nieuw leven en verandering, spar voor bescherming tegen de buitenwereld. Vader was een intuïtieve timmerman en voerde zijn werk uit alsof het een heilig ritueel was. Zijn vereelte handen, vol trotse aderen, hadden gevoel voor afmetingen en wisten hoe sterk iets moet zijn om de zee te kunnen trotseren.

Kracht en een diep innerlijk weten, dat is wat je moet hebben om in de Bay te wonen. Elke ochtend richt je je op de taken die gedaan moeten worden en hoop je dat je, als de dag voorbij is, verder bent dan waar je begon. Ons kleine dorp ligt boven op de verste landpunt en is altijd onderworpen geweest aan stormen en de seizoenen. De mannen deden wat ze moesten doen om rond te komen. Na zonsondergang maakten ze grapjes met elkaar in de keuken, verwarmd door een haardvuur, pijp rokend, iemand haalt zijn viool tevoorschijn... lachend om het refrein, *hoe zwaar het ook is, we kunnen het aan.* De seizoenen stonden in hun gezicht getekend, en in de bewegingen van hun lichaam. Als het tijd was om de elft, haring en kabeljauw binnen te halen, waren ze vissers, donker van de vermoeiende nattigheid van de zee. Als de herten bij elkaar kwamen aan de andere kant van de berg, werden ze jagers en houthakkers. Als het lente werd, bewerkten ze de groen geurende aarde, en plantten gewassen die opgeslagen konden worden, aardappelen, kool, wortelen, rapen. De zomer zag verweerde handen schepen bouwen en hooien op de velden, en de zonsondergang die over het water ribbelde, en moedig streed tegen de naderende nacht. Als de machtige zeilschepen, *The Lauretta, The Reward, The Nordica, The Bluebird, The Huntley,* te water werden gelaten, werden de lange dagen gevuld met feestelijkheden en trots. Mijn vader zei dat hij altijd tachtig hectare bos uitkamde op zoek naar de perfecte bomen om een driemaster te bouwen. Hoge gouden berken, licht gebogen door de noordwestenwind, waren zeer geliefd. Hij kon de kiel in de kromming en de schaduw van een boom herkennen, het terugtrekken van het tij zat in de nerf.

Mannen verwedden hun leven op de zee voor de eer van deze schepen. Elke ochtend wachtten ze op aanwijzingen. *Ochtendrood, water in de sloot.* Elke avond keken ze op naar de hemel, en herkenden wezens in de sterren, of de staart van een draak. Ze zeiden tegen zichzelf dat het beloften van God waren, dat Hij hen niet met zijn tengere koude zeevingers zou grijpen, hun het leven zou ontnemen. Soms kwamen er mannen om. Op zulke duistere dagen gingen de mannen die waren achtergebleven bij elkaar zitten om te praten over alle details en hun netten te repareren, waarbij de waarheid met oudewijvenpraat verweven werd.

Terwijl de mannen stoeiden met de elementen, zorgden de vrouwen voor de zaken thuis. Ze ruilden voedsel en spullen met elkaar om hun provisiekast te vullen en hun kinderen te kleden. Grootmoeders, tantes en zusters leerden elkaar naaien, koken en spinnen. Op zondagochtend gingen de moeders op hun knieën tussen de robuuste kerkbankjes van de Union Church zitten en baden dat ze niet tekort zouden komen. Met hun gezangenboeken tegen de borst geklemd beloofden ze de Heer dat ze voor altijd godsdienstig zouden zijn als hun mannen gespaard bleven.

Als echtgenoten, vaders en zonen langer vastzaten in de mist dan veilig was, gingen de vrouwen bij het raam staan wachten met een lamp in de hand, een rij damesmanen die hun geliefden terug naar de kust lonkten. Ze susten hun kinderen in slaap en luisterden of ze de stem van de maan in de daverende golven konden horen. In het geheime duister van de nacht fluisterden moeders tegen hun dochters dat het water alleen bedwongen kon worden door de maan. Het was de stem van de maan die de mannen naar huis toe riep, het was haar stem die het getijde van de vrouw bepaalde, haar stem die de baby's naar het licht toe trok tijdens de geboorte.

Mijn huis werd het geboortehuis. Zo werd het genoemd door de vrouwen die hier hoogzwanger op de deur kwamen kloppen, terwijl hun water brak op de veranda. Vrouwen die voor het eerst zwanger waren en vele vragen hadden, jonge meisjes met een probleem en rijpe vrouwen die al kroost thuis hadden. (Zulke baby's noemde ik 'teentjes', omdat het er meer waren dan hun moeders op hun vingers konden tellen.) Ze kwamen allemaal naar het huis om hun baby's de wereld in te kreunen en te weeklagen. Ik veegde hun koortsachtige halzen met koele, vochtige doekjes af, lepelde pap en hete thee in hun vermoeide lichamen, praatte tegen hen om ze weer terug te brengen naar zichzelf.

Ginny, zij kreeg er twee...

Sadie Loomer kreeg hier een dochtertje.

Precious, zij kreeg een tweeling... twee keer.

Celia kreeg zes jongens, maar ze was dan ook getrouwd met mijn broer Albert... De mannen van Rare krijgen altijd jongens.

Iris Rose, zij kreeg Wrennie...

Het enige wat ik wilde was een veilige omgeving voor hen creëren.

Deel een

Rond het jaar 1760 strandde een schip met Schotse immigranten op deze kust. Hoewel het schip verloren ging, lukte het de bemanning en de passagiers om hier beschutting te vinden. Ze worstelden zich de winter door – velen werden ziek, de vrouwen verloren hun kinderen, de mannen maakten de moeilijke tocht van de North Mountain naar de vallei beneden, om zakken aardappelen en andere goederen mee terug te sjouwen naar hun tijdelijke thuis, nu Scots Bay genoemd.

In de lente ging iedereen die gestrand was op zoek naar meer gevestigde gemeenschappen, maar de dochter van de kapitein, Annie MacIssac, bleef achter. Ze was verliefd geworden op een Mi'kmaq, een man die ze Silent Rare noemde.

Op de avond van de volle maan in juni ging Silent erop uit met zijn kano om elft te vangen, die aan de andere kant van Cape Split kuit aan het schieten was. Naarmate de avond vorderde, begon Annie zich zorgen te maken dat haar geliefde iets ergs was overkomen. Ze tuurde over het water om een teken van hem te zien, maar ze zag niets. Ze liep naar de baai waar ze elkaar voor het eerst ontmoet hadden en begon hem te roepen; ze beloofde hem haar hart, haar trouw en duizend zonen met zijn naam. De maan zag het verdriet van Annie en begon te zingen, dwong de krachtige golven landinwaarts en bracht Silent veilig thuis bij zijn geliefde.

Sinds die tijd zijn er alleen kinderen van het mannelijke geslacht geboren met de naam Rare, en zelfs nu nog kun je, als de maan vol is, haar stem horen, de stem van de maan, die de zeelui naar huis toe zingt.

EEN KRONIEK VAN DE FAMILIE RARE, 1850

1

Zolang ik me kan herinneren, hebben de mensen heel wat over mij te zeggen gehad. Omdat ik de enige dochter in vijf generaties Rare ben, denken de meesten dat ik bij de geboorte ben verwisseld door een toverfee of dat ik niet het kind van mijn vader ben. Moeder werkt en bidt zo hard dat alleen degenen met een zeer scherpe tong haar trouw aan mijn vader wagen te betwijfelen. Als er geen goede uitleg voor iets bestaat, vinden de mensen van de Bay het gemakkelijker om in zeemeerminnen en mosbaby's te geloven, om het hekserij te noemen en er vanaf te zijn. Lang nadat het zaad van de New England Planters de Mi'kmaq uit het bloed van mijn familie verdreven had, werd ik geboren, met koolzwart haar, een geelbruine huid en de helm over mijn gezicht. *Een voorbode. Een teken.* Een gave waardoor ik zogenaamd met dieren kon praten, de dood van mensen kon voorzien en geesten kon horen fluisteren. Een betovering die beschermde tegen de verdrinkingsdood.

Toen een van de Schotse Hooglanders van Laird Jessup een albinokalf met drie poten ter wereld bracht, begonnen de geruchten, en de mensen vroegen zich af wat zo'n wezen veroorzaakt kon hebben. Uiteindelijk gaven de meeste mensen mij de schuld. Ik was erbij geweest toen de koe haar kalf loeiend op de grond liet glijden. Ik was degene geweest die naar de familie Jessup was gerend om de jonge boer over het vreemde voorval te vertellen. *Dora praatte met geesten, Dora at vleermuissoep, Dora sneed de keel van de duivel door en vloog over het kippenhok.* Mijn klasgenoten zongen dat rijmpje tussen de latten van het tuinhek door, samen met al die andere woorden die ze van hun ouders niet mochten zeggen. Er zijn natuurlijk ook een heleboel schoolpleinverhalen over Wijze Marie, meestal eindigend met, *als je je poes of je baby kwijt bent, weet je waar je hun botten kunt vinden.* Door dit soort praatjes zijn we heel goede vrienden geworden. Wijze Marie zegt dat ze blij is dat er geroddeld wordt. ''t Houdt de mensen uit de buurt van plekken waar ze niks te zoeken hebben.'

Als ik 's ochtends wakker word, zeg ik meestal een gebed op. *Ik wil, ik wens, ik wacht erop dat er iets met me gebeurt.* Ik dank God voor alle goede dingen, maar dit gebed zeg ik niet op voor Hem, of voor Jezus en zelfs niet voor Maria. Die hebben het veel te druk om zich zorgen te maken over wat er in mijn hart omgaat en wat mijn wensen zijn. Nee, ik zeg mijn gebed vooral op voor de lucht, in de hoop dat het door de wind wordt meegenomen en zijn weg vindt naar iets anders, iets dat van mij is. Moeder zegt, *een jongedame moet voorzichtig zijn met wat ze wenst.* Langzamerhand geloof ik dat ze gelijk heeft.

Gisteren was het mooi weer voor een zaterdag in oktober – warm, geen wind en een heldere lucht – wat de meeste mensen hier *fool's blue* noemen. Het is het soort blauw waar je de hele dag naar kan zitten kijken. Als het je eenmaal in zijn greep heeft, vergeet je al het werk dat je nog moest doen, en voordat je het weet is de dag voorbij en ben je vergeten wat er op het spel staat als je je was en jezelf niet op tijd binnenhaalt. Moeder moet het gemerkt hebben... voordat we klaar waren met het ontbijt had ze al twee manden gewassen en opgehangen en een hoop knollen klaargelegd voor Charlie en mij om naar tante Fran te brengen. Onderweg naar huis zag ik een rijtuigje dat de weg over sjeesde. Voordat het ding ons overhoop kon rijden, trok de bestuurder aan de teugels en de paarden stopten. Stenen en stof vlogen door de lucht. Tom Ketch zat op de bok en Marie Babineau zat naast hem. Ze riep: 'Ik ben op weg naar Deer Glen om een baby te halen en ik heb een extra paar handen nodig. Kom op, Dora.'

Hoewel ik al sinds ik een klein meisje was bij haar over de vloer kwam (om een praatje te maken terwijl ze in de tuin werkte, of om haar postpakketjes te brengen), verbaasde het me dat ze me vroeg om mee te komen. Toen mijn jongere broertjes werden geboren en Wijze Marie naar ons huis kwam, smeekte ik om te mogen blijven, maar mijn ouders stuurden me naar tante Fran. Behalve wat vee en de paar nestjes jonge honden die ik gezien had, was ik onervaren wat betreft geboortes. Ik schudde mijn hoofd van niet. 'Je kunt beter iemand anders vragen. Ik ben nog nooit bij een geboorte geweest...'

Ze keek me nors aan. 'Hoe oud ben je nu, vijftien, zestien?'

'Zeventien.'

Ze lachte en stak haar gerimpelde hand naar me uit. 'Lame nie lachen. Ik was half zo oud als jij toen ik begon te helpen met baby's halen. Al sinds je oud genoeg bent om te praten val je me lastig met vragen over van alles en nog wat. Je kunt het best.'

In de stem van Marie Babineau klinken twee plaatsen door; de dansende, cajunwaarheid van haar verleden in Louisiana en de rustige, evenwichtige manier van praten die het gevolg is van altijd aan het werk zijn, van het leven in de Bay. Sommige mensen zeggen dat ze een heks is, anderen zeggen dat ze eerder een engel is. Hoe dan ook, de meeste meisjes in de Bay (ik ook) hebben een M voor Marie als middelste initiaal. Ze heeft hier geen directe familie, maar we dragen er altijd toe bij om voor haar te zorgen. Mijn broers hakken brandhout voor haar en slaan het op voor de winter, en vader zorgt ervoor dat de ramen en het dak van haar blokhut in orde zijn. Als we jam over hebben, of een brood, of een mand appels, stuurt moeder me eropuit om ze bij Wijze Marie te bezorgen. 'Ze heeft jullie allemaal ter wereld geholpen, en ze heeft jouw leven gered, Dora. Heeft je koorts naar beneden gebracht toen ik niet meer wist wat ik moest doen. Alles wat van ons is, is van haar. Alles wat ze vraagt, dat doen we.'

Toen ik mezelf omhoogtrok om naast haar te gaan zitten, draaide ze zich om en schreeuwde naar Charlie: 'Zeg maar tegen je mama dat ze zich geen zorgen hoeft te maken, ik zorg dat Dora morgen tegen etenstijd weer terug is.' We zaten dicht opeen, met z'n drieën op de bok, en sleepten een wagen achter ons aan die bijna uit elkaar viel.

Wijze Marie begon Tom te ondervragen, haar stem kalm en standvastig. 'Hoe klinkt je mama?'

'Kreunt veel. En eens in de zoveel tijd houdt ze haar buik vast en gilt ze als een varken dat klem zit.'

'Hoe lang gaat dat al zo?'

'Het begon vanmorgen vroeg. Ze klaagde dat ze niet op haar hurken kon zitten om de geit te melken, dat het te veel pijn deed. Ze moest het toch doen van vader, hij zei dat ze gewoon lui was... toen moest ze ook nog de stal uitmesten.'

'Verliest ze bloed?'

Tom hield zijn ogen op de weg gericht. ''k Weet 't niet zeker. In elk geval stond ze de ene minuut nog aardappelen te schillen in de keuken, en toen boog ze plotseling helemaal voorover van de kramp. Vader werd kwaad op haar, zei dat hij honger had en dat ze op moest schieten. Toen ze dat niet deed, duwde hij haar op de grond. Daarna kwam ze niet meer overeind, hoe hard ze het ook probeerde, dus dook ze in elkaar en begon te huilen.' Hij floot scherp naar de paarden om ze op het midden van de hobbelige weg te houden, zijn kaak gespannen, als iemand die een stomp in zijn maag verwacht. 'Ze wilde niet dat ik je ermee lastig zou vallen, zei dat het wel weer goed zou komen met haar, maar ik heb haar nog nooit eerder zoveel pijn zien lijden. Ik ben zo snel mogelijk gekomen, meteen toen hij weg was om naar mijn oom te gaan.'

'Blijft hij lang weg?'

'Meestal de hele avond. Vooral als ze aan 't drinken slaan, zoals altijd.'

Tom is de oudste van de twaalf Ketchkinderen. Hij is vijftien, misschien zestien, schat ik. Af en toe denk ik aan Tom, als mijn dromen over de knappe mannen in de boeken van Jane Austen op zijn. Hij heeft een vriendelijk gezicht, zelfs als het vuil is, en moeder zegt altijd dat ze hoopt dat hij een manier zal vinden om iets van zijn leven te maken, in plaats van zo te worden als zijn vader, Brady. Ik merk dat ze liever niet heeft dat ik het over de familie Ketch heb. Ik denk dat ze bang is dat ik niets van mijn leven zal maken en net zo word als Toms moeder, Experience.

De familie Ketch heeft altijd in Deer Glen gewoond. Het is een bochtige, nauwe vallei, net buiten de Bay, die zich door de bergen heen wringt tot je de rode rotsen van Blomidon kunt zien. Voor de mensen hier is het niet meer dan de kuil in de weg die je eraan herinnert dat je bijna thuis bent. Het land is te rotsachtig en te steil om te verbouwen en te ver van de kust om er als visser of scheepsbouwer te kunnen leven. Te ver weg voor een mooie wandeling. De

Ketches doen het ermee; ze verkopen hun eigen brouwsels uit een stokerij in het bos en proberen wat geld te verdienen aan de jagers die van ver komen, mannen die het witte ree willen doden dat in de Glen zou wonen. Tijdens het jachtseizoen zetten ze de weg af, Brady aan de ene, en zijn broer Garratt aan de andere kant. Daar gaan ze staan wachten, met een geweer over de schouder, om de prijsschieters te begeleiden die uit Halifax en de Annapolisvallei komen, en zelfs uit verafgelegen plaatsen als New York en Boston. De gebroeders Ketch vragen een aardige som voor hun diensten, vooral gezien het feit dat ze leugens verkopen. Het is waar, er is ooit een wit ree gezien op North Mountain, maar het woont niet in Deer Glen. Het woont in de bossen achter de blokhut van Wijze Marie, waar ze het met de hand voert als een huisdier. Ik heb het nog nooit gezien, maar ik heb haar er wel eens naar horen roepen, tussen de bomen door wandelend en *Lait-Lait, Lune-Lune* zingend. Vader zegt dat hij het een keer gezien heeft, dat het de kleur heeft van zoete Guernsey-room, en dat een stukje van zijn romp licht gespikkeld is. Hij kwam die dag met lege handen thuis en zei tegen moeder: 'Het zou fout zijn geweest het te pakken.' Vlak daarna, tijdens een vergadering van de *Sons of Temperance*, legden de mannen van de Bay een gelofte af dat ze het nooit zouden doden. Ze waren het er allemaal over eens dat het een zonde zou zijn iets dat zo zuiver is om het leven te brengen.

Het was bijna donker toen we bij het huis van de familie Ketch kwamen. De dakspanen zaten los en konden wel een likje verf gebruiken, de hordeur hing los. Binnen was het niet veel beter. De tafel stond vol met potten, pannen en lege blikken die allemaal nog opgeruimd moesten worden en er lag een homp brood waaraan geplukt was. Er waren pogingen gedaan om het huis op orde te houden, maar op de een of andere manier waren ze altijd weer mislukt. De gordijnen waren schoon aan de bovenkant, nog steeds wit, met een vrolijke bloemenprint. Halverwege de vloer hadden kleine handjes vlekken op de stof gemaakt, en de onderkant was uitgerafeld van het haken en trekken van kattennagels. Hoe fris en schoon ze er in het begin ook uit hadden gezien, de handdoeken in de keuken, het behang en de vloerkleden, zelfs de jurk van het meisje dat de deur voor ons opendeed, hadden allemaal hetzelfde patroon, besmeurd in het midden, de randen afgesleten en vuil. Het hele huis rook zuur en verwaarloosd.

Experience Ketch lag opgerold in bed, haar armen om haar buik geslagen. Haar oudste dochter, Iris Rose, stond naast haar, dompelde af en toe een lapje in een emmer water en gaf het aan haar moeder. Mevrouw Ketch pakte het versleten lapje en klemde het vast tussen haar tanden. Zuigend en spugend schommelde ze heen en weer.

Wijze Marie ging op de rand van het bed zitten en pakte de hand van mevrouw Ketch. Ze praatte tegen de vrouw tot de weeën iets wegzakten en ze overeind kon zitten en wat thee kon drinken. De vroedvrouw legde haar gerimpelde vingers om de pols van mevrouw Ketch, sloot haar ogen en telde in het Frans. Ze kneep in de vingertopjes van mevrouw Ketch en trok vervolgens de oogleden omhoog van haar roze huilogen. 'Je bloed is zwak.' Wijze Marie duwde de dekens weg en deed de met bloed besmeurde rok van mevrouw Ketch omhoog. Haar handen kneedden de gezwollen buik van de vermoeide vrouw, streelden de uitgerekte huid en maakten een kruisteken. Nadat ze meerdere keren haar handen had gewassen, liet ze haar vingers tussen de dijen van mevrouw Ketch glijden en schudde haar hoofd. 'Deze baby moet vandaag nog komen.'

Mevrouw Ketch kreunde. 'Het is te vroeg.'

Wijze Marie stond erop. 'Je weeën zijn te ver heen en ik kan het niet omdraaien. Als je dit kind niet vandaag ter wereld brengt, zullen al je andere baby's geen mama meer hebben.'

Mevrouw Ketch snikte. 'Ik wil het niet.'

Iris Rose knielde naast het bed en probeerde haar moeder te overreden. 'Alsjeblieft, mama, luister naar wat ze zegt.'

Het meisje is veel jonger dan ik, hoogstens twaalf, maar ze is net zoveel moeder als kind. Van tijd tot tijd komt ze opdagen op school en sleurt ze zo veel mogelijk broertjes en zusjes met zich mee. Met een stem zo luid en ruw als van een oude oma blaft ze de jongens toe dat ze hun pet af moeten zetten, scheldt de meisjes uit en trekt aan hun vlechten. Maar ook al doet ze nog zo haar best, het resultaat is altijd hetzelfde. Tegen de tijd dat het begint te sneeuwen, zijn de bankjes van de Ketchkinderen weer leeg.

Mevrouw Ketch heeft hen thuis nodig, neem ik aan. Ik heb gehoord dat alle oudere kinderen een kleintje krijgen toegewezen om in bad te doen, aan te kleden, eten te geven en op te passen, zodat ze niet verdwalen tussen de rotzooi in het huis gevuld met vieze afwas en zwerfkatten. Aangezien ik zelf zes broers heb, durf ik wel te zeggen dat er zoiets bestaat als *te veel.*

Toen mevrouw Ketch niet ophield met jammeren, gingen Tom en de oudere jongens naar buiten, naar de schuur. Bijgestaan door Iris Rose bracht ik de rest van de kinderen naar een kamer boven. Ze ging met haar armen over elkaar in de deuropening staan. 'Geen herrie meer maken, hoor, anders komt papa de vallei uit rennen en komt hij de trap op met een elstak!' Het werd stil in de kamer. Zes vuile hoofdjes richtten zich naar de grond, zes buikjes ademden voorzichtig en bang.

'Mag ik kijken?' vroeg Iris Rose.

'Als je belooft dat je niets zegt.'

'Ik zal stil zijn. Ik zweer het.'

Ik liet haar achter op de trap, glurend door de gebroken, kromgetrokken spijlen van de leuning.

Wijze Marie en ik vouwden het stromatras dubbel en knoopten lakens vast aan de bedstijlen. Ze trok er hard aan. 'Kijk, mevrouw Ketch, je weet wat je moet doen... als het tijd is, hou je je stevig vast en pers je die baby eruit.' Wijze Marie gebaarde naar me dat ik de trillende knieën van mevrouw Ketch vast moest houden. 'En het komt eraan, snel en hard als een vloedgolf met volle maan. *Pousser!*'

Mevrouw Ketch boog haar kin naar haar borst, de aderen klopten in haar nek. 'Laat me sterven, lieve Heer. Laat me alsjeblieft sterven.'

Wijze Marie lachte. 'Hoeveel keer heb je dit al gedaan, dertien, veertien? Je zou toch ondertussen moeten weten dat de Heer geen normale man is. Hij neemt je echt niet mee naar huis als je erom vraagt...'

Afgelopen zondag nog ging dominee Norton steeds maar door over de zonden van Eva. Hij hamerde met zijn vuist op het preekgestoelte, zijn gezicht helemaal rood en gezwollen, en spuugde op de grond tussen 'erf' en 'zonde' door. Hij sprak uitgebreid over het kwaad van de verleiding en de vloek die Eva over alle vrouwen had gelegd, maar de stank ervan noemde hij niet. Ik had nooit gedacht dat 'de tienden voor de geciviliseerde wereld van de vrouw' zo verroest en bitter zouden ruiken.

Ik hield het vuur gaande in de kachel, pakte schone lakens uit de tas van Wijze Marie. Ik deed wat ze me opdroeg te doen en hield mezelf druk bezig, maar mijn maag deed pijn en mijn handen voelden zwaar en nutteloos. Ik was niet nerveus omdat dit mijn eerste geboorte was, en ook niet omdat ik een vrouw met zoveel pijn en verzet zag, maar meer omdat ik het verdriet hoorde, het verlangen in het gehuil van mevrouw Ketch. Niets wat we deden scheen te helpen. Ze huilde en vloekte, haar gejammer en de aanmoedigingen van Wijze Marie duurden een uur of nog langer, schat ik, in elk geval lang genoeg voor mevrouw Ketch om uiteindelijk een wonder toe te laten en een jongetje te krijgen.

Het was een klein, zielig ding. Zijn vel was net een uienschil; het blauw van zijn aderen scheen er doorheen. Als ik beter naar zijn kleine, zwakke lichaampje had gekeken, had ik vast zijn hart kunnen zien. Wijze Marie wikkelde hem in een flanellen laken en gaf hem aan mevrouw Ketch. 'Hou hem maar stevig tegen je aan. Leg je borst tegen de zijne, dan weet-ie wat het is om in leven te zijn.' Maar Experience Ketch wilde haar baby'tje niet. Ze wilde hem niet vasthouden of naar hem kijken of hem in de buurt hebben. 'Doe dat ding weg. Ik heb er al twaalf meer dan ik aankan.'

Ik kon er niet tegen. Ik nam hem over van Wijze Marie en trok hem naar me toe. Ik fluisterde in zijn oor: 'Ik neem je wel mee naar huis. Ik doe net of je van mij bent.' Vanuit mijn ooghoek zag ik Iris Rose de trap oprennen. Ik draaide me naar Wijze Marie. 'Hij ziet zo blauw, zijn armen, zijn benen, zijn borst. Hij ademt nauwelijks.'

'Hij is te vroeg geboren.' Ze maakte een kruisteken op zijn gerimpelde voorhoofd. 'Als hij drie, vier weken later was geboren, had ik elsthee met brandy in zijn mondje kunnen lepelen, een bedje voor 'm kunnen maken in de warmhoudoven en hopen dat hij wat rozer zou worden, maar nu ziet 't ernaar uit...'

Ik onderbrak haar. 'Zeg me wat ik moet doen. Ik moet het proberen.'

Wijze Marie schudde haar hoofd. 'Als je hem niet bij kunt staan om naar de overkant te komen, kun je beter naar huis gaan. Maria en de engelen zullen weldra voor hem zorgen. Ik moet naar zijn moeder toe.'

Ik ging in de hoek zitten en hield het stervende kind stevig vast.

Wijze Marie legde een deken om ons heen. 'Sommige baby's zijn niet bedoeld voor deze wereld. Het enige wat je kunt doen is ervoor zorgen dat hij veilig is totdat zijn engel hem komt halen.'

'Is er niets anders dat ik kan doen?'

Ze leunde voorover en fluisterde in mijn oor. 'Bid voor hem, en bid ook voor dit huis.'

2

Tussen mijn gebeden en de pogingen van Wijze Marie om pap in de mond van mevrouw Ketch te lepelen door, stierf de baby. Tegen zonsopgang kwam Brady Ketch thuis. Hij stampte door het huis, dronken. Hij eiste een maaltijd. 'Experience Ketch, kom dat bed uit en maak eten voor me klaar.' De arme vrouw probeerde op te staan, alsof er niets met haar gebeurd was, maar Wijze Marie hield haar tegen. 'Je hebt rust nodig. Lobeliathee en rust, daarna nog meer thee en nog meer rust. Minstens drie dagen om weer op krachten te komen, maar een week zou nog beter zijn. Als je dat niet doet, zul je bloeden tot je dood bent.'

Ketch struikelde bijna en stak zijn hand uit naar de bundel dekens die ik in mijn armen had. 'Laat me 's kijken, meisje. Wat hebben we deze keer gekregen, vrouw? Weer een jongen, hoop ik. Meisjes eten niet zoveel, maar eisen hun tol op alle andere manieren. Ik vertrouw niets dat niet rechtop kan pissen.' Hij drukte me tegen de muur, zijn donkere mond en stinkdierenadem vlak bij mijn gezicht. 'Wat ben jij mooi... je bent die meid van Judah Rare, hè?'

'Ja, meneer.'

'Jouw papa heeft het goed bekeken. Hoe heeft-ie het voor elkaar gekregen om allemaal jongens te krijgen en maar één zo'n mooi ding als jij? Je zult wel goed van pas komen als je mama moe is. Die klootzak heeft mooi geluk gehad, zeg ik.'

Mevrouw Ketch siste haar man toe. 'Laat haar met rust, Brady.'

Hij trok de deken naar beneden om naar het kind te kijken. 'Ik kijk alleen maar even naar wat van mij is.'

Ik stond stil terwijl hij in de dunne, blauwe wangetjes van de baby kneep. 'Hé jij, klein beestje, moet je niet "hallo" zeggen tegen je...' Hij stopte en trok zijn hand weg, zijn nieuwsgierigheid maakte plaats voor verwarring en vervolgens voor woede. Hij draaide zich om en staarde naar Wijze Marie. 'Wat heb je met hem gedaan?' Voordat ze antwoord kon geven, greep hij haar vast bij de schouders. 'Zo te zien heb jij mijn kind vermoord en mijn vrouw halfdood op haar rug gelegd.' Brady Ketch legde zijn hand om de hals van Wijze Marie, zijn vingers gleden onder haar rozenkrans door. 'Ik zou je de vallei in moeten sleuren en je kwabbige heksennek gewoon doormidden moeten breken.'

Op de vloer bij het fornuis lag een ijzeren koekenpan. In de hoek stond een deurvanger in de vorm van een hond; een oor en het puntje van zijn neus waren afgebroken. Ik had Brady Ketch kunnen vermoorden zonder me er een minuut schuldig over te voelen. 'God ziet wat u doet, meneer Ketch.'

Hij liet Wijze Marie los en kwam glimlachend terug naar mij, leunde tegen mijn lichaam en streelde mijn haar. 'Maak je maar geen zorgen, meisje, juffrouw Babineau weet best dat ik haar niets zal doen. Een vrouw heeft soms gewoon een man nodig om haar recht te zetten. Staat in de bijbel.'

Wijze Marie begon haar tas in te pakken. 'Zorg ervoor dat ze rust neemt. Drie dagen met haar voeten omhoog, niet minder.' Ze liep naar de deur. 'Kom, Dora.'

'Dat gaat zomaar niet.' Ketch ging voor de deur staan. 'Ze kan niet zomaar dagenlang in bed gaan liggen als ze daar zin in heeft. Er moeten dingen gedaan worden hier in huis. Je moet haar oplappen. Nu meteen.'

Wijze Marie keek hem strak aan. 'Ik heb je al gezegd, ze moet in bed blijven. Drie dagen en dan is ze weer zo goed als nieuw.'

Hij deed zijn armen over elkaar. 'Die dr. Thomas, daar in Canning, die zou wel weg met haar weten. Toen Tommy zijn pols had gebroken, lapte de dokter hem zo op dat hij hem meteen weer kon gebruiken. Mooi schoon verband eromheen, hij gaf hem een paar pillen, en 's middags stond Tom alweer hout te hakken.'

'En dat kun jij je veroorloven, een chique dokter die de hele tijd de berg op en af rent om je gezin *op te lappen*?'

Brady deed net of hij een geweer in zijn armen had en wees met zijn vinger langs Wijze Marie heen het raam uit. Hij klakte met zijn tong en bewoog zijn handen alsof hij de haan spande. 'Laten we zeggen dat de dokter en ik... we hebben een *heren*akkoord gesloten over dat lieve witte reetje dat iedereen altijd te pakken wil krijgen.' Hij grijnsde, veranderde langzaam van richting en wees op het hart van Wijze Marie, één oog dichtgeknepen om te mikken. 'En denk maar niet dat ik niet weet waar ik het kan vinden.'

Wijze Marie duwde zijn arm weg en liep door naar de deur. 'Nou, da's mooi.'

Brady maakte de deur open en duwde Wijze Marie de veranda op. Terwijl ik het lichaam van het kind aan hem overhandigde, riep Wijze Marie naar mevrouw Ketch. 'Stuur Tom maar naar me toe als het bloeden erger wordt.' Mevrouw Ketch rolde op haar zij, haar stem klonk moe en verdrietig. 'Ik kan best voor mezelf zorgen... Ga maar weg, en neem die baby mee. Ik wil dat lelijke ding hier niet hebben.'

Wijze Marie zong korte Franse gebedjes voor het dode jongetje en wikkelde hem in een van de kanten doekjes die ze altijd kloste op haar schoot. We legden hem in een boterkist, stopten de laatste bloemen van oktober uit de pot met goudsbloemen en asters om hem heen en spijkerden het doodskistje dicht. Ze verdween tussen de elzen achter haar blokhut. Ik liep achter haar aan, volgde het geluid van haar stem, en wiegde het kistje in mijn armen. Ik hield hem dicht tegen me aan, ter compensatie van zijn moeder die niet van hem hield. Was mijn liefde maar in staat geweest om hem uit de doden te doen herrijzen.

Wijze Marie fluisterde: 'Shhhh. *Le jardin des morts*, de tuin van de doden, de tuin van de verloren zielen.' Te midden van een groepje bemoste sparren stond een grote boomstronk. Er was een beeltenis van een vrouw in uitgesneden... de Maagd Maria, staand op een halve maan, haar gezicht, haar borsten, haar handen, alles even fijn en zacht. Om haar heen hingen draden uitgeholde wulken en maanschelpen aan de takken, met flarden kant ertussen als de vleugels van engeltjes.

Grootmoeders en oude vissers zeggen altijd dat er koude, geheime plekjes zijn in de bossen van Scots Bay, plaatsen met fosforescerend hout en geesten. 'Ren nooit achter een schaduw tussen de bomen aan, want misschien is hij wel van jezelf.' Charlie is minstens duizend keer achter me aan gerend, de oude houthakkersweg achter ons erf af. Samen renden we het bos in achter de blokhut van Wijze Marie, *weggehekst, weggehekst, vandaag is het gekst en worden we weggehekst* roepend. We brachten uren door met het weven van kronen van elstakken, veren, stekels van een stekelvarken en gekrulde stukjes berkenbast. We fantaseerden over elfenhuisjes en dwergengrotten tussen de verstrengelde wortels van een spar die was omgevallen door de wind. We kwamen moe en hongerig thuis en verkondigden dat we de verborgen schat van Amethyst Cove hadden gevonden maar dat hij van ons gestolen was door een gemene dievenbende. Maar zoiets als dit hadden we, in al die tijd dat we in het bos waren geweest, nooit gevonden of verzonnen.

Wijze Marie deed haar schoenen uit. 'De buitenwereld mag de grond van Maria niet aanraken.' Ze begon om het groepje bomen heen te lopen, maakte kruistekens in de lucht en kwam steeds dichter bij de Mariaboom. Ik deed mijn laarzen uit en volgde haar. Toen Wijze Marie klaar was, knielde ze aan de voet van de boom en begon het mos weg te graven. Onder de aarde en de stenen zat een dikke handgreep van gevlochten touw. Samen trokken we de zware houten deur omhoog die over een diep gat in de grond heen lag. 'Onze Lieve Vrouwe zal vanaf nu op hem passen.' Ze pakte het kleine kistje, bond er een stuk touw omheen en liet het in het donkere graf zakken. 'Heilige Moeder, Ster van de Zee, neem dit zieltje met je mee.' Ze liet het touw los en pakte mijn handen. 'Je moet hem een naam geven. Zeg het een keer hardop, dan weet-ie dat hij geboren is geweest.'

Ik deed mijn ogen dicht en fluisterde: 'Darcy,' naar de geliefde van Elizabeth Bennett in *Pride and Prejudice*. Want hij had moeten leven; iemand had van hem moeten houden.

Ik heb wel eens de kleinste van een worp dood zien gaan. Als er te veel kleine poesjes zijn of te veel biggetjes kan de moeder ze niet allemaal bijeenhouden. De kleinste wordt er door de anderen uitgeduwd en de moeder doet alsof ze niet eens van zijn bestaan af weet.

Misschien wist mevrouw Ketch al vanaf het begin dat Darcy niet in leven zou blijven, misschien duwde ze hem weg zodat ze niet van hem zou gaan houden, zodat het niet zoveel pijn zou doen.

Het is een afschuwelijke puinhoop waar we doorheen moeten om geboren te worden, de plakkerige nattigheid van het bloed en de moederkoek, een weeklagende moeder, een huilend kind... het kloppende, hulpeloze zachte plekje boven op zijn hoofd, dat zo graag gekust wil worden. Onze ouders en leraren zeggen dat het een wonder is, maar dat is niet zo. Het gaat hoe dan ook gebeuren, je hebt gewoon geen keus. Zoals ik het zie, is een wonder iets dat verschillende kanten op kan. Het feit dat er iets gebeurt dat eigenlijk niet *kán* gebeuren, dat is iets waar we van opkijken, dat maakt iemand tot een heilige, daarvan houd je je adem in. Hoe het kan dat een moeder van haar kind gaat houden, dat ze überhaupt gaat zorgen voor dat ding waarvan ze zo zwaar, bol en langzaam is geworden, dat ding dat haar ertoe bracht liever dood te willen... dat is het wonder.

3

Aan het eind van november dammen we ons huis in, altijd op een zaterdag. Zelfs als we met ons negenen mandenvol zeegras rondom de funderingen van het huis proppen, duurt het nog bijna de hele dag om het af te krijgen.

Net na vloed ging ik met mijn vader en mijn twee oudere broers Albert en Borden naar het moeras om de warrige hopen gras met de riek op de wagen te gooien. Moeder bleef thuis met de rest van de jongens om staken in de grond te slaan en een soort hek te bouwen waardoor het gras stevig tegen de stenen zou blijven zitten. In december, als de meeste gezinnen het werk af hebben, zien alle huizen in de Bay eruit alsof ze op reusachtige vogelnestjes zitten, klaar om de winter uit te broeden. Oom Irwin en tante Fran betalen ervoor om nette, strakke balen rondom hun huis aan te laten leggen. Anderen zweren bij opgestapelde sparrentakken aan de westkant, in de richting van het water. Vader zegt dat hij te slim is om goed hooi te verspillen en dat de stekelvarkens de naalden van de spar meteen zouden opeten, dus zit er voor ons niets anders op dan het op de moeilijke manier te doen.

Gelukkig is de tweeling, Forest en Gord, dit jaar groot genoeg om te helpen. Ze zijn acht geworden, maar ze gedragen zich nog steeds als jonge hondjes. Ze trekken aan mijn mouwen, lopen achter me aan en roepen me na. We lopen elke dag hetzelfde rondje: over de Three Brooks Road, het huis van Laird Jessup voorbij, verder langs de weien en het diep gelegen punt waar alle beekjes samenkomen, en dan door naar school. Soms gaan we naar het strand om te spelen, of naar de werf om vader op te halen, die ons altijd mee terug neemt via de andere kant, de *zondagskant* van het rondje. Naar de kerk, verder langs het huis van tante Fran, Spider Hill op en weer naar huis. Jongens voor me uit en jongens achter me aan. Ik ben het enige meisje, ingeklemd tussen zes jongens die hun dagen vullen met plagen, lachen en worstelen, en al struikelend hun modderige laarzen dwars door mijn leven heen slepen.

Moeder zegt dat ik niet moet klagen. Zij draait haar eigen rondjes. Op voor zonsopgang, naar de keuken, naar de schuur, terug naar de keuken, naar tante Fran, naar de kerk, terug naar haar keuken. Als ze de kans krijgt trekt ze de jongens naar zich toe. Ze proberen zich los te wurmen en rollen met hun ogen als ze hun een kus op de kruin van hun slordige hoofdjes geeft. Ze zucht en laat hen gaan, kijkt hoe ze wegrennen om te gaan spelen. 'De dingen zijn niet meer zo zeker als vroeger.' Ze heeft het niet over hun leeftijd of het feit dat ze altijd uit hun schoenen groeien. 'Het komt door de oorlog,' bedoelt ze, maar ze zegt het niet. Het komt door de oorlog dat ze bang is, dat ze zich steeds afvraagt hoe lang ze haar jongens nog thuis kan houden, dat we naar het geroddel luisteren en de krantenkoppen lezen en in een kringetje ronddraaien, alsof we ons kunnen betoveren met onveranderlijkheid om de rest van de wereld op een afstand te houden.

Het indammen van het huis duurde zo lang dat ik pas laat aankwam bij Marie Babineau. Sinds we de kleine Darcy begraven hebben ga ik elke zaterdag bij haar langs. Het is zo'n opluchting om bij haar deur aan te komen, om aan haar keukentafel te zitten, om te kunnen ademen en zuchten en zelfs huilen om mijn kleine, verdrietige herinnering aan hem. Ik heb het verhaal maar één keer verteld, aan moeder. Toen ik bij het stukje aankwam waarin mevrouw Ketch haar kind afwijst, kon ze haar tranen nauwelijks bedwingen. Ze hield haar adem in, deed haar ogen dicht en fluisterde: 'God vergeve, God zegene.' Hoewel ik het gewicht van zijn lichaam op mijn arm nog steeds kan voelen, zal ik het haar niet aandoen om er nog meer over te moeten horen. Ze was er niet bij; ze hoeft niet te weten hoe vaak ik er nog steeds aan moet denken. En verder is er niemand anders om het aan te vertellen. Vader zou niet weten wat hij moest zeggen. Hij zou boos zijn dat ik erover begonnen was. En hoewel mijn lieve nichtje, Precious, dol is op een goed verhaal, blijft ze een kind van tante Fran... lelijk of triest nieuws wordt in hun huis niet toegestaan: *woorden van sensatie en dood laten een zondig teken achter op de muren van een goed christelijk huis.* (Tante Fran neemt de roddels liever mee onder haar hoed om ze iedereen bij de deur te bezorgen.)

Ik ben de enige gast van Wijze Marie op zaterdag, of op welke dag van de week ook. Ik ben de enige in heel Scots Bay die zomaar een bezoekje durft te brengen aan de oude vroedvrouw. Als kind was ik altijd blij als moeder een reden had om me naar de blokhut van Wijze Marie te sturen, blij om de oude houthakkersweg af te lopen, weg van de Three Brooks Road en ons huis vol jongens, blij om gewoon met haar in de tuin te zitten, of in haar keuken die gevuld is met 'dingen die je aan het denken zetten', zoals zij het zegt. Bij de deur hangt een wazige ronde spiegel. In haar kasten staan rijen potten en flessen met kruiden, zalfjes en tincturen. Boven de deur en alle ramen zijn veren vleugels aangebracht. Kraai, zwaluw, duif, havik, uil. Boven haar bed hangt een groot, donker houten kruisbeeld, en de rest van de beide kamers van de blokhut – elke muur, plank of tafelblad – staat vol met talgkaarsen en honderden Mariabeelden. Ik deed mijn best om geen vragen te stellen, maar als ze merkte dat ik naar iets staarde, zei ze meteen een gedichtje op of zong ze een liedje over wat het was. (Maar soms glimlachte ze alleen en zei: 'Laat dat maar even zitten, Dora. Als ik het je zou vertellen, zou je me toch niet geloven.')

Iedereen weet ondertussen dat je haar beter met rust kunt laten, tenzij je een vrouw bent die in verwachting is, of een ziekte hebt die ongeneeslijk is. *Deel nooit je brood met vroedvrouwen en heksen, want dan krijg je allerlei steenpuisten, netelroos en schurft op je huid.* Ik weet niet wie dit soort praatjes het meeste verspreidt, de versjes op het schoolplein of de dames van de White Rose Temperance Society. Als ze met Marie Babineau spreken, is het nooit met meer dan drie woorden over het weer, *best koud vandaag, het wordt mistig, sterke zuidenwind...* Ze zorgen ervoor dat ze hun woorden niet als vraag formuleren en laten haar niet toe tot hun gesprek. Ze negeren haar glimlach met het gat tussen de tanden en kijken nooit lang naar haar bruine, gerimpelde gezicht. Luidkeels verspreiden ze roddels over de *groene stank* die ze volgens hen uitademt en 'uit alle wijngedrenkte poriën van haar lichaam' komt. Tante Fran zegt dat ze naar zure, beschimmelde kool ruikt. Trude Hutner beweert: 'Ik vind dat ze meer naar een natte hond ruikt die aan een stinkdier heeft gesnuffeld.' De meeste dames van de White Rose hebben geen kleine baby's meer, dus ze hebben het gevoel dat ze Wijze Marie niet meer nodig hebben. Naarmate ze ouder zijn geworden, een *ruimere* maat en hier en daar een stekelhaartje op hun kin hebben gekregen, zijn ze vergeten hoe lief Wijze Marie is en wat ze allemaal voor hen heeft gedaan. Ze zijn vergeten dat ze, als je dicht bij haar bent, oog in oog, eerlijk en aardig ruikt, als de beste handgeplukte kruiden en versgemalen specerijen. Haar zucht is gevuld met lavendel, gember en versgezette koffie... haar lach doet denken aan cichorei, peper en kruidnagel.

Je moet altijd minstens drie pannen op het vuur hebben staan. Een voor de thee, een voor de dwazen en een voor de koffie voor trieste zeemannen. 'Je weet dat ik de koffie nooit aanraak, alleen dat ene kopje dat me 's ochtends op gang brengt. Als ik meer drink, krijg ik de kriebels,' zegt ze, wippend in haar schommelstoel. 'Ik laat hem alleen staan pruttelen omdat ik die zwarte, pruttelende geur zo lekker vind. Doet denken aan een man, nietwaar?'

Als ik op bezoek ben is ze altijd druk bezig met haar ijzeren potten en theekopjes, serveert lavendelthee en beignets, goedgevulde, warme vierkantjes, gesuikerde stukjes hemel die smelten op mijn tong. Ik ben erg dankbaar (op een heel egoïstische manier) dat er op zaterdag geen andere vingers aan de afgeschilferde, gelige rand van de beste schaal van Wijze Marie zitten. Nee, de dames van de White Rose, die zich ooit op haar beriepen om te helpen bij de geboorte van hun baby's en om hun ziektes te genezen, negeren heel beleefd haar stroom aan verhalen die altijd op het puntje van haar tong liggen. Ze zijn doof voor haar wijze, loslippige gebabbel, doorspekt met lui Frans en het *diddeldiedom* van de Acadische volksliedjes.

De overgrootvader van Marie Babineau, Luis Faire LeBlanc, was de laatste baby die geboren werd voordat zijn familie en de rest van de Acadiërs door de Britten uit hun nederzetting in het dijklandschap van Grand Pre verdreven werden. Wijze Marie zucht en pakt de kraaltjes van de rozenkrans die om haar nek gedraaid zit stevig vast als ze het erover heeft: 'Het kostbare zaad van Acadië werd uitgespreid over de aarde, de namen LeBlanc, Babineau, Landry, Comeau werden allemaal met bajonetten, as en bloed langs de drassige rivierarmen geplant.' Velen stierven tijdens de zware reis naar Louisiana, maar de kleine Louis Faire overleefde. 'Hij groeide uit tot een sterke, goeie man. Gezegend door de Geest. Door engelen geroepen. Iedereen die ziek was, of moe, of doorgedraaid... ze gingen allemaal naar Louis Faire. Hij was een *traiteur*. Hij legde zijn handen op hun hoofd of op hun lichaam – liet de gebeden afdalen, rechtstreeks via zijn mond, genas hen. Dank aan Maria. Dank aan kindje Jezus. Dank aan God de Hemelse Vader. Amen.'

Op haar zeventiende (zo oud als ik nu ben), werd Wijze Marie door Louis Faire bezocht in haar droom. Hij sprak tot haar, zei haar dat God haar gekozen had om de heilige gave van de *traiteur* terug te brengen naar zijn geboorteland. De droom duurde de hele nacht en tot in de volgende ochtend, de geest van haar overgrootvader fluisterde geheime middeltjes en helende gebeden in haar oor. Toen de droom voorbij was, begon ze te lopen, ze liet haar familie achter en ging op weg van Louisiana naar Acadië. Niemand weet precies hoe ze in Scots Bay terecht is gekomen in plaats van de vruchtbare vallei van haar voorouders. Zoals zij het zou zeggen: 'Voor Louis Faire ben ik naar zijn geboorteland gekomen, maar alleen voor God zou ik in Scots Bay kunnen wonen.'

Granny Mae heeft moeder ooit verteld dat Wijze Marie een visioen had, dat ze bezoek kreeg van een engel, gewoon hier in de Bay. 'Toen Marie Babineau aankwam bij Grand Pre en de mooie boomgaarden, velden en dijken zag die ooit van haar familie waren geweest, werd ze zo overmand door verdriet dat ze huilend North Mountain op rende, helemaal tot aan het eind van Cape Split. Terwijl ze daar zat te huilen op de rand van de rotsen, verscheen er een engel die haar troostte en haar aan haar droom herinnerde en aan de gaven die Louis Faire haar had gegeven voordat ze aan haar reis was begonnen. De engel legde uit dat ze de geest van St. Brigit was, de vrouw die de vroedvrouw was geweest voor de Maagd Maria toen Christus geboren werd, en dat ze gestuurd was om Marie te zegenen en haar te vragen of ze haar handen wilde wijden aan het ter wereld brengen van de kinderen uit deze streek. Dankbaar voor de liefhebbende zorgen van de engel, beloofde Marie om te doen wat God van haar vroeg. Tegen zoiets kun je geen nee zeggen.'

Tante Fran zegt dat het waarschijnlijker is dat ze het met een zeeman heeft aangelegd, en dat hij haar, toen hij haar praatjes zat was, hier heeft afgezet op weg naar huis naar zijn vrouw. Het doet er niet toe. Ik neem aan dat ze nu zo oud is dat het hoe, waarom en wanneer ervan niemand meer kan schelen, zolang ze maar de 'gave' heeft op het moment dat ze hem nodig hebben.

Wijze Marie vraagt nooit geld van degenen die naar haar toe komen. Ze zegt dat een ware *traiteur* dat nooit doet. Grootmoeders die nog steeds in haar methodes geloven en dankbare nieuwe moeders zetten koffieblikken, gevuld met muntjes die ze hebben opgehaald na de zondagsmis, voor haar neer. Afhankelijk van het seizoen, brengen families manden met aardappelen, wortels, kool en alles wat ze nodig zou kunnen hebben om rond te komen. Ze verstoppen ze in de melkkist naast de deur, met een bedankbriefje erin, maar ze blijven nooit theedrinken.

Het begon donker te worden tegen de tijd dat we binnen gingen zitten voor beignets en een babbeltje. Niet lang daarna hoorde ik een vreemd stotterend geluid dat van de weg kwam. Ik keek uit het raam en kon nog net zien dat er een automobiel op de blokhut af kwam rijden, de avondzon goudgloeiend op de voorruit. In de Bay heeft zelfs niemand een tractor, laat staan een glinsterende nieuwe auto zoals deze. De meeste mannen noemen ze 'rode duivels' omdat ze geloven dat alleen al van het geluid hun paarden gaan steigeren en hun koeien de hele dag geen melk geven. Niemand komt helemaal hiernaartoe tenzij ze zijn verdwaald of iemand zoeken. Niemand komt over de oude houthakkersweg tenzij ze Wijze Marie willen spreken. Er gaat een weg heen en een weg terug... en dat is een en dezelfde weg.

Wijze Marie pakte haar theekopje van tafel, gooide wat er nog in zat in een pot op het fornuis, keek er aandachtig in en schudde haar hoofd. 'Ga naar de zolder en verstop je achter de appelmanden. Er liggen, volgens mij, een paar spreien die je over je hoofd kunt trekken. Geen geluid maken.' Het geluid buiten was nu vlakbij, werd langzamer en stotterde voor het huis tot stilstand. Ik begreep niet waarom Wijze Marie zo gealarmeerd was en begon haar allerlei vragen te stellen. Ze fronste haar voorhoofd. 'Moeilijkheden, ik weet het zeker. Ik heb het gisteren al in mijn blaadjes gezien en wilde het niet geloven, maar nu zit-ie ook in dit kopje. Een vleermuis in de thee, twee dagen op rij... wil zeggen dat iemand me moet hebben. Ik kan maar beter voorzichtig zijn met wat ik doe en zeg. Ik schaam me dood dat ik mijn thee niet geloofd heb. Vort, klim naar boven, anders moet-ie jou ook hebben.' Om haar een plezier te doen, klom ik de oude appeltrap op die aan de muur vastzat, duwde de vierkante klep omhoog die over de kleine opening naar de zolder lag en kroop de ruimte boven de keuken in. Ik verstopte me onder een versleten wollen deken, ging plat op mijn buik liggen en gluurde door de losse planken de keuken in. Wijze Marie tuurde met half dichtgeknepen ogen in mijn richting. Ik fluisterde naar beneden: 'Ik zit hier veilig.' Ze glimlachte en knikte, legde haar vingers op haar lippen en maakte de deur open toen er geklopt werd.

In de deuropening stond een lange man met een serieus gezicht. Hij stelde zichzelf voor als: 'Dr. Gilbert Thomas.' Wijze Marie nodigde hem binnen, nam zijn lange overjas en hoed aan, en stond niet toe dat hij nog iets zei voordat hij aan de keukentafel was gaan zitten met een kop koffie. Ze gaf hem een klopje op zijn schouder en streek de ondiepe kreukel die ze in zijn donkere colbertje had gemaakt glad. 'Nou, wat bent u netjes gekleed, alsof het zondag is.' Verrast door haar vriendelijkheid stokte en stotterde zijn stem elke keer als hij *moet niet* en *kunt niet* probeerde te zeggen, alsof de woorden te pijnlijk waren om uit te spreken. Hij zat schuin aan tafel, zijn knieën te hoog om eronder te kunnen doen, zijn fijne, lange vingers friemelden verlegen met de handschoenen die hij op zijn schoot had gelegd. Afgezien van een paar grijze haren, die zilver oplichtten als hij zijn hoofd draaide, zag dr. Gilbert Thomas eruit alsof iemand hem sinds zijn geboorte stil en schoon had gehouden, en netjes in de hoek van de voorkamer had gezet.

Op een langzame, vastberaden toon stak de dokter van wal met een preek die hij zo te horen goed geoefend had. 'Als beoefenaar van verloskunde ben ik gebonden aan een beroepseed om barende vrouwen waar mogelijk te helpen.' Met een vertrokken gezicht nam hij een slokje van Marie Babineaus sterke koffie en ging verder. 'U, en andere edelmoedige vrouwen in gemeenschappen over het hele Kings County hebben al veel te lang moeten dienen in plaats van de wetenschap.'

Wijze Marie glimlachte en duwde de suikerpot en het roomkannetje naar hem toe. 'Een beetje suiker misschien, lieverd?'

'Dank u.' Hij deed een paar scheppen suiker in zijn koffie en bluste hem met een flinke scheut room. 'Denkt u zich eens in wat voor voordelen de moderne wetenschap kan bieden aan vrouwen die in een moeilijke situatie zitten... een steriele omgeving, chirurgische toepassingen, tijdige ingreep en een pijnloze bevalling. Het lijden dat vrouwen tijdens de bevalling moeten doorstaan, kan tot het verleden behoren...'

Wijze Marie onderbrak hem, ze keek hem recht in de ogen. 'Wat heeft u te verkopen?'

Dr. Thomas begon weer te stotteren. 'Ik, ik... ik probeer u alleen te vertellen, u informatie te geven over...'

'Nee. U bent niet aan het vertellen, u bent aan het verkopen... als u hier aan mijn deur bent komen rammelen met een hoop potten en pannen in uw wagen, schiet dan maar op, dan hebben we het gehad.'

Ze wuifde met haar hand door de lucht alsof ze hem weg wilde jagen. 'O, en trouwens, wat het ook is, ik koop niets. Als ik dat er bij zeg, heb ik kans dat u oftewel meteen vertrekt, of me de waarheid vertelt.'

Dr. Thomas ging verder. 'De waarheid, juffrouw Babineau, is dat ik uw hulp nodig heb.'

Ze leunde achterover in haar stoel. 'Dat begint al ergens op te lijken. Ga verder.'

'We zijn een geboortekliniek aan het bouwen, onder aan de berg, in Canning.'

Wijze Marie onderbrak hem. 'Zo'n slagerswinkel waar ze ziekenhuis tegen zeggen?'

Dr. Thomas antwoordde: 'Een plek waar vrouwen heen kunnen om hun baby's in een schone, steriele omgeving ter wereld te brengen, met de beste verloskundige zorg.'

Ze keek hem nors aan. 'Wie is "wij" eigenlijk?'

'Ikzelf en de Farmer's Assurance Company van Kings County.'

'Hoeveel moeten de mama's u gaan betalen?'

Hij schudde zijn hoofd en glimlachte. 'Niets.'

Wijze Marie haalde haar neus op. 'Leugenaar.'

'Ik zal hun niets in rekening brengen. Ik hoef niet, we...'

'Heeft u een vrouw?'

'Ja.'

'En is het een goeie meid, een dame die de betere dingen verdient?'

'Ja, natuurlijk. Maar wat heeft...'

'Hoe denkt u voor haar te kunnen zorgen als u geen cent verdient?'

Hij lachte. 'Ik word betaald door de verzekeringsmaatschappij.' Hij ging wat zachter praten en glimlachte. 'En u zult ook betaald worden... als u deelneemt aan het programma. U krijgt vijf dollar voor elke vrouw die u naar de geboortekliniek stuurt.'

Wijze Marie stond op van de tafel. 'Wat ik heb dat gééf ik, en de Heer zorgt voor de rest. In mijn huis wordt niet over geld gesproken, dr. Thomas.' Ze reikte hem zijn jas en zijn hoed aan. 'Ik heb alles wat ik nodig heb.'

Dr. Thomas nam zijn spullen aan, maar gebaarde naar de tafel. 'Alstublieft, ik wilde u niet beledigen. Laat me tenminste zeggen waarvoor ik gekomen ben en dan ga ik weg.'

Ze schonk de dokter nog een kop koffie in en ging weer aan tafel zitten. 'U krijgt de tijd tot uw koffie op of koud is.'

Dr. Thomas zette zijn standpunten snel uiteen. 'Veel gezinnen in dit land, inclusief Scots Bay, hebben al een polis bij de Farmer's Assurance. Voor een klein bedrag, dat ze elke maand betalen, hebben deze gezinnen de zekerheid te weten dat als de man des huizes iets overkomt, hij de medische verzorging krijgt die hij nodig heeft en ze gewoon verder kunnen.' Hij deed nog een paar schepjes suiker in zijn kopje. 'Zoals u weet, is de moeder net zo belangrijk als de vader; ze is het hart van het huis, zij zorgt ervoor dat alles blijft draaien.'

Wijze Marie knikte. 'Ik zeg altijd, als mama niet gelukkig is, is niemand gelukkig.'

Dr. Thomas grijnsde. 'Precies! Voor hetzelfde geld als de meeste huishoudens elke maand besteden aan koffie of thee, kan een man een Moedersaandeel kopen bij de Farmer's Assurance. Daarmee garandeert hij zijn vrouw de blijdschap van een schone, veilige bevalling en de geruststelling dat haar baby's terecht kunnen in een geboortekliniek van de Farmer's Assurance. Het gezin kan tot rust komen in de wetenschap dat "moeder" goed verzorgd zal worden tijdens haar opname.'

Wijze Marie keek hem strak aan. 'En als een mama haar baby thuis wil baren?'

Dr. Thomas keek verward. 'Waarom zou ze dat willen doen als er een prachtige nieuwe kliniek voor haar klaarstaat?' Hij probeerde Wijze Marie opnieuw te overtuigen. 'Het is heel moedig van u, juffrouw Babineau, dat u al die jaren deze verantwoordelijkheid op u genomen hebt. Iedereen die ik spreek, vertelt me hoe kundig u bent, gezegend zelfs, maar door de beschikbaarheid van nieuwe verloskundige technieken, hoeven vrouwen niet meer alleen afhankelijk te zijn van hun geloof om hen door de gevaren van de bevalling heen te helpen.'

Wijze Marie zat er neuriënd en breiend bij en keek af en toe naar hem op alsof ze wilde kijken hoe lang hij nog zou blijven zitten.

Gefrustreerd probeerde dr. Thomas dieper op het gesprek in te gaan. 'Kent u mevrouw Experience Ketch?'

Wijze Marie nam een slokje thee. 'Beetje.'

'Haar man, Brady Ketch, kwam ongeveer een maand geleden naar mijn kantoor met verontrustend nieuws. Aangezien er zoveel baby's uit deze buurt door uw handen zijn gegaan, vraag ik me af of u misschien iets begrijpt van wat hij me vertelde.'

Marie Babineau glimlachte. 'Ik zal in elk geval doen wat ik kan.'

De toon van de dokter werd serieus. 'Ketch was erg overstuur. Hij zei dat zijn vrouw op bed lag en te zwak was om op te staan. Hij was bang dat ze dood zou gaan. Ik ging met hem mee naar huis en trof haar aan in een slechte toestand. Ze zag bleek en ze wilde niets zeggen.'

Wijze Marie schudde haar hoofd. 'Nou, dat is verschrikkelijk. Ik hoop dat u haar hebt kunnen helpen.'

'Ik heb het haar naar omstandigheden zo aangenaam mogelijk gemaakt, maar er is één ding dat ik nog steeds niet begrijp. Toen ik Ketch vroeg waar zijn vrouw zo ziek van was, zei hij dat ze net de vorige dag was bevallen, en dat jij en een jong meisje erbij waren.' Dr. Thomas keek Wijze Marie scherp aan. 'Was er echt níéts dat u kon doen om te voorkomen dat ze in zo'n slechte toestand zou geraken?'

Wijze Marie maakte haar naald af en schudde haar hoofd. 'Heeft u toevallig de adem van die man geroken?'

Er viel wat suiker van de lepel van de dokter voordat hij hem naar zijn kopje had overgeheveld. 'Pardon?'

'Het spijt me dat ik het moet zeggen, dokter, maar de enige waarheid die Brady Ketch kan spreken, is als hij de herbergier vertelt dat zijn whiskyvat bijna leeg is. Als zijn vrouw het moeilijk heeft, dan komt dat omdat hij op welke manier dan ook zijn handen niet van haar af kan houden. Als hij haar niet zwanger aan het maken is, slaat hij haar bont en blauw. Als ik ooit iets heb kunnen betekenen voor Experience Ketch, dan is het door haar te zeggen dat ze zich dood werkt.'

'Vertelt u mij dat u er niets van weet dat ze een kind gekregen heeft?'

Wijze Marie trok aan de bol garen op haar schoot. 'Hebt u het dan gezien?'

'Nee, Ketch zei dat het dood geboren is.'

Wijze Marie rolde met haar ogen. 'Nou, het lijkt me dat we het allebei wel zouden weten of ze net bevallen was, want u heeft haar vast grondig onderzocht.'

Hij trommelde met zijn vingers op tafel en staarde naar zijn kopje. Mijn zakdoek, die Precious me gegeven had voor mijn verjaardag lag er vlak naast, mijn initialen geborduurd in een rij madeliefjes. 'Ketch zei dat Judah Rares dochter misschien wat licht op de zaak zou kunnen werpen.'

'Juffrouw Rare is een fatsoenlijke jongedame die aardig genoeg is om om te gaan met een zielige, zwakke oude vrouw als ik. Ze is ook wijs genoeg om zich niet in de bossen in de buurt van Brady Ketch te begeven. Niets dan leugens en drank daar. Of je nou voor het een of voor het ander kiest, het is vragen om moeilijkheden.'

Dr. Thomas pakte het vierkant gevouwen stukje stof op en bekeek het van alle kanten. 'Dora heet ze, nietwaar? Ik ben bij haar langsgegaan en heb met haar moeder gesproken voordat ik hierheen kwam.

Wat een aardige vrouw is dat. Ze dacht dat ik haar dochter misschien hier zou kunnen vinden, bij u.'

Wijze Marie reikte rustig haar hand uit en pakte de zakdoek. 'Heeft ze hier laten liggen toen ze hier voor het laatst was. U weet toch hoe vergeetachtig die jonge meiden soms zijn. Kunnen je niet vertellen wat ze diezelfde ochtend nog gedaan hebben, laat staan gisteren, of vorige week. Nogal wispelturig ook, je weet nooit wanneer ze weer voor de deur staat.'

Dr. Thomas fronste zijn voorhoofd en kauwde op de binnenkant van zijn wang. Dat doet vader ook als hij weet dat iets wat hij op papier heeft uitgewerkt niet gaat lukken met hamer en spijkers. 'Misschien is het beter als ik mevrouw Ketch nog eens op ga zoeken om te kijken of ze zich nog iets kan herinneren nu ze weer op de been is.'

Wijze Marie gaf opgewekt antwoord. 'Dat is niet nodig, hoor. Waarschijnlijk is Brady Ketch u allang vergeten en begint hij op u te schieten. U kunt de vrouwen van de Bay het beste aan mij overlaten.'

De dokter mompelde voor zich uit. 'Zodat ze hun kinderen in vissershutjes en schuren kunnen baren.'

Wijze Marie keek hem nors aan. 'Wat zegt u?'

'Ik denk dat u op de hoogte zou moeten zijn van wat er in het Wetboek van Strafrecht uit 1892 staat: 'Nalaten om redelijke ondersteuning te verkrijgen tijdens een geboorte is een misdaad.'

Wijze Marie negeerde hem en zei: 'Zeg, dokter, hoeveel baby's hebt u eigenlijk ter wereld gebracht?'

'Tijdens mijn verblijf op de medische faculteit, heb ik minstens honderd geboortes bijgewoond...'

'Hoeveel kinderen hebt u meteen toen ze uit het lichaam van hun moeder glipten opgevangen?'

'Nou, ik...'

Wijze Marie hield zijn antwoord tegen. 'Het doet er niet toe...' Ze trok aan de verwarde verzameling kralen om haar nek. 'Ziet u? Een kraaltje voor elke lieve kleine baby.' Ze trok de langste streng uit de hals van haar bloes. 'En dit?' Aan haar vingers bungelde een bevlekt zilveren kruisbeeld. 'Zoals u misschien wel hebt gehoord... de mama van dit kind "beviel" in een voederbak.' Ze liet hem op haar borst vallen. 'Dus de volgende keer als u hier komt om te proberen de *stal-*

baby's van Scots Bay te redden, denk er dan aan wie er op hen let.' Ze stond op van haar stoel. 'Ik geloof dat uw koffie koud geworden is, dr. Thomas. Ik zou u willen vragen om te blijven eten, maar ik weet dat u waarschijnlijk het liefst de berg afgaat, terug naar uw lieve vrouw. Er zitten meer bochten in de weg als het donker is.'

Moeder wachtte niet lang met de vraag wat dr. Thomas eigenlijk wilde. 'Is hij je bij Wijze Marie tegengekomen? Hij leek me best aardig. Het is nogal iets om helemaal hierheen te komen. Je broers hielden maar niet op over die automobiel van hem. Wat wilde hij van je?'

'Hij wilde alleen achterhalen hoeveel baby's er zijn geboren in de Bay afgelopen jaar. Onderdeel van de registratie die ze bijhouden voor het land, of zoiets.'

'Dat is interessant. Hoeveel baby's waren het?'

'Wanneer?'

'Vorig jaar. Hoeveel baby's zijn er vorig jaar in de Bay geboren? Ik tel er drie, minstens. Fannie Bartlett, en...'

'Ach, weet je, ik ben het vergeten. Ik geloof dat ze alleen maar lachte en zei, "evenveel als altijd". Je weet hoe Wijze Marie is.'

Moeder ging terug naar het fornuis om door een grote pan bonen te roeren, veegde haar voorhoofd af en inhaleerde het woord: *ja*.

16 november 1916

Het gezicht van dr. Thomas was helemaal rood toen hij de blokhut van Wijze Marie verliet en hij zag eruit alsof hij niet tevreden zou zijn tot hij een manier gevonden had om ervoor te zorgen dat Wijze Marie zou zeggen dat ze verkeerd zat en dat hij gelijk had. Ik zei tegen haar dat ik er niet tegen zou kunnen om haar achter de tralies te zien, dat ze misschien moest overwegen om de vrouwen van de Bay te vragen om van nu af aan de hulp van dr. Thomas in te roepen, maar ze glimlachte alleen en reeg een enkele kraal van git aan een draad en hing hem om mijn nek. 'Die komt hier niet meer terug. Hij heeft hier niets te zoeken. Al het geld zit in de stad. De mensen daar gaan met elk akkefietje naar de dokter. Ze legen hun zakken midden op de onderzoekstafel. Waarom zou hij genoegen nemen met kool en aardappelen? En trouwens, een man die mijn koffie niet puur kan drinken, heeft niet het lef om me iets aan te doen.'

Waarschijnlijk heeft ze gelijk, maar mijn nachtmerries zijn er niet minder om geworden. Ik heb al drie nachten dezelfde. Eerst droom ik dat ik bij Tom Ketch ben, en hij kijkt me aan, zacht en lief, alsof hij me bijna gaat kussen. Ik doe mijn ogen dicht, maar als ik ze weer open doe, heeft Brady Ketch me stevig vast, zijn wilde baard schraapt over mijn wang, zijn smerige tong dringt mijn mond binnen. Ik probeer te schreeuwen maar er komt geen geluid uit mijn keel. Ik probeer weg te komen en mijn lichaam wordt slap, alsof ik geen botten heb, en dan val ik, steeds dieper, door de grond, het donkere, natte hol in onder de Mariaboom. Er liggen botten en mos, bladeren en schedels, coloradokevers en wormen. Ik kan een baby horen huilen. Ik graaf door de modder tot ik hem vind. Het is Darcy, alleen ziet hij er nu uit als de meest perfecte baby ter wereld. Hij is roze en mooi, mollig en gezond, zijn heldere blauwe ogen staren me aan, klaar om met mij mee naar huis te gaan. Als ik mijn hand naar hem uitstrek, komt de Mariaboom tot leven, de wortels veranderen in armen en trekken de baby onder het mos vandaan. Ik roep haar toe: 'Deze keer zal ik voor hem zorgen, ik beloof het.' Maar ze zegt niets; ze pakt Darcy op en loopt weg. Ik roep opnieuw: 'Alstublieft, breng hem terug. Ik zal voor hem zorgen.' Ik loop achter haar aan, in de hoop dat ze hem op z'n minst naar de hemel zal voeren, maar ze blijft gewoon verder lopen, het bos uit, de berg af, totdat ze voor de deur van dr. Thomas staat.

20 november 1916

Vanavond hebben we appels opgehangen om te drogen en hoefbladhoesttabletjes gemaakt. Wijze Marie trok een kookboek van de plank dat er oud uitzag en legde het voor me op tafel. 'Dit is het Wilgenboek.' Ze deed haar ogen dicht en aaide over de gebarsten leren kaft. 'Voor elk huis in Acadië dat tot de grond werd afgebrand, is er een wilg die rechtop staat en niets vergeten is. *We streken neer bij de rivieren van Babylon en huilden bij de gedachte aan Zion. We hingen onze lieren aan de wilgen.* We hangen er dingen in die we niet willen vergeten. De Maan bezit de Wilg.' Ze haalde de knoop uit een dik stuk twijndraad dat de losse, vergeelde bladzijden bij elkaar hield, en bladerde erdoorheen tot ze gevonden had wat ze zocht. 'Dank u, lieve Maria. Hier staat het: klein hoefblad. Sommigen noemen het de zoon-voor-de-vader omdat de bloemetjes eerder naar buiten komen dan de blaadjes. Net wat je nodig hebt voor een boze keel. Schrijf je naam maar in het hoekje van de bladzijde, Dora. Dan vergeet je het niet meer.'

Van de laatste appel maakte ze een amulet, grijnzend en zingend schilde ze een lang, krullend rood lint. 'De slang zei tegen Eva dat ze de appel aan Adam moest geven, oooh, Dora, wie zal die van jou krijgen?' Ze wierp de schil over mijn linkerschouder en ging op handen en knieën zitten om hem te bestuderen. Ze maakte een kruis over haar borst, en tekende daarna een kruis in de lucht. 'Kijk eens aan... ik zie een mooi klein huisje, een volle zijden handtas en de kracht van een jagersboog.'

Ik bukte naast haar. 'Wat betekent dat?'

'Niets, niet nu, tenminste.' Ik hielp haar overeind en ze gaf een klopje op mijn hand. 'Je zal 't wel merken als 't zover is.'

Ik had haar willen smeken om me meer te vertellen, maar het heeft geen zin om Wijze Marie met vragen te belasten. Ze heeft alles gezegd wat ze wilde zeggen. Tom Ketch is wel een jager natuurlijk; hij heeft vast een boog, hij woont immers in Deer Glen... maar er staat geen mooi klein huisje en er is niet eens geld genoeg om een vingerhoed te vullen, laat staan een zijden handtas. Wijze Marie zit er nooit naast met dit soort dingen. Ze kan zien dat een vrouw zwanger is nog voordat de vrouw het zelf weet. Ze kan zien of het een meisje of een jongen is, en in welke week het geboren zal worden, meestal heeft ze het tot op de dag goed. Ze kan zien waar iemand ziek van is door het voorhoofd van iemand aan te raken of hun hand vast te houden. Dus ook al heeft ze niet gezegd *wie*, of zelfs *wanneer*, ik kan het niet laten om te gissen naar haar hints en elk woord te overdenken.

4

Denken is iets wat ik volgens vader veel te veel doe: 'Je denkt veel te lang over dingen na, vooral voor een vrouw.' Eerst dacht ik dat het gewoon iets was wat vaders tegen hun dochters zeggen, maar hij is niet de enige; tante Fran schijnt er niet genoeg van te krijgen om haar bladen met geneeskundige ontdekkingen mee te nemen en er hardop uit voor te lezen als ze bij moeder en mij op de thee komt. Haar nieuwste vondst is *The Science of a New Life* door dr. John Cowan, M.D. 'Kijk, hier staat het, Charlotte. Ach, probeer het nu maar niet te lezen, ik wil dat Dora het ook hoort. Ik zal dit stukje hardop voorlezen. Het duurt maar een minuut. Even kijken... hier staat het... de hooggeachte dr. Cowan zegt: "Nauw verwant met eten en kleding, genereren luiheid en het lezen van romans kwade gedachten bij de vrouw. Het is voor een vrouw bijna onmogelijk om de huidige 'liefde-en-moord' literatuur te lezen en toch zuivere gedachten te hebben, en als het lezen van zulke literatuur in verband wordt gebracht met luiheid – en dat is vrijwel altijd zo – kunnen de gedachten en gevoelens van een vrouw *niet anders dan onzuiver en sensueel zijn.*" Zie je wel, Charlotte. Hier staat het zwart op wit. Nadenken en romans lezen veroorzaken, op zijn minst, ongedurigheid, nachtmerries en een slecht humeur.'

Afgelopen herfst was ze ervan overtuigd dat mijn aanval van verkoudheid het gevolg was van mijn niet-aflatende aandacht voor *Wuthering Heights*. Ze foeterde moeder zelfs uit dat ze het me liet lezen. 'Lottie, telkens als ik die dochter van je zie, heeft ze een boek onder haar neus! Als ze nou psalmen bestudeerde of zelfs wat poëzie... geen wonder dat haar gezondheid niet eens tegen de kleinste weersverandering kan.'

Moeder lachte. 'Ach, Fran, als je die praatjes van jou hoort, zou je bijna denken dat Dora op sterven ligt, alleen omdat ze over de godvergeten hei van Schotland leest.'

Ze draaide zich naar me toe en vroeg: 'Deze gaat toch over Schotland, of niet, Dorrie?'

'Ja, moeder.'

'En dan heb je nog dat boek over die arme vrouw die door haar man wordt opgesloten op zolder... die twee haal ik altijd door elkaar. Ik heb natuurlijk geen tijd om ze zelf te lezen, ik lees veel te langzaam en zo, maar Dora is zo aardig om me er af en toe over te vertellen. Maak je maar geen zorgen over haar, binnenkort voelt ze zich weer helemaal beter.'

Tante Fran zei met zachte stem: 'Haar verkoudheid is pas het begin van een ergere ziekte. Deze "verhalen", zoals jij ze noemt, zullen haar alleen maar meer pijn opleveren.'

'Fran, waar heb je het toch over?'

'Ik heb het over *krankzinnigheid*.'

'Doe niet zo mal!'

Ze fluisterde: 'En gelijksoortig gedrag.'

Tante Fran besloot haar uitgave van *The Science of a New Life* aan moeder te geven. 'Normaal gesproken zou ik dit niet uitlenen. Maar voor Dora maak ik een uitzondering. Je kunt dit soort dingen niet negeren en hopen dat het vanzelf geneest.' Ze gaf moeder een klopje op haar hand. 'Ik heb een aantal bladzijdes voor je aangekruist. De bladzijdes die over haar *gesteldheid* gaan.'

Moeder glimlachte en knikte. Zodra ze het op het nachtkastje naast haar bed had gelegd, beval vader: 'Raap die boeken van je bij elkaar, Dora. Leg ze maar buiten bij het sprokkelhout.' Ik deed alsof ik hem niet hoorde en liep naar het varkenshok om de zeug te voeren. Niet veel later hoorde ik het haardvuur knapperen en rook ik de rook van gedroogde takjes, *Wuthering Heights*, *Pride and Prejudice* en alle andere boeken. Ik leunde tegen het hek en huilde. Het heeft geen zin hem tegen te spreken. Nooit. *Eén ding hebben de jongens op je voor: ze huilen tenminste niet. Ik zal je nooit begrijpen, Dora.*

Afgelopen nacht was de eerste nacht dat we ingebunkerd waren. Toen ik klein was verheugde ik me op de koude decemberwind en de eerste sneeuw, op vader die de bovenverdieping afsloot en wij kinderen die met z'n allen onze kussens, dekens en veren matrassen naar de voorkamer beneden sleepten. Elke avond lagen we op een grote hoop bij elkaar en moeder gaf ons een kus op de wang in dezelfde volgorde als we geboren waren – Albert, Borden, Charlie, Dora, Ezekiel, Forest en Gord – gezellig opeengepakt tot het gras weer groen werd in de lente. Hoewel onze winterse slaapruimte de afgelopen jaren een beetje vol is geworden en ook nogal stinkt, luister ik nog steeds graag naar de verhalen van Borden op de late avond: over de keer dat de ouwe Bobby One Eye door de springvloed roeide bij Cape Split, hoe het gebeurde dat hij en Hart Bigelow de honkbal van varkensblaas uitvonden, het verhaal van de verborgen schat op Isle Haute die nooit gevonden werd, en de geest van de verloren voet van Old Cove Fisher.

Dit jaar wist vader blijkbaar niet wat hij met me aanmoest. Ik hoorde de woordenwisseling die hij na het ontbijt met mijn moeder had.

'Misschien kan ze deze winter bij Fran logeren.'

Moeder klonk overstuur. 'Waarom zouden we haar wegsturen? Er is toch plaats genoeg om te slapen?'

Vader begon zachter te spreken. 'Ze hoort zich te gedragen als een fatsoenlijke jongedame.'

'Doet ze dat niet dan?'

'Maar met zes jongens...'

'Judah Rare, stel je niet aan.'

'Ze is nu bijna op de leeftijd dat ze begint op te vallen, iemand zou kunnen denken dat...'

'Dat ze een lieve meid is die om haar broers geeft?'

'Zij en Charlie lopen nog steeds hand in hand over straat, en hoe vaak ik ook tegen haar uit ben gevallen, ze wil zich per se tussen de jongens mengen als ze aan het worstelen of aan het vechten zijn.'

'Maak je toch niet zo'n zorgen over haar. Ze heeft een zuiver en onschuldig hart. Ik weet bijna zeker dat ze zelfs nog nooit door iemand gekust is.'

'Dat is het probleem. Welke man wil een meisje dat altijd bij haar broers is? Hoe langer we dit toelaten, hoe meer mensen zullen denken dat er iets vreemds mee is. Laten we haar naar Fran sturen. Ik weet zeker dat je zus haar graag zou...'

'Ja, natuurlijk zou Fran mijn dochter graag als huishoudster hebben. Hoe we onze kinderen opvoeden is onze zaak en niemand anders. We leggen Dora aan het eind achter de tweeling, of in de lengte bij hun voeten, maar ze blijft thuis en meer wil ik er niet over horen.'

Vader heeft gelijk als hij denkt dat ik mijn onschuld verloren heb, maar dat kwam niet omdat iemand mijn roos midden in een ongemaaid veld heeft geplukt. (Ik kan me nog steeds verheugen op een beetje bloed op de lakens tijdens mijn huwelijksnacht.) Maar toch, een meisje kan haar hart lang voordat ze het weggeeft verliezen. Moeder heeft er nooit iets over gezegd, of misschien had ze het te druk om het te merken, maar ik weet nog precies hoe het gebeurd is. Het was de dag dat vader me liet zien dat ik geen kind meer was.

Vóór die dag hoorde ik bij mijn broers, ik was één van hen. Als Borden of Albert me plaagden, plaagde ik hen gewoon terug. Als Charlie modder in mijn schoenen liet lopen, zat er diezelfde avond een pad onder zijn lakens. Voor elke duw die ze me gaven, kneep ik twee blauwe plekken in het vlezige deel van een dijbeen of de achterkant van een arm. Totdat vader er een eind aan maakte. Op een warme, zonnige dag (ongeveer in dezelfde tijd dat ik voor het eerst ongesteld werd en mijn borsten zwaar aanvoelden als ik rende), gingen Albie, Borden, Charlie en ik stiekem naar Lady's Cove na school. Het begon net eb te worden, de rotsen waren gevuld met plassen warm zeewater, en een lange strook klei lag te glinsteren aan de waterkant. Beschut door de inham deden we wat we altijd deden: we trokken onze kleren uit en begonnen natte, zware modder- en kleiballen naar elkaar te gooien. We zullen er wel fraai uitgezien hebben met z'n allen, lachend en gillend, onze lichamen besmeurd met smerige striemen bruin en grijs, maar vader riep alleen míjn naam toen hij ons zag. Het was een langzaam, boos, indringend *Dora Marie Rare*. Ik trok mijn kleren over mijn vieze huid, bedekt met korsten, en hij trok me de hele weg aan mijn arm naar huis. Ik had hem niet moeten tegenspreken, maar ik vond het zo oneerlijk dat ik eruit werd gepikt. Het was immers Bordens idee geweest om naar de inham te gaan, het was Alberts idee geweest om het water in te gaan, en het was Charlie die de eerste modderbal had gegooid. Vader trok er zich niets van aan. Hij draaide zich om, pakte mijn armen beet en schudde me door elkaar terwijl hij zei: 'Dit soort gedrag wil ik nooit meer zien.'

'Maar, vader, ik...'

'Als je zo doorgaat moet ik je dadelijk een elstak laten voelen, Dora.'

Toen we bij ons huis kwamen, groette moeder ons vanaf de veranda, ze zag er bezorgd uit. Ze had ons waarschijnlijk zien aankomen en aan vaders passen gemerkt dat hij boos was. Hij beval me om een emmer water uit de bron te pompen. 'Was jezelf goed voor het avondeten, en zorg ervoor dat ik geen spatje modder achter je oren vind.' Toen ik weer het huis in kwam, hoorde ik hem klagen tegen moeder. 'Ze is te oud om met de jongens rond te hangen, en ze is ook niet op haar mondje gevallen. Praat met haar, Lottie, zeg haar dat ze nooit een man zal krijgen als ze zo doorgaat. De mannen van hier willen geen vrouw die iets terugzegt.'

Hij deed alsof hij al misselijk werd als hij naar me keek. Hij schudde me zo hard door elkaar dat zijn angsten op mijn lichaam werden overgebracht. Hij liet al zijn gemene gedachten op me los, de nachtmerrie van elke vader stopte hij in mijn hoofd – het verlangen om dieren te zien paren in de lente, de stiekeme wens om aangeraakt te worden, de behoefte door mannen gezien te worden. Ik had nooit onschuldig kunnen blijven, zelfs al had ik dat gewild. Het leek wel of hij eindelijk tot het besef was gekomen dat je een meisje niet kan tegenhouden een vrouw te worden.

Ik ben tenminste niet zo ver heen als Grace Hutner. Haar manier van spreken, met haar vinger tegen haar kin gedrukt en rollend met haar ogen als ze giechelt... is zo slinks als een goochelaar op de kermis of een verkoper van slangenolie. Er zit altijd een kleine welving voor in haar bloes en haar enkels draaien ongeduldig als ze haar benen uit haar schoolbankje steekt of het gangpad op in de kerk. Door de lichte kleur van haar haar en het blauw van haar ogen gelooft bijna iedereen dat ze de perfectie zelve is. Het kuiltje in haar ene wang als ze glimlacht lokt iedereen naar haar toe, jongens, meisjes, mannen. Ze vallen zo voor haar neer: 'Zal ik je boeken voor je dragen, Grace?' 'Vertel eens over je nieuwe jurk, Grace.' 'Zo'n jong ding als jij kan toch niet alleen lopen?' Elke naar de kerk gaande jongen in de Bay, Albert en Borden incluis, heeft met haar op de hooizolder gerommeld. De enige keer dat ik hen met elkaar op de vuist heb zien gaan, had te maken met haar. Ze had hen er ieder afzonderlijk van overtuigd dat haar hart aan hem toebehoorde. Hoewel ze het uiteindelijk bijlegden en elkaar vergaven toen ze het aanlegde met Archer Bigelow, kan ze er nog steeds voor zorgen dat ze bekvechten over wie na de mis met haar naar huis mag wandelen. Alle jongens willen haar, en elk meisje wil zijn zoals zij. Grace Hutner kan een man ertoe brengen om blind te willen zijn, zodat hij haar leugens beter kan horen.

Ik heb een paar boeken 'geleend' uit een stoffige, vergeten kast op school, onder andere van Charles Dickens en Jane Austen. Ik mag ze van Wijze Marie in haar huisje laten liggen, als ik ze haar hardop voorlees terwijl ze kleipijpjes maakt met haar onwillige vingers. Ze plaagt me, houdt mijn pols voor en na het lezen vast, en telt mijn hartslag. 'Je hart is geen flits veranderd, je heb 't niet heet... gaat het wel goed met je?' We hebben een leeskring voor twee gevormd, *un Veille d'mot*, zoals Wijze Marie het noemt, en zijn begonnen met *Northanger Abbey* van Jane Austen. De heldin, Catherine Moreland, wordt verliefd op de onstuimige, maar zachtmoedige Henry Tilney. Ze is zeventien.

Toen ik het gevoel had dat *The Science of a New Life* van tante Fran vergeten was, stal ik dat boek ook en verstopte het tussen het matras en de latten van mijn bed. Dr. John Cowan en ik zijn behoorlijk intiem met elkaar geworden.

> Laten we kijken naar de gevolgen van masturbatie, en het effect dat het heeft op de gezondheid en de persoonlijkheid van het individu; alles bij elkaar een onwenselijke reeks: hoofdpijn, dyspepsie, constipatie, aantasting van het ruggenmerg, epilepsie, gezichtsverlies, hartkloppingen, pijn in de zij, incontinentie van urine, hysterie, verlamming, onwillekeurige zaadlozingen, impotentie, tering, krankzinnigheid, etc.
>
> De vrouw, ziek in dit geval, verliest zowel de beminnelijkheid en gratie van haar sekse, als de zachtheid van haar stem, aard en gedrag, haar natuurlijk enthousiasme, de schoonheid

> van haar gezicht en figuur, haar gracieuze en elegante manieren, en haar lieve en belangstellende blik voor en naar de man. Ze verandert langzaam in een mormel, noch mannelijk noch vrouwelijk, getekend door de tekortkomingen van beiden en zonder enige goede eigenschappen van een van de twee.

Dr. Cowan kan het misschien *zelfverminking* noemen, maar ik omschrijf het liever als *geduld beoefenen*. Het kan toch geen kwaad om aan liefde te denken? Als ik mijn liefdesverdrietjes mee onder de dekens neem, is dat toch niet veel anders dan het stil opzeggen van de Brownings of Keats of Christina Rosetti? Gisteren pakte ik nog een boek uit de bibliotheek van juffrouw Coffill op school, een gedichtenbundel deze keer. *Kom naar me toe in de stilte van de nacht; Kom in de sprekende stilte van een droom*. Mijn favoriete stukjes heb ik aangegeven met stukjes draad. De woorden zijn zoet, en vol met wensen, net als mijn handen tussen mijn benen.

December 1916

Dr. Thomas is Wijze Marie niet meer lastig komen vallen, maar tante Fran bracht laatst verslag uit over de geboortekliniek in Canning die bijna klaar is. Er zal een damesbijeenkomst worden gehouden voor de vrouwen van Scots Bay. Ze wil alle 'nette dames van de Bay' stimuleren om te komen. Zoals gewoonlijk windt ze zich op over een gelegenheid die reden geeft om een nieuwe hoed te dragen en haar pinkje op te tillen. Ze was er ook snel bij om het me te vertellen. 'Dr. Thomas gaat een lezing houden over "Moraal en de Gezondheid van de Vrouw". Ik denk dat je dat wel leuk zal vinden, Dora.'

Hoe meer ik over hen te weten kom, hoe meer ik besef dat ik niet zo voor dokters ben.

5

Dr. en mevrouw Gilbert Thomas
Nodigen de dames van Scots Bay uit om een speciale middag bij te wonen voor thee en conversatie in
De Canning Geboortekliniek van Kings County
Zaterdag, 7 december 1916
Transport van en naar Canning zal beschikbaar zijn vanaf het Seaside Centre

Drie spannen stevige paarden vastgekoppeld aan drie prachtige nieuwe sleden stonden te wachten bij het Seaside Centre. Met de complimenten van dr. Thomas.

Moeder zei dat ik haar plaats zou moeten innemen om de familie Rare te vertegenwoordigen, want ze had thuis veel te veel werk te doen. Ik probeerde Wijze Marie over te halen om mee te rijden, maar dat wilde ze niet. 'Ik ben North Mountain niet meer af geweest sinds de dag dat ik hier aankwam. Het is nu al zo lang geleden, dat ik waarschijnlijk in stof zou opgaan zodra ik maar één teen buiten de Bay zet.'

Tante Fran zei tegen moeder dat ze zich niet ongerust moest maken. 'Ik ga sowieso al, in de *officiële hoedanigheid* van secretaresse van de White Rose Temperance Society, dus ik kan makkelijk een oogje op mijn lieve nichtje houden. Ik zal erop toezien dat ze op haar woorden past.' Precious had haar moeder gesmeekt of ze mee mocht, maar tante Fran scheepte haar af met de uitleg: 'Je weet toch wat de kou met je doet? Wie weet hoe je eraan toe bent als je die berg af en op hebt gereden?' Ze streek het haar van Precious glad en bond het strikje onder aan haar vlecht opnieuw vast. 'Wat zeggen we dan altijd?'

Met een onwillige zucht viel Precious in. 'Denk om jezelf, denk om je gezondheid.'

Tante Fran glimlachte en stopte een zuurtje in de mond van Precious. 'Goed zo, lieverd, goed zo.'

De arme Precious zwaaide ons uit, maar niet voordat ik haar beloofd had dat ik haar 'alles tot in het kleinste detail' zou vertellen, en liep terug naar huis.

Tante Fran had haar zondagse kleren aan. Toen Trude Hutner zich druk maakte over Frans nieuwe mof van konijnenbont, eiste tante Fran dat mevrouw Hutner en Grace van plaats verwisselden zodat ze hun gesprek konden voortzetten. Ze gaf de mof aan mevrouw Hutner voor verdere inspectie. 'Hij is gisteren aangekomen. Irwin zei dat ik een vroeg kerstgeschenk mocht uitzoeken uit de Eatons catalogus. Eerst stelde hij voor dat ik misschien een nieuwe jas wilde, maar ik heb "nee" gezegd natuurlijk, nu het oorlog is. Dit is alles wat ik nodig heb. Ik had hem eigenlijk pas morgen in de mis voor het eerst willen gebruiken, maar dit leek me de perfecte gelegenheid.'

Mevrouw Hutner knikte en aaide over het zachte witte bont. 'Net een stukje hemel, vind ik... maar ook praktisch.' Ze liet haar handen in de mof glijden en grijnsde. 'Ik geloof dat het tijd wordt dat ik zelf ook weer een nieuwe koop. Misschien geef ik mijn oude aan Grace en stuur ik deze week een bestelling naar Eatons.'

Tante Fran deed haar best de afkeurende blik van haar gezicht te verwijderen. De twee vrouwen zijn vriendinnen, maar alleen omdat ze allebei in dezelfde positie verkeren en veel meer hebben dan de meeste vrouwen in de Bay. Je hoeft blijkbaar niet erg aardig of oprecht te zijn om gunstig te trouwen. 'Er stond een heel mooie in van beverbont, direct naast deze. Die donkere kleur zou je vast goed staan, al zeg ik het zelf.'

Mevrouw Hutner trok een pruillip en gaf de mof terug aan tante Fran. 'Ik zal eraan denken.'

Tante Fran besteedt de meeste tijd (en een groot deel van het familiefortuin van oom Irwin) aan het willen hébben van dingen. Vorige Kerstmis was het Iers linnengoed, daarna Franse kanten tafellopers, en vervolgens waren het beeldjes van Italiaans porselein... vooral vogels, insecten en fruit. Tegenwoordig is ze dol op het verzamelen van lepeltjes. Ze heeft er honderden, gegraveerd met koninklijke gezichten en de grote wonderen van de wereld, waarvoor tante Fran nooit en te nimmer haar comfortabele huis in de Bay zou verlaten om ze in het echt te zien. Ze boent ze trouw, terwijl ze kerkliedjes zingt, en grijnst als haar spiegelbeeld in de lepel zich omdraait, *goed om, verkeerd om, goed om, verkeerd om.* Ze hangen aan de muren van haar voorkamer, stuk voor stuk nutteloze rondjes zilver, maar zo verfijnd dat God niet beledigd zal zijn, net zo min als de goede christelijke dames van de Bay.

Moeder lacht altijd in zichzelf als we tante Fran bezoeken. 'Een vrouw heeft iets nodig waarop ze de klok gelijk kan zetten... De koekoek van Fran roept ergens tussen het brallen van bijbelse verzen en het poetsen van die lepeltjes door.' Ik heb haar nooit horen klagen over de schatten van Fran of hoe weinig ze zelf heeft. Dag in dag uit veegt ze stof en zand naar buiten, loopt van de ene maaltijd naar de andere en schuift met haar moeë voeten voor het hete fornuis heen en weer. Haar rug doet pijn van het kleren uitwringen boven de wastobbe en het melken van de Guernsey-koeien. Zij was het mooie meisje dat trouwde uit liefde. Zeven kinderen later hoop ik dat ze die gedachte nog steeds goed vasthoudt, als ze onze dromen veilig onder onze kussens stopt en vader een nachtzoen geeft.

Ik keek naar de bomen die voorbij kwamen, berkentakken glinsterden in de zon, sparren waren bedekt met verse, natte sneeuw van de afgelopen nacht. De paarden hielden de pas er stevig in en de slee sneed een nieuw pad uit terwijl we de berg af gingen. Winterfrisse lucht raasde langs onze gezichten. Fran schreeuwde boven het rinkelen van de sleeklokjes uit. 'Ik krijg ook drie nieuwe lepeltjes... Buckingham Palace, de Piramides van Giza en de Taj Mahal. Je moet volgende week maar thee komen drinken, dan kun je ze zien, ze zijn fantastisch, echt fantastisch!'

Mevrouw Hutner wachtte even en knoopte de jas van Grace tot bovenaan dicht. 'Alleen als je mijn nieuwste aanwinst komt bekijken...'

Grace petste haar moeders hand weg en trok de knoop weer los.

Tante Fran sloeg haar handen in elkaar. 'Oh, Trude, heb je het al gekregen?'

Mevrouw Hutner pakte de hand van Grace en kneep erin, hard. 'Ja, de doos is drie dagen geleden aangekomen.' Ze sprak met een snelle, opgewonden stem. 'De Vergulde Lotus, een patroon van roze medaillons bedekt met goudgerande bloemen, en het bekoorlijke gezicht van een keizerin kijkt je vanaf de bodem van elk kopje aan. Ze zijn zo klein en schattig, elk kopje heeft zijn eigen ronde dekseltje, als een piepklein Chinees hoedje. Dat noemen ze Guywan, een afgedekt kopje.' Grace wrong haar hand los uit de grip van haar moeder en drukte langzaam haar hak op de tenen van haar moeders laars. De ogen van mevrouw Hutner begonnen te tranen. 'Er zitten geen oortjes aan, weet je.'

Tante Fran reikte haar een zakdoek aan. 'Wat vreemd.'

Mevrouw Hutner depte haar ooghoeken. 'Neemt u me niet kwalijk, ik voel me niet zo lekker de laatste tijd.'

Tante Fran knikte begrijpend. 'Er hangt iets in de lucht. Bij de weduwe Bigelow begon het met een hoestje, maar uiteindelijk lag ze een hele week op bed. Eigenlijk komt het wel goed uit dat we naar de dokter gaan.'

De Geboortekliniek van Canning is gebouwd op de kop van Pleasant Street. Het hoge, rechte huis ziet eruit alsof het zo uit de grond omhoog is geschoten, wit en schoon. Iemand die de omgeving niet kent zou nooit raden dat het ooit het vervallen, vergeten huis van kapitein Robert Dowell was geweest, die een vrouw had in Londen en een extra vrouw hier in Canning, Nova Scotia. Op zijn grafsteen op de begraafplaats van Habitant staat:

KAPITEIN ROBERT DOWELL
1836-1883
Hij gaf zijn leven
voor zijn enige echte liefde,
de zee.

De meeste mensen denken waarschijnlijk dat die woorden betekenen dat hij verdronken is, maar in werkelijkheid was kapitein Dowell een duisterder lot beschoren. Toen Emily Dowell, vrouw nummer één, een brief gekregen had van Lucinda Dowell, vrouw nummer twee, maakten de twee vrouwen een afspraak. Ze beloofden elkaar dat de mevrouw Dowell die hun lieve 'Robbie' het eerst zou zien een slagersmes zou pakken om het diep in zijn ontrouwe hart te steken.

Het was Emily die hem het eerst ontmoette. Het was Emily die in het donker van de werf op hem wachtte, Emily Elizabeth Dowell, geboren Trublood, de mooie dochter van de edelachtbare rechter Kingston Trublood. Het was Emily die gebruikmaakte van de kans wraak te nemen. Ze stak kapitein Dowell dood en duwde hem het water in. Maar het trieste is dat Emily niet met de gevolgen kon leven. Ze moest er niet aan denken dat haar eigen vader een strop om haar hoofd zou moeten doen. Toen het voorbij was, richtte ze het mes op zichzelf. Haar gedenksteen staat naast die van haar man. Onder een uitgesneden hand die naar de hemel wijst, staat geschreven:

EMILY ELIZABETH TRUBLOOD DOWELL
1858-1883
Trouwe gade
Eerlijk hart

Het mysterie van de twee drijvende lichamen in de Habitant River zou misschien nooit zijn opgelost, als de postmeester van Canning na hun dood deze brief niet had gekregen.

Manchester
England
25 oktober 1883

Ter attentie van: de Postmeester
te Canning
Kings County, Nova Scotia
Canada

Geachte Postmeester,
Het is al vele maanden geleden dat ik van mijn lieve vriendin,

Emily Dowell, heb gehoord. Woont ze daar nog? Gaat het goed met haar? Kunt u me vertellen of zij en haar man hun onenigheid hebben bijgelegd? Ik wil u niet tot last zijn, maar het is niets voor haar om niets van zich te laten horen. We zijn een soort familie van elkaar, aangetrouwd, en ik zou heel graag iets van haar vernemen.

In afwachting van uw vriendelijke antwoord,
Lucy Dowell

De postmeester, ene Martin deGroot, stuurde Lucy Dowell een kort bericht terug. Zelfs nadat de afschuwelijke details waren uitgelegd, bleven ze met elkaar corresponderen. Lucy vertelde over het eenzame, vochtige weer van Manchester en Martin vervloekte de lange winters van Nova Scotia. Het duurde niet lang voordat de postmeester tot het besef kwam dat ze perfect bij elkaar pasten, Lucy als weduwe, en hij die op zoek was naar een vrouw. In de lente liet hij haar overkomen, en Lucy Dowell werd mevrouw Lucy deGroot.

De kant van de familie van moeder en tante Fran is verbonden met de DeGroots via de zus van hun bedovergrootmoeder. Ze ging weg uit de Bay om met een lid van de sterke Hollandse familie te trouwen en kwam nooit meer terug. Op weg naar Canning wijst moeder ons altijd op de boomgaarden van de DeGroots. 'Daar hangen de lekkerste appels van Kings County.' Ze zijn rond en dik met een rood blosje, net als de rest van onze neven en nichten van De-Groot, ze lijken in de verste verte niet op de kleine dessertappeltjes die in de Bay groeien. We zien de appels en de neven en nichten één keer per jaar, in de herfst. Vader brengt nieuwe vaten mee de berg af, en we krijgen er ons aandeel appels en cider voor terug.

Vanwege die simpele traditie tussen onze twee families, vonden Charlie en ik altijd dat we het 'recht' hadden om door de kapotte kelderdeur van kapitein Dowells huis te kruipen. Ondanks de dichtgespijkerde ramen en het vervaagde bordje met 'verboden te betreden' hadden we het gevoel (door moord, huwelijk en verre bloedverwantschap) dat het huis van ons was. Als we met vader mee mochten op zijn zaterdagse uitstapjes naar Canning, slopen we stiekem naar het huis toe. We renden loeiend en schreeuwend de trap op en af om de geesten weg te jagen. Daarna gingen we stilletjes op zolder zitten om te kijken of ze terug zouden komen. Zelfs de geesten zouden het huis nu niet meer terug kennen.

Mevrouw Thomas is een lieve vrouw, en ik vond haar best aardig, maar ze liep bijna over van gastvrijheid. Huppelend liet ze ons de ene kamer na de andere zien, haar zwangere buik voorop, opgestoken meisjesachtige pijpenkrullen boven op haar hoofd. Ze legde haar handen op haar ronde buik. 'Het is onze eerste, en hopelijk worden er nog een heleboel baby'tjes geboren in de Canning Geboortekliniek.' Ze knipoogde naar tante Fran. 'Wij dames van Kings County hebben geluk dat we in zulke goede handen zijn.'

We volgden haar naar de eerste verdieping en werden rondgeleid door een kleine zitkamer, de onderzoekskamer van dr. Thomas, een grote keuken en slaapvertrekken voor twee verpleegsters.

Van de tweede verdieping was één grote ruimte gemaakt. Langs de witte muren stonden keurige, rechthoekige kasten vol met gevouwen handdoeken en dekens. Onder het laatste raam stonden drie grote wastafels. In het midden van de kamer stonden twee lange rijen lege witte wiegjes. Dit was de babykamer.

Dr. Thomas groette ons toen we aankwamen bij de derde verdieping. 'Welkom in de verloskamer, dames.' De bovenste stijl van de trapleuning, die ooit donker van kleur was met uitgesneden zeeslangen en zeilschepen, was overgeschilderd, witgekalkt net als de rest. De sombere zolder was nu een grote, weidse ruimte. Er stonden tien extra bedden op een rij tegen de muur, met strakke witte lakens. In het midden stond een grote tafel met kaarsen, minibroodjes en fijn porselein erop. Dr. Thomas gebaarde naar ons om te gaan zitten. 'Drinkt u alstublieft een kopje thee met ons.'

Hij schudde de hand van alle dames die de kamer binnenkwamen, gaf hun complimentjes voor hun jurk of hun hoed, maakte opmerkingen over wederzijdse kennissen, verre familieleden en het weer. Hij stopte even toen hij bij mij kwam en herhaalde mijn naam toen ik hem noemde: 'Juffrouw Dora Rare. Een mooie naam.'

We namen slokjes van onze thee terwijl dr. Thomas uitleg gaf over 'de voordelen van de moderne bevalling'. Hij trok aan een laken dat aan het plafond hing en liet het als afscheiding tussen twee bedden invallen. 'In de Canning Geboortekliniek hebben we zowel privacy als efficiëntie. Er kunnen maximaal tien vrouwen tegelijk bevallen en toch de beste verloskundige zorg krijgen.' Hij trok het laken weg en bond het vast aan de muur. 'En als het nodig is, kunnen er meer bedden worden toegevoegd.' Hij stond aan het voeteneind van een bed en draaide aan een hendel. Het hoofdeinde van het bed ging omhoog, naar beneden en weer omhoog. 'De nieuwe moeder kan in een en hetzelfde bed bevallen en rusten.' Hij boog voorover bij het voeteneind van het bed en rukte er aan beide kanten een metalen beugel uit. Met een harde klap duwde hij ze op hun plek. 'Stijgbeugels. Om je tegen af te zetten tijdens de bevalling.'

De dames lachten en knikten allemaal. Terwijl ze hun piepkleine broodjes oppeuzelden, rolde dr. Thomas een metalen karretje naar zich toe. Er lag een wit laken overheen en het deed denken aan een karretje voor thee en koekjes. Tante Fran slaakte een zucht toen hij onthulde wat er op het blad lag. De dokter grinnikte. 'Het ziet er misschien onheilspellend uit, maar ik verzeker u dat het er allemaal bij hoort.' Het blad lag vol met glanzende zilveren messen, scharen en andere medische instrumenten. In het compartiment eronder waren allerlei soorten potten opgeslagen. Hij pakte twee medicijnflesjes en legde ze voorzichtig naast het bloemstuk op het midden van de tafel neer. 'Pituïtrine en chloroform, de twee beste vrienden van een moeder.' Vervolgens hield hij een grote brede tang omhoog. 'De verlostang, de beste vriend van een verloskundige arts.' Hij liet hem de tafel rondgaan. 'Ik heb al deze spullen – de scalpels, de scharen, de naalden, de flesjes moederkoren en ether – hier niet neergelegd om u bang te maken, maar om u de weg van de moderne geneeskunde te laten zien. Deze dingen bespoedigen de bevalling en brengen het proces in handen van de dokter. Hij heeft alles onder controle. Hoe sneller de geboorte, hoe kleiner de kans op infecties, en hoe korter de moeder hoeft te lijden. En hoe minder een vrouw hoeft te lijden, hoe beter, daar bent u het toch vast mee eens.'

De vrouwen fluisterden en knikten. Trude Hutner voegde eraan toe: 'Bij mijn Grace duurden de weeën twee dagen.' Ze gaf een klopje op de hand van Grace. 'Stel je eens voor. Twee hele dagen.'

Dr. Thomas ging aan het hoofd van de tafel zitten. 'Eind vorige week werd ik naar een bevalling geroepen in het dorp Baxter's Harbour. De plaatselijke vroedvrouw stond de bevalling van de jonge moeder bij, maar toen de weeën toenamen, werd het duidelijk dat de moeder erg veel pijn had. De vader, die de vroedvrouw uit zijn huis had weggestuurd, was zo verstandig om naar Canning te komen en mijn hulp in te roepen. Toen ik aankwam was de moeder helemaal uitgeput en te zwak om het kind ter wereld te brengen. Het was te laat voor haar om nog iets aan de medicijnen te hebben die ik haar toediende, te laat om de verlostang te gebruiken.' Hij pakte de verlostang en legde hem terug op de kar. 'Elke keer als ik aan die tragedie denk, besef ik dat er meer gelegenheden zijn dan we ons kunnen voorstellen waarbij de helpende hand van een arts het enige redmiddel is.'

De dames schudden hun hoofden in stilte en dr. Thomas ging verder. Hij keek in mijn richting. 'Die jonge moeder was, denk ik, niet veel ouder dan uw geliefde juffrouw Rare.' Alle dames draaiden zich om en keken me aan. 'Ze is het perfecte voorbeeld van een nette jongedame in Scots Bay die in de toekomst mijn assistentie nodig zal hebben.' Hij glimlachte en knipoogde naar me, alsof hij me kende, alsof we samen een geheim hadden (alsof hij wist dat ik me die dag dat hij op bezoek was bij Wijze Marie verstopt had). Mijn gezicht, mijn oren, en de achterkant van mijn nek begonnen te gloeien. 'Het is nooit te vroeg om je langzaam te gaan voorbereiden op de dag dat ze een bruid, een vrouw, een moeder zal zijn.'

De dames waren het allemaal met dr. Thomas eens en Grace verslikte zich in een petitfour. Mevrouw Hutner schonk nog wat thee in het kopje van haar dochter en drong erop aan dat ze een slokje nam (of in elk geval haar kopje voor haar gezicht hield om haar lachbui te onderdrukken).

Dr. Thomas legde bij elk couvert op de tafel een klein boekje neer. 'Een Moedersaandeel van de Farmer's Assurance Company is een prachtig geschenk voor een nieuwe bruid.'

'Voor elke vrouw, eigenlijk,' voegde mevrouw Thomas eraan toe.

De dokter ging achter zijn vrouw staan en legde zijn hand op haar schouder. 'Een vrouw hoeft zich niet ongerust te maken als ze weet dat ze een veilige, schone plek heeft om haar kinderen te baren.'

Hoewel zijn manieren onberispelijk waren en hij altijd beleefd was, was het me duidelijk dat dr. Thomas de omstandigheden van een vrouw minder belangrijk vond dan het aan de man brengen van zijn diensten. Je bent niet aan het vertellen, je bent aan het verkopen. Met Wijze Marie in gedachten stak ik mijn hand op om iets te zeggen, mijn stem trilde toen ik dr. Thomas vroeg: 'Hoe zit het dan met de kosten? Ik ken niet veel gezinnen in Scots Bay die zich kunnen veroorloven wat u vraagt.'

Tante Fran siste naar me. 'Dora, niet zo brutaal.'

Mevrouw Thomas glimlachte. 'Voor het geld dat een gezin maandelijks aan thee en koffie uitgeeft, kun je makkelijk een aandeel kopen.'

Ik had niet het gevoel dat ik een fatsoenlijk antwoord had gekregen, of dat mevrouw Thomas enig idee had wat het woord geld voor de meeste gezinnen in Scots Bay betekent. Ik negeerde de berisping van tante Fran en hield de achterkant van de brochure omhoog. 'Maar hier staat: "Een Moedersaandeel kost vijfentwintig dollar per jaar." Dat zijn wel erg veel koffiebonen.'

Tante Fran griste de brochure uit mijn hand en fluisterde: 'Ik wil geen woord meer van je horen.'

Dr. Thomas onderbrak haar. 'Nee, ze heeft gelijk, misschien is niet elke vrouw in staat om een eigen aandeel te kopen, maar dat is ook de reden dat ik u dames vandaag heb uitgenodigd. Dit is een geweldige kans voor vrouwenorganisaties als de White Rose Temperance Society om de dames uit hun gemeenschap te helpen. Welke prijs, dat vraag ik u, is hoger dan het leven?'

Hoewel ze erg beleefd was en bleef glimlachen, was tante Fran de eerste die naar de deur liep toen het theeuurtje voorbij was. Ze trok me mee en mopperde zachtjes voor zich uit. 'In godsnaam, mijn eigen nicht. Ik heb wel duizend keer tegen Lottie gezegd dat ze die meid in de gaten moet houden. Houd haar uit de buurt van boeken en de jongens.'

Dr. Thomas liep vlak achter ons aan. 'Mevrouw Jeffers, kan ik u even spreken?'

Ze draaide zich om en verwrong haar boze grimas tot een vriendelijke glimlach. 'Natuurlijk, dokter, hoewel we al genoeg van uw tijd in beslag hebben genomen vandaag.'

Hij nam haar hand in de zijne. 'Ik wilde u bedanken voor uw komst en dat u uw nicht meegenomen hebt. Het doet me deugd om zoveel bedachtzaamheid in een jongedame te zien, vindt u ook niet?'

Tante Fran bloosde. 'Nou, ja, wat aardig dat u dat zegt. Ik zeg altijd tegen Dora dat ze zich vaker moet uitspreken, dat lieve mondje van haar af en toe eens open moet doen.'

Dr. Thomas keek me aan. 'Ik ben blij u te zien, juffrouw Rare. Doe alstublieft de groeten aan juffrouw Babineau, goed?'

Ik knikte. 'Ja, dat zal ik zeker doen.'

Tante Fran onderbrak ons. 'Dora, lieverd, je hebt me niet verteld dat je al met dr. Thomas had kennisgemaakt.'

Voordat ik kon benadrukken dat we elkaar nog nooit gezien hadden, keek dr. Thomas me aan en grijnsde. 'Volgens mij houdt juffrouw Rare wel meer verrassingen voor ons verbórgen.'

6

Een week later bracht ik mijn zaterdagse bezoek aan Marie Babineau door bij Mabel Thorpe. Wijze Marie had haar geboortetas al gepakt en ze stond klaar om te vertrekken toen ik binnenkwam. 'Draai maar weer om. Mabel bevalt van haar derde, dus we kunnen maar beter naar haar toe gaan om te helpen.' Ik moest denken aan mevrouw Ketch en aan Darcy en hoe ik hem had vastgehouden tot zijn adem ophield en zijn lichaam koud was. Sinds zijn geboorte waren mijn nachtmerries geleidelijk verdwenen en vervangen door de gedachte dat ik zijn dood misschien had veroorzaakt, dat Laird Jessup me terecht de schuld had gegeven voor de misvorming van zijn kalf, dat mijn aanwezigheid bij een geboorte op de een of andere manier lelijkheid veroorzaakte – een bleek misvormd lichaam, een zwak hart en ten slotte de dood. 'Ik denk niet dat ik veel hulp kan bieden. Misschien kan ik beter naar huis gaan.'

Wijze Marie pakte mijn hand en liep de weg op. 'Het komt allemaal goed. Maak je maar geen zorgen.'

Ik zou ondertussen moeten weten dat je geen nee meer kan zeggen als Marie Babineau eenmaal een beslissing heeft genomen.

Het was een lange en koude wandeling. Tegen half december zijn de bomen kaal, heeft de Bay de kleur van lood gekregen en waait er een andere wind, die het gras naar beneden duwt, en geen rekening houdt met ons leven. Hij snijdt de adem af en dwingt ons om van haard naar haard te gaan. Mabels huis ligt aan de hoofdweg, bij de splitsing naar Cape Split, net achter de scheepswerf en de smidse van Hardy

Tupper. Het is precies hetzelfde als alle andere huizen van Thorpe in de Bay, het heeft een rechte, vierkante structuur als een zoutkist, met één schoorsteen die uit het midden van het dak steekt. Zo zijn de Thorpes zelf ook, eenvoudig en betrouwbaar, stuk voor stuk.

Toen we binnen waren, stuurde Wijze Marie Mabels man, Porter, en hun twee kleine kinderen zonder pardon de deur uit om bij zijn zus en haar gezin verderop te blijven. 'Die vrouw van jou moet nu alleen aan deze baby denken. De kleintjes snappen niet waarom ze zo anders dan anders is en die lieve Mabel komt niet toe aan wat haar te doen staat als ze zich druk maakt over het feit dat ze hen niet bang wil maken.'

Mabel boog zich voorover naar haar verlegen, stille man, haar buik bijna te dik tussen hen in, en gaf hem een onhandige kus op zijn wang. Ze woelde door het haar van de kleine meisjes en zei: 'Lief zijn voor je tante, hè? Doe wat je papa zegt en netjes alstublieft en dankuwel zeggen.' Twee rosblonde hoofdjes knikten gezamenlijk. Ze keken glimlachend op naar hun moeder, en streken nog één keer met hun handjes over haar bolle buik. De een vier, de ander vijf, net twee traptreden, met sproeten in hun gezicht en even zachtaardig als hun moeder. Mabel Thorpe was zo rond als een ton en viel bijna om, en toch leek het moederschap haar makkelijk af te gaan. Wijze Marie zegt: 'Het is het geloof van de moeder die de kinderen op het rechte pad houdt. Ik heb het niet over het geloof van de kerk, hoor. Mabel gelooft in goedheid. Als je naar haar kijkt kun je niet anders dan er ook in geloven.'

Niet lang nadat ze weg waren, kwamen twee buren van Mabel binnen, Bertine Tupper en Sadie Loomer. Wijze Marie groette hen, gaf hun een kus op hun wang en plaagde hen over hun verschil in lengte. 'Nou, als dat de zwabber en de emmer niet zijn.' Bertine is lang en stevig zoals je zou verwachten van de vrouw van de smid, terwijl Sadie, ondanks haar pezigheid en grove praat als een zeeman, niet veel groter is dan mijn jongste broertjes. Ze kwamen door de deur met manden gevuld met kleine beddenspreien, dekentjes voor in de wieg en broodjes. Wijze Marie wreef kirrend over het breiwerk van Bertine en streek de vouwen glad met haar blauwgeaderde handen. '*L'amour de maman*. Moederliefde.' Toen zette ze ons allemaal aan het werk, zelfs Mabel. 'Het is nog te vroeg om in bed te gaan liggen, mamaatje. Je weet maar al te goed dat je in beweging moet blijven, zodat die botten van je kunnen opengaan.' Mabel sprak haar niet tegen. Ze hield zich druk bezig met haar vriendinnen, zeefde de bloem en klampte zich af en toe vast aan de tafelrand als haar weeën te erg werden.

Mabel, Bertine en Sadie waren ongeveer tegelijkertijd naar de Bay gekomen, vanuit drie verschillende havens in Newfoundland. Tante Fran zou hen *vrouwen van buiten* noemen. Ze zegt dat het betekent dat ze geen man konden vinden in hun eigen dorp en dat ze dus een manier moesten vinden om een man van ergens anders aan de haak te slaan. 'Newfoundland lijkt wel de maan als je ziet hoe die vrouwen zich soms gedragen. Als je nauwelijks familie hebt, weet niemand wie je wérkelijk bent. Ik neem aan dat ze dat juist zoeken als ze zo van huis wegrennen alsof ze iets te verbergen hebben.' Ik vind hen fantastisch, en zelfs moedig, zoals ze bij elkaar zitten op kerkelijke bijeenkomsten, en luider lachend dan tante Fran gepast vindt. Het lijkt wel of ze net zo'n goede band hebben als zusjes (of tenminste wat ik me daarbij voorstel).

Wijze Marie riep me. 'Dora, ga eens wat verse eieren voor ons halen. Het is tijd om de kreuncake te maken.'

Sommigen zeggen dat de kreuncake, of *kimbly*, het kind voorspoed brengt. Tegenwoordig bewaren de meeste mensen deze traditie tot de moeder weer naar de kerk gaat. Op de eerste zondag dat ze weer het bed uit kan en de baby mee naar de mis kan nemen, gaat de vader bij de kerkdeur staan en deelt stukjes cake uit aan alle moeders van de gemeenschap, verpakt in bruin papier met een rood strikje. Mabel wilde het op de oude manier doen, waarbij de moeder vlak voordat de baby komt zelf de eieren breekt en het deeg klopt. 'Het vult het hele huis met zoetigheid. Op die manier deden mijn moeder en al haar zusjes het thuis ook.'

Bertine knikte bevestigend. 'Mijn oma zei altijd dat de baklucht de pijn draaglijker maakt.'

Sadie voegde eraan toe: 'Zodra je het gevoel hebt dat de baby eraan komt, is het tijd om lavendel aan de bedstijl te binden, een bijl onder het bed te leggen en een cake in de oven te schuiven.'

Wijze Marie tilde de muts van de theepot en lachte. 'De geur van een lekkere kreuncake, een kopje hete Moederthee en tíjd. Meestal is dat alles wat een moeder nodig heeft op de dag dat haar baby komt.' Ze reikte Mabel een kopje aan. 'Tijd genoeg om te doen wat ze moet doen, te zeggen wat er in haar opkomt, tijd genoeg om uitgebreid te bidden.'

In de loop van de middag werd Mabel steeds stiller en stopte af en toe om haar buik vast te houden en te kreunen. Nadat haar water was gebroken en langs haar benen naar beneden was gelopen, en ze zover was dat ze geen lepel meer vast kon houden of kon glimlachen, bracht Wijze Marie haar naar de slaapkamer. Ze pakte drie glazen potten uit haar tas, een steriele schaar, geschroeid neteldoek en wonderolie. Ze zegende ze met gezangen en gebeden, en daarna ook alle andere dingen die ze aanraakte. Het begon donker te worden, dus ik stak een paar lampen aan en bracht ze naar de kamer.

Sadie en Bertine vertelden Mabel om beurten wat roddels terwijl ze een schone nachtjapon over de ronde buik van Mabel trokken.

'En toen begon Bertine met haar voet te tikken. Weet je wel, zoals ze dat doet als ze denkt dat iemand tegen haar liegt, en zegt: "Kijk 's aan, dat is interessant" – en zo.'

Mabel ijsbeerde door de kamer om te proberen niet aan de pijn te denken.

'Ik vond het trouwens erg interessant dat Trude Hutner beweerde dat ze best wist hoe je een paar wanten moet breien, terwijl iedereen weet dat ze nog nooit een want gebreid heeft, of een sok, zelfs geen vingerhoed voor haar duim. Die vrouwen hier denken dat ze alles weten... ze zou de *Canning Register* echt niet in de laarzen van haar man hoeven proppen als ze wist hoe ze een fatsoenlijke sok moest maken.'

Sadie is maar half zo groot als Bertine, maar plagen kan ze als de beste. 'Zo gaat-ie wel weer, Bertine, laat mij het maar vertellen. Niemand heeft zin in jouw verhalen over je fantastische sokken...voor de zoveelste keer.'

Mabel stak haar hand uit naar de bedlijst, kreunend van de pijn. 'Het komt.' Wijze Marie greep haar rozenkrans vast rondom haar nek. 'Vasthouden, nog niet gaan persen.' Sadie en Bertine schoten hun vriendin te hulp en hielden haar ieder aan een kant omhoog. Bij elke kreun die Mabel uitstootte, probeerden ze haar te troosten en zeiden: 'Het komt allemaal goed, nog eventjes, het komt allemaal goed,' maar toen de weeën in golven kwamen en ze elkaar snel opvolgden, zeiden ze niets meer. Wijze Marie deed haar ogen dicht en luisterde. 'Op een gegeven moment hoor je een bepaald geluid... een geluid als geen ander. Als het aan de haren in je nek begint te trekken, dan weet je dat het tijd is.'

Wijze Marie vroeg of ik een kom met warm water wilde halen en een schone handdoek. Ze spreidde de dekens voor Mabels voeten uit op de vloer, een zachte ondergrond. 'Je moet nu op je knieën gaan zitten, lieverd, het is tijd om te gaan persen.' Bertine en Sadie knielden naast haar op de vloer, zodat Mabel zich aan hun schouders kon vasthouden. Wijze Marie sprenkelde een paar druppels wonderolie in het water, en zegde een gebedje op, wrong het stomende doekje uit en legde het op de rode, opgezwollen huid tussen Mabels benen. Ze keek me aan en gebaarde naar een kleine kruk naast haar tas. 'Haal dat krukje hierheen en houd dit vast. Houd het er dichtbij en zorg dat het warm blijft zodat ze niet inscheurt.'

Mabel schreeuwde het uit toen de volgende weeën begonnen. Wijze Marie knielde naast me neer. Ik maakte aanstalten om op te schuiven en van plek te verwisselen met haar, maar ze fluisterde in mijn oor: 'Blijf zitten.' Ze keek naar Mabel. 'Nu gaan we persen, mamatje, nu gaan we persen.'

Het was strak en rond op de plek waar ik het doekje hield, en toen ik mijn hand weghaalde, kon ik het donkere haar van de baby zien. Tijdens het persen leek het of het lichaam van Mabel net zo ver open ging als haar geloei. Toen het hoofdje van de baby naar buiten kwam in het licht, zag ik dat zijn gezichtje blauw begon aan te lopen. Wijze Marie fluisterde met vaste, kalme stem in mijn oor. 'Het is alleen de navelstreng. Je moet hem lostrekken zodat-ie adem kan halen.' Ik hield mijn adem in en Wijze Marie ging verder. 'Voel met je vingers om zijn nek. Kun je de streng over het hoofdje van de baby trekken?' De natte bobbelige streng stond strakgespannen en klopte. Er was nauwelijks een vingerbreed ruimte om mijn vingers eronder te haken. Om Mabel niet bang te maken, draaide ik mijn hoofd naar Wijze Marie en vormde het woord 'nee' met mijn mond. Wijze Marie riep naar haar: 'God weet dat je moe bent, lieverd, en alle engelen in de hemel ook, dus bij de volgende perswee gaan ze je helpen om die baby eruit te krijgen.' Mabel jammerde, haar lichaam trillend en zwak. 'Ik weet niet of ik het kan.' De stem van Wijze Marie was streng. 'Je hebt geen keus... hier komt-ie. Moeder Maria, help deze mama, help deze baby, Moeder Maria, Heilige Maagd, Onze Vrouwe van de Maan en Ster van de Zee, *Ave Maria Stellas... un, deux, trois...*' Mabel deed haar ogen dicht en stootte een lange, gekwelde schreeuw uit. Bertine en Sadie naast haar schreeuwden met haar mee, loeiden net zo hard als zij, alle drie de vrouwen kreunden om het hardst. Toen de baby eruit gleed, melkwit en nat, trok ik de navelstreng los van zijn nek. Wijze Marie ving het kind op en opende zijn kleine mondje met haar vingers. Ze hield haar mond op die van het kind, en met bolle wangen blies ze er zachtjes in en toen de baby begon te huilen, maakte ze het ene kruisteken na het andere.

Het was al laat tegen de tijd dat we klaar waren met de verzorging van Mabel en haar nieuwe baby. We ruimden de bebloede lakens op en lepelden venkelbouillon tussen Mabels vermoeide lippen. Wijze Marie kneep druppeltjes waterige rode elsthee in het mondje van de zuigeling 'om de lever schoon te maken en de kroep af te snijden'. Toen moeder en kind in slaap waren gevallen, lieten we de zorg over aan Sadie en Bertine. Ik schreef de gebeurtenissen van die dag op in het Wilgenboek, nog steeds onder de indruk van het gevoel als eerste het leven van een kind te hebben aangeraakt. Hoewel het het verdriet om Darcy niet goed kan maken, heeft het me veranderd. Op de een of andere manier heeft het mijn hart weer open gemaakt.

8 december 1916, ongeveer halfnegen.
Mabel Thorpe heeft wederom een prachtig dochtertje.
Ze heet Violet.

Omdat ik mijn familie niet wakker wilde maken, bleef ik slapen in het huisje van Wijze Marie, in haar schommelstoel, tot het licht werd. Ik werd wakker en merkte dat Wijze Marie naast de schommelstoel stond te bidden. Ze fluisterde: 'Geloof jij in de geest van de doden?'

Ik dacht dat ik droomde en fluisterde terug. 'Ja.'

'Weet je waar ze wonen?'

'Hier. Waar wij zijn. Overal waar we zijn.'

'Hoe weet je dat?'

'Dat weet ik gewoon.'

7

Elke zondag reciteren we het Credo van de Apostelen in de Union Church. Alle stemmen van de congregatie stijgen samen omhoog in een heilig klinkende herhaling van 'ik geloof in de Heilige Geest'. Toen tante Hannah June stierf, kwam haar geest naar me toe. Ze vertelde me dat ze voordat ze ging iets vergeten had te doen. Ze had vergeten het recept voor zoet brood van haar moeder op te schrijven. Hannah June was altijd degene die het brood bakte, voor alle sociale en familie-uitjes. Ze hield het strikt geheim en had nooit de moeite genomen het op te schrijven. Waarschijnlijk dacht ze dat dat het enige was waarvoor ze nodig was. Misschien was dat ook zo.

Op familiebijeenkomsten wachtte iedereen ongeduldig op haar komst, uitkijkend naar de mand met warme, kleffe zoetigheid die ze mee zou brengen. Op een keer, vlak voor de gebakverkoop van een vrouwenvereniging, zag ik haar vlak bij een open raam staan buiten het Seaside Centre, alsof ze stond te wachten tot iemand haar naam zou noemen. Zodra tante Fran zei: 'Waar blijft die Hannah June met haar zoete brood?' kwam ze binnenzetten, met de bloem nog tussen de rimpels op haar handen, en ruikend naar gist en melasse.

Op de zondag na haar overlijden, terwijl iedereen 'aan u, Heer, de God der hemelse machten...' prevelde, kwam de geest van tante Hannah June, daar midden in de kerk, naast me zitten en geleidde mijn potlood over de binnenkaft van het gezangboek. *Voor mijn lieve zuster Maude,* $\frac{1}{4}$ kopje melasse, $\frac{1}{2}$ kopje havermout, *2 eigelen...* Ik gaf het boek aan tante Maude achter me. Daar zat ze trillend te huilen in haar bankje, en liet haar natte tranen de vrije loop.

De ochtend na de bevalling van Mabel bleef Wijze Marie maar doorgaan over de doden. Ze zat in haar stoel naast me in haar keuken en hield mijn hand stevig vast. 'Waar die geesten ook mogen wonen, boven of beneden of in de toppen van de bomen, verstopt achter grafstenen of onder mijn bed, ik ga er binnenkort ook naartoe. Naar Maria en de engelen, mijn *maman* en mijn grootvader Louis Faire.' Ze sperde haar ogen open en hield haar gezicht vlak voor het mijne. 'Zie je? Het bruin van mijn huid en het wit van mijn ogen is troebel en bewolkt... mijn breinaalden spelen de laatste tijd walsjes in plaats van de horlepiep.'

Ik begon iets te zeggen, maar ze legde haar vinger op mijn lippen. 'Stt... Ik moet 't opgeven en jij bent degene die me opvolgt.' Ze trok aan de warboel van kralen rond haar nek, haar knokige vingers rukten aan de snoeren met parels, git, koraal en hout. Er kwam een enkel zwart snoer onder tevoorschijn, verzwaard met een zilveren kruisbeeld, een lange koperen sleutel en een klein leren zakje. 'Houdt de *gris-gris*, het boze oog en de voodoo uit de buurt.' Ze drukte de rozenkrans tegen haar lippen. 'Ik herinner me de dag waarop jij arriveerde.'

'De dag dat ik geboren ben?'

'O nee, ver voor die tijd... ik heb het over de dag dat je geest afdaalde en als een vlinder begon te fladderen in de buik van je mama.'

Ze liet de kralen een voor een door haar vingers glijden terwijl ze sprak. 'Jouw mama kwam huilend naar me toe rennen, overtuigd dat de baby in haar buik dood was. Ze had een droom gehad, een visioen van een mooie dame met haar zo donker als de nacht en sprankelende groene ogen. Ze dacht dat het een engel van God was die haar kwam vertellen dat de baby naar de hemel was gegaan.

Ik wist zeker dat dat het niet was, dus zette ik haar op een stoel, maakte wat frambozenthee voor haar klaar en begon met haar buik te praten. Het duurde maar een minuut voordat ik je voelde bewegen.' Wijze Marie lachte. 'Ik zei tegen je mama dat ze zich geen zorgen moest maken, dat haar droom haar liet zien dat ze een mooi dochtertje zou krijgen. Ach, ze kon het nauwelijks geloven, de vrouw van een Rare die een méísje krijgt. Maar toen je haar in de ribben begon te porren, vertrouwde ze me, wist ze dat het waar was, maar je vader niet... hij wilde het niet horen, hoe vaak ik hem ook bij zijn kraag pakte na de mis en zweerde op de protestantse nepbijbel van de dominee. Je papa viel zelfs bijna flauw toen er geen plassertje tussen je benen bungelde.' Ze legde het kruisbeeld, de sleutel en het zakje in haar handpalm, de kralen in slierten over haar schoot. 'Ik wist meteen wie je was, Dora Rare. Jij bent *lagniappe*, zo noem ik dat, een beetje speciaal.'

'Wijze Marie, ik snap niet precies wat u hier allemaal mee bedoelt.'

Terwijl ze haar kruisbeeld streelde, sprak ze verder. 'Ik weet wel dat de meeste mensen denken dat wat ik doe maar een beetje hekserij is, maar overal is een reden voor, neem dat maar van mij aan.' Ze keek naar me op. 'Het zijn juist de dingen die zíj niet kunnen zien, de dingen die ze niet begrijpen omdat ze er bang voor zijn, die ik aan jou moet doorgeven.' Ze legde het snoer met kralen in mijn schoot. 'Het wordt tijd dat ik dit aan jou geef.' Ze legde haar vinger op het zakje en maakte een kruisteken. 'Hierin zit de sluier, de helm die over je ogen zat tijdens je geboorte.' Ze maakte het lintje waarmee het zakje was dichtgeknoopt los en haalde de inhoud er voorzichtig uit. Het was een lelijk klein ding, niets bijzonders, het leek een beetje op de verdorde rode stukjes Iers mos die ik geregeld in de jaszakken van de tweeling vind. Ooit een schat, nu vergeten en blijven liggen.

'Aangezien hij niet kon opscheppen over het feit dat je een jongen was, schepte je papa op over die helm. Zoals alle goede zeelui weten, is een helm net zo veel waard als een zegening van St. Christopher, het brengt een gunstige wind met zich mee en zorgt ervoor dat ze niet verdrinken. Je was nog geen dag oud en de mannen vochten er al om. Er kwam zelfs een brief helemaal uit Halifax, waarin een hoop geld werd geboden, maar je maman bedacht zich en gaf het aan mij om te bewaren. Om mijn nek is de veiligste plek, gloeiend naast mijn hart, en dag in dag uit fluisterde ik het toe. Ik gaf het alle woorden van Louis Faire, alle geheimen van eenvoudige mensen, al mijn gebeden tot Moeder Maria, alles wat geschreven staat in het Wilgenboek. Dáárom weet ik dat je mij op zult volgen, de volgende *traiteur*.' Ze hing de kralen om mijn nek, met trillende handen en een smekende, indringende blik. 'Je moet het van me aannemen, Dora, neem de gebeden, de geheimen. Als je dat niet doet, gaan ze verloren, en zal ik geen moment rust hebben aan de overkant. Blijf bij me tot ik de oversteek maak. Het zal niet lang meer duren; het graf is niet meer zo ver weg. Ik weet dat ik de volgende winter niet meer mee zal maken.'

Ik probeerde haar te kalmeren. 'Je bent gewoon moe, Wijze Marie. Een goede nachtrust en dan komt alles goed.'

'Je hebt jezelf bewezen met de kleine van Mabel. De vrouwen hier hebben iemand nodig. Ze hebben jou nodig.'

Ik lachte en plaagde haar, in de hoop dat ze de zaak zou laten rusten. 'Tegen de tijd dat jij doodgaat, heeft dr. Thomas hier in Scots Bay een van zijn chique geboorteklinieken geopend. Misschien wel twee.'

Ze greep mijn arm en hield hem stevig vast, en ratelde een reeks gebeden af in het Frans. 'Ze hebben je nodig.'

Geschrokken wrikte ik mijn arm los en liep naar de keuken om mijn jas en mijn laarzen aan te doen. 'Moeder heeft me thuis nodig. Ik ben te jong. Het spijt me...' Ik liet de helm en de kralen van Wijze Marie op de tafel liggen en rende naar de deur.

Ze riep me na. 'Je moet het aannemen. Het is wat God voor je bedoeld heeft. Het is je *destinée*...'

8

Ik sprak met moeder over wat er bij Wijze Marie gebeurd was. We hadden net ontbeten en waren sokken aan het stoppen. We duwden maasballen in de hielen van vaders sokken, in de hoop dat ze nog een winter mee zouden kunnen. We kunnen alleen makkelijk met elkaar praten als we bezig zijn. Alles wat ik van moeder heb geleerd, al haar waarheden, zijn uitgesproken terwijl haar handen bezig waren.

Toen ik uitverteld was over het aanbod van Marie Babineau stopte ze even en keek op van haar stopwerk. 'En wat heb je gezegd?'

'Ik heb nee gezegd, natuurlijk. Ik kan u toch niet alleen voor de jongens laten zorgen.'

Ze hervatte haar handwerk en maakte een stevige knoop in het garen. 'Ik weet dat je denkt dat ik niet veel van de wereld weet, maar ik hoor wel wat er aan hand is. We krijgen vaak genoeg een krant te zien, en God weet dat Fran me op de hoogte houdt van wat in de mode is en zo.' Ze sneed het draadje af met het oude zakmes van vader. 'De dingen zijn aan het veranderen voor vrouwen. Ze willen ook iets te zeggen hebben, hun eigen persoon zijn. Sommige meisjes hebben werk waarvan ze zelfstandig rond kunnen komen. Als we in een grotere plaats zouden wonen, zouden er misschien meer kansen voor je zijn. Ik heb gehoord dat in het westen en zelfs in een aantal plaatsen richting Halifax meisjes van jouw leeftijd mannenwerk doen, op de boerderij werken terwijl de mannen weg zijn... maar hier in de Bay is daar geen ruimte voor, de trots van de mannen laat het niet toe. Je weet hoe het gaat, een meisje blijft bij haar ouders wonen totdat ze trouwt, en dan brengt ze de rest van haar leven door met het opvoeden van baby's, koken, poetsen en haar man bedienen. Wil je echt overstappen van het helpen zorgen voor al deze jongens naar het zorgen voor een andere man?' Ze probeerde een klein wit knoopje onder uit de inmaakpot te vissen. 'Ik weet dat Marie Babineau niet veel heeft, maar ze heeft één ding dat ik nooit heb gehad, en dat is rust en stilte. Ik kan het me alleen maar voorstellen hoe het is om een moment voor mezelf te hebben waar niemand anders van weet.' Ze kneep haar ogen samen om het uiteinde van haar draad door een kleine, glanzende naald te geleiden. 'Je vader wil dat je bij tante Fran gaat logeren.'

'Ik dacht dat hij dat idee had losgelaten.'

'Gistermorgen had hij het er weer over. Hij zei dat je de regels overtreden had.'

'Welke regels?'

'Hij heeft gezien dat je weer naast Charlie sliep, Dora.'

'Het was koud, de tweeling had mijn dekens gestolen, en van Charlie mocht ik die van hem delen. Ik snap niet waarom hij dat zo verkeerd vindt.'

'Dat vindt hij gewoon.'

'Dus hij denkt dat ik een soort...'

'Hij is je vader en hij heeft het beste met je voor.'

'Hij weet helemaal niets over mij, laat staan wat het beste voor me is.'

'Je vader...' Haar stem zakte naar een boze fluistertoon. 'Je vader is een goed en oprecht mens en zijn enige zwakte is dat hij trots is op zijn werk en op zijn gezin. Je mag niet meer op die manier over hem praten.'

'Moeder, het spijt me, ik...'

'Het zit zo, we hebben nauwelijks genoeg voor de winter dit jaar. Albert en Borden vertrekken naar de oorlog. Ze willen hun deel bijdragen. Ik weet dat je niet naar Fran wilt, maar nu Wijze Marie... Je zou bij haar kunnen logeren.' Ze naaide een lapje op de knie van vaders overall. 'Dat is toch niet te veel gevraagd, als je bedenkt dat... alleen voor een poosje.'

Ik probeerde een uitweg te vinden. 'We zouden mijn helm kunnen verkopen. Wijze Marie zegt dat mensen er geld voor boden toen ik geboren was.'

Moeder schudde haar hoofd. 'Dat is lang geleden. Daar gelooft tegenwoordig niemand meer in.'

'Maar ik wil niet weg van thuis. Ik wil niet weg van u.'

Ze pakte mijn handen vast. 'Mijn oma zei altijd: *Elke dag brengt weer een handvol kansen. Het hangt van jou af om het beste te maken van wat je krijgt toebedeeld.* En dat is precies wat je gaat doen. Al die jonge mannen die in de oorlog gaan vechten, wie weet wat er met hen zal gebeuren. Je moet aan een toekomst voor jezelf denken, voor het geval dat.'

Elke zomer maakt Wijze Marie een geschenk voor Mariadag, een Maanvrouwe voor alle meisjes in de Bay die in het afgelopen jaar acht zijn geworden. Het zijn simpele kleine dingetjes, lappenpoppen gewikkeld in blauwe jurkjes, met een maansikkel en sterren erop gestikt, de handen aan elkaar vastgenaaid alsof ze aan het bidden zijn, de lijfjes gevuld met gedroogd zeewier, rozenblaadjes en lavendel. Moeders zijn te beleefd om ze niet aan te nemen, maar draaien hun hoofd weg als hun dochters ze achter een grafsteen laten liggen op het kerkhof of langs de weg in een plas laten vallen.

Er zijn maar een paar dingen in mijn leven geweest die echt van mij waren. Alles wat ik in handen kreeg dat belangrijk of speciaal was, was al snel verdwenen. Hoe goed ik ze ook verstopt had, uiteindelijk werden mijn poppen en de theesetjes die erbij hoorden altijd gevonden, op het hek neergezet en stukgemaakt. Ronde strandstenen vlogen uit de katapult van mijn broers en knalden mijn schatten het varkenshok in. Vader probeerde met hen te praten, maar hij beschuldigde hen nooit, en strafte hen er nooit voor. *Dat doen jongens nou eenmaal.* Daarom had ik mijn Maanvrouwe vrijgelaten. En niet alleen mijn Maanvrouwe, maar ook alle andere vergeten poppen. Er waren jaren dat ik slechts één enkele pop op het strand vond, en soms lagen er wel vijf lieve gezichtjes bij elkaar in een mandje met een ronde onderkant, afgewerkt met een gescheurd lapje katoen als zeil. Ik vertel ze allemaal een geheim en dan laat ik ze met eb de Lady's Cove uit drijven. Ze dobberen op en neer op de golven terwijl ik ze uitzwaai, in de hoop dat ze een plek zullen vinden waar iemand van ze houdt. Het is allemaal voor hun eigen bestwil.

Destinée of 'voor het geval dat', over twee weken is het Kerstmis en dan ga ik bij Wijze Marie logeren. Ik zou er niet bang voor hoeven zijn, want ik ken haar ondertussen goed genoeg, maar ik ben het toch. Ik weet niet of ik ooit zo wijs zal zijn als zij, of de moed zal hebben om te leven zoals zij – om zo weinig begrip te krijgen, om alleen te zijn. Ik ben bang voor wat het betekent om een stap te zetten, welke stap dan ook, die niet in de richting gaat waarvan ik droomde. Maar ik ben zeventien, ben nog nooit door iemand gekust, en ik zie niemand om me heen die geschikt is voor de liefde, laat staan voor een huwelijk, en er is niets anders om te doen.

9

Engelen en herders, drie wijze mannen en een maagd paradeerden gezamenlijk door het sanctuarium, voerden hun toneelstukje op en paradeerden weer naar buiten. Afgezien van het spoor van stront dat het lievelingslammetje, Wooly, van mijn broer Gord had achtergelaten, was de Scots Bay kerstuitvoering van 1916 hetzelfde als altijd... het was middelmatig, het stonk en het was min of meer een succes.

Net als in de afgelopen tien jaar speelde tante Fran voor Madame Regisseur. Ik had voorgesteld dit jaar *A Christmas Carol* van Dickens te doen in plaats van het gebruikelijke kerstspel, maar Fran begon te foeteren en zei: 'Kersttijd is voor de viering van de geboorte van Christus, niet een of andere kreupele jongen die Tom heet.'

'Hij heet Tim.'

'Wat?'

'Het kind in *A Christmas Carol* heet Tiny Tim.'

'Ook goed. Kerstmis gaat over Christus, niet over de kreupele Tiny Tim. Het is te laat om een ander stuk te kiezen. We hebben alle kostuums al en ik heb de muziek ook al uitgekozen. Trouwens, er komen toch geesten voor in het stuk van Dickens? Het zou toch afschuwelijk zijn om de kinderen van onze gemeenschap bang te maken op kerstavond. Kan ik nu de rollen verdelen, Dora?'

Mijn nichtje Precious was een goede maar vergeetachtige Maagd Maria. Elke keer als ze haar tekst vergat, stond ze met haar mond open te wachten tot tante Fran kuchte en Maria's woorden uitbrulde vanachter het spreekgestoelte. Het leek alsof de opgezette vogel die boven op de berg veren op Frans nieuwe kersthoed zat, het publiek in tuurde, toen ze met haar handen naast haar mond aankondigde: 'Ziedaar, ik ben de dienares van de Heeeer.' Dat herhaalde Precious-Maria dan, alsof haar juist een vergeten artikel van haar boodschappenlijstje te binnen schoot: 'O ja, dat was het... Ík ben de dienares van de Heer.'

Het enige andere spannende onderdeel was Grace Hutner, leidster van het engelenkoor, die haar solo presenteerde. Achter haar stonden twee jonge herders, leunend op hun stok, die hun lange wollen baarden voor hun gezicht hielden in een poging (die niet helemaal lukte) hun gegrinnik te verbergen telkens als ze het woord *zuiverheid* zong.

Zoals bepaald door de traditie werd de verteller niet onthuld voordat het toneelstuk voorbij was. Tante Fran wees naar boven naar het koor en kondigde trots aan: 'Dit jaar heeft onze eigen geliefde dominee Covert Norton ermee ingestemd om de kroon van de sterzanger te dragen. U bent het vast met me eens als ik zeg dat het net God zelve was die ons vanuit de hemelen toesprak.'

De meeste mensen van de congregatie vinden de dominee wel aardig, maar ik vind zijn gepreek over vrijzinnige doopsgezindheid arrogant en grof. Hij kijkt met een gepijnigde blik en half dichtgeknepen ogen vanaf zijn preekgestoelte en duwt zijn tong voortdurend in de holte van zijn linkerwang. Wat nog erger is, is zijn neiging om te schreeuwen en te spugen, en telkens als hij zijn vuist schudt het hellevuur samen met tabak over ons uit te strooien. Tante Fran is zo vrijgevig geweest om voor hem te betalen tot na de kerst. 'Zijn brutaliteit is precies wat de Bay nodig heeft. Hij is een man van God die de waarheid spreekt totdat het pijn doet.' Wat bedoeld was als een tijdelijke post totdat er een nieuwe methodistische dominee kon komen, duurt nu al bijna een jaar. Na wat ik vanavond heb gezien, krijg ik het vermoeden dat hij nooit meer weggaat.

Halverwege op weg naar huis merkte moeder dat ze haar bijbel vergeten was. Ze probeerde haar vergeetachtigheid niet al te zwaar op te nemen en zei: 'Ons fijne kleine kerkje is er vast de veiligste plek voor,' maar ik kon aan haar zien dat ze zich verloren voelde zonder haar bijbel. Ik bood aan om terug te gaan en hem voor haar te halen. Ik zag uit naar de kans om alleen te lopen met de sneeuw krakend onder mijn voeten, omringd door sterren en de zoete houtgeur van de rook die uit de schoorstenen kwam.

De hoofdingang van het bedehuis was gesloten, maar aan de achterkant van de kerk lukte het me om de sneeuw voor de kleine deur weg te halen. Toen ik klein was, waarschuwde Albert dat het piepkleine deurtje dat uitkwam op het kerkhof een stortkoker was voor kolen die direct naar de hel leidde. Dan lachte ik en zei: 'God zou zo'n ding toch niet in de kerk aanbrengen!' Waarop Albert alleen maar glimlachend zijn hoofd schudde. 'Natuurlijk wel, Dorrie, de dominee stopt er stoute kinderen in die hun ogen openhouden tijdens het gebed.' Na die opmerking hield ik mijn ogen stijf dicht van de preek tot aan het eind van de zegening met zijn 'God zij met u en met uw geest'. Misschien zou Albert het interessant vinden om te weten dat zijn kolenkoker naar Satan slechts een opening is naar de trap die naar de klokkentoren gaat.

Aan de andere kant van de trap was nog een deur, een opening naar de achterkant van het sanctuarium. Toen ik de zware deur naar me toe trok, ontdekte ik dat de deur bedekt was met een groot tapijt. Het brede, paarse vaandel met een kroon en een kruis erop geborduurd was een recentelijk geschenk van de dames van de White Rose Temperance Society. In het sanctuarium flakkerden nog kaarsen en lampjes. Ik gluurde om het hangende doek heen en zag twee mensen de schaduw van het koor in en uit lopen. Een vrouw hing over de balustrade heen en wipte op en neer, haar rokken hoog opgetrokken tot op haar rug. Dominee Norton stond achter haar en hield zich vast aan haar heupen. Hij duwde zijn halfnaakte lichaam steeds opnieuw tegen haar aan. In eerste instantie was zijn stem rustig, en hoewel ik niet kon verstaan wat hij zei, was het duidelijk dat hij de vrouw in bedwang had en ze zich door zijn zwaarademige gepraat liet leiden.

Ik was bekend met de gedempte geluiden van mijn ouders als ze de 'touwen oprekten' van hun bed. Het begint meestal met wat gemompel van de diepe stem van vader, gevolgd door gegiechel van moeder. Het is moeilijk om het ritme en het gebeuk ervan te negeren, maar op de een of andere manier dringt het maar vaag tot ons door en is het enigszins gênant. Daar in de kerk stuitte ik op iets heel anders. Ik wist dat ik inbreuk had gemaakt op een geheim.

Het gezicht van dominee Norton was vastberaden, zijn stem commandeerde steeds luider, de woorden *wil, kom* en *geef* kwamen grommend uit zijn mond. De vrouw was heel lang stil, en ik vroeg me af of hij haar dwong hem toe te laten. Net op het moment dat ik besloten had om te roepen dat hij op moest houden, gilde de vrouw het uit en kreunde, 'O God, oh, oh!' Dominee Norton drukte zich dicht tegen haar aan, haar rok viel stilletjes naar beneden, zijn hijgende gezicht glinsterde van het zweet.

Hij grijnsde toen ze zich naar hem omdraaide. Hij kuste haar lippen, en haar nek, en fluisterde iets in haar oor. Ze knikte terwijl ze haar rokken recht trok en zette haastig een hoed vol veren op... de glazige ogen van de vliegenvanger van tante Fran knipoogden naar me in het kaarslicht.

25 december 1916

Kousen voor iedereen, gevuld met zoutwatertoffees, pepermuntstokjes en een sinaasappel. Moeder had twee nieuwe witte schorten voor me genaaid voor als ik Wijze Marie ga helpen. Toen vader even niet keek, gaf ze me een versleten uitgave van *A Tale of Two Cities*. 'Dit vond ik een paar dagen geleden in de kast van Fran. Ze zal het niet missen.'

Het was best een fijne kerst, maar ik moet steeds denken aan gisteravond, hoe ik daar stond als een standbeeld terwijl zij lachten en elkaar zonder wroeging kusten. Ik vond dominee Norton altijd al een smeerlap, maar tante Fran! Op kerstavond fladderde ze rond alsof er niets aan de hand was. Halverwege het diner moest ik even van tafel. Moeder voelde mijn voorhoofd en herinnerde me eraan om Fran te bedanken voor het mooie nieuwe dagboek met bijbehorende pen dat ze me had gegeven. (Ze moest eens weten wat ik erin schrijf!) Ik kan het niet aan Precious vertellen. Ik kan het beter niet aan Wijze Marie vertellen. Ik zou het graag aan moeder vertellen, maar ik weet niet of dat wel verstandig is. Als zij het aan vader vertelt en hij aan oom Irwin... zou dat er een einde aan maken. Maar ik geloof dat dat ook een einde zou maken aan Tante Fran. Oom Irwin is sowieso een stille man, en als hij kwaad is, zegt hij helemaal niets meer. Als hij zou horen over de ontrouw van zijn vrouw, zou hij waarschijnlijk een maand lang niets zeggen, misschien wel zes, misschien wel nooit meer, en dat is het ergste wat je Fran aan kunt doen. Als oom Irwin niet zou luisteren naar haar kletspraatjes, haar jurk niet zou opmerken, of haar kapsel, of waar ze het ook over heeft, zou ze, denk ik, gewoon verschrompelen en verdwijnen in het niets. Misschien is het zo ook wel begonnen. Op zondag komt dominee Norton altijd eten, en bedankt haar dan uitvoerig voor haar bijdragen aan de missie. Hij heeft haar gezíén. Hij heeft haar zo vaak opgemerkt dat ze nu van hem is. 'Verkocht aan de hoogste bieder,' zou Wijze Marie zeggen. Als hij in de lente weggaat, zeg ik er niets over. Zo niet, dan weet ik niet wat ik zal doen.

Verhalen uit Nieuw-Zeeland

Afgelopen zaterdag werd er een heerlijke bijeenkomst gehouden in het huis van de weduwe Simone Bigelow in Scots Bay. Aanwezige bewoners van de Bay waren de heer en mevrouw Irwin Jeffers en hun dochter Precious, mevrouw Marie Babineau en juffrouw Dora Rare, en tevens de heren Archer en Hart Bigelow, de zonen van de goedgunstige gastvrouw. Als hoogtepunt van de avond vertelde professor John Payzant, broer van mevrouw Bigelow, kostelijke verhalen over zijn tijd in Nieuw-Zeeland. Hij is op bezoek uit Halifax voor de winterse feestdagen. Speciale gasten uit Canning waren dominee Covert Norton en dr. en mevrouw Gilbert Thomas, die meedeelden dat het weer prima was en dat de sleetocht op weg naar de Bay goed verlopen was.

The Canning Register
15 januari 1917

10

Tante Fran mag dan met een rijke man getrouwd zijn, maar weduwe Simone Bigelow is veruit de rijkste vrouw in de Bay, en in veel opzichten ook de zieligste. Als afstammeling van Marie Payzant erfde weduwe Bigelow de legendarische pech van vrouwelijke Hugenoten met hun mannen. Ze trouwde voor het eerst op haar vijftiende, ze verloor James Rafuse binnen een maand na hun trouwdag. Hij viel van het dak van de schuur van zijn buurman. De volgende huwelijkskandidaat, een zekere Samuel Huntley, werd van zijn paard gegooid toen hij op weg was naar de Union Church, een paar minuten voordat ze zouden trouwen. Op haar twintigste trouwde ze met William Bigelow. Ze gingen in het chicste huis van het plaatsje Parrsboro wonen, waar ze al snel een zoon baarde, Hart Payzant Bigelow. Drie jaar later zeilde kapitein William Bigelow met de schoener *Fidelity* naar West-Indië en kwam nooit meer terug. Het toeval bepaalde dat William Bigelow een broer had, een zekere kapitein Fitzgerald Bigelow, die een vrouw nodig had. Op haar vierentwintigste trouwde Simone opnieuw. De nieuwe kapitein Bigelow was echter niet van plan om in het huis van zijn broer, in het stadje van zijn broer, met de vrouw van zijn broer te gaan wonen, hoe bijzonder ze ook zou blijken te zijn. Aangezien 'alle dingen zijn gelijkwaardig' het familiemotto van Simone was, en aangezien ze voor dit huwelijk niet haar naam hoefde te veranderen, had ze het gevoel dat ze haar levensstandaard ook niet zou hoeven veranderen. De dag na het huwelijk sloot ze zichzelf en haar kind op in het huis in Parrsboro totdat haar nieuwe man ermee instemde dat hij het van zijn fundering zou laten trekken en over het water naar Scots Bay zou overzeilen.

Ze waren gelukkig in de Bay. Zo gelukkig dat de kapitein, Simone en de jonge Hart er al snel een nieuwe zoon bijkregen, Archer Fales Bigelow. Natuurlijk verstreken er niet meer dan een paar jaar voordat het schip van kapitein Fitzgerald Bigelow, *Beautiful Dreamer*, werd overvallen door een piratenbende die zijn lichaam aan de mast ophing. Vanaf toen had Simone Bigelow genoeg van het huwelijk.

Ze woont in haar reusachtige huis, dat vol zit met pukkels en bulten, en haar zoon Hart bedekt de planken elke zomer met veel moeite met zijn moeders favoriete kleur, opzichtig hanenkamrood. Elke avond strijkt ze neer op het balkon, gaat voor een groot rond venster staan en praat met zichzelf terwijl ze uitkijkt over zee. Sommige mensen zeggen dat ze daar gaat staan om te huilen, anderen zeggen dat ze het doet om haar voorouders te vervloeken. Wijze Marie zegt: 'Die arme vrouw heeft haar aandeel *haints* wel gehad. Ze weet beter dan iedereen dat je gek wordt als je niet af en toe met je spoken praat.'

De weduwe zou zeggen dat ze de vroedvrouw heeft leren kennen vanwege haar reumatiek, maar Wijze Marie ziet dat anders. Meer dan eens is ze naar het huis van Bigelow gehaald om het schoon te maken. 'Simone doet dan wel erg haar best in de kerk, met haar gezangenboek in de hand zingt ze het hardst van allemaal, maar ik ben de enige die een vergiet over haar sleutelgat hangt, of een speldenpotje op de vensterbank zet, of een kraaienvleugel boven de deur hangt.' De twee vrouwen kibbelen vaak over hoe je een goede roux moet maken, maar ze vinden allebei dat ze aardig voor elkaar moeten zijn. 'We zouden elkaar alleen maar uitschelden in onze moedertaal, onze *maman français,* als we niet beleefd tegen elkaar zouden zijn. Ons bloed stamt van mensen die hebben geleden voor God, en daarom zijn onze harten bijna hetzelfde. Als ze me nodig heeft, ben ik er voor haar.'

Deze keer leek het alsof Wijze Marie meer voor de show dan voor iets anders werd uitgenodigd. De weduwe deed heel druk toen we binnenkwamen, ze kuste Marie op beide wangen en begon al haar zinnen met *quoi qu'il en soit,* 'hoe het ook zij', in haar luide en nadrukkelijke Frans als gevolg van de aanwezigheid van haar broer. Daar kan ze niets aan doen natuurlijk, want het komt door wat de meeste inwoners van de Bay 'zenuwachtig doen' noemen. Iemand gaat meestal zenuwachtig doen als er iemand van buiten op bezoek komt, helemaal al bij iemand als professor Payzant, die de Bay verliet om in het buitenland te gaan wonen, vast van plan om 'zich te onderscheiden'. Iemand die zenuwachtig doet, probeert steeds te doen alsof hij niets gemist heeft, dat hij de gebeurtenissen in de wereld op de voet heeft gevolgd via de krant, of via vrienden van vrienden, of brieven van ver weg, of misschien zelfs zoiets exotisch als een glazen bol.

Tijdens het diner legde professor Payzant uit dat hij het als zijn plicht voelde om terug te komen en zijn avonturen met ons te delen. 'Ik doe het graag; ik zie het zelfs als een soort roeping om de beste delen van de wereld naar mijn lieve zuster in Scots Bay te brengen.'

Ik heb lang en diep nagedacht over deze bijeenkomst vanavond. Zouden het de pygmeeën van Papoea Nieuw-Guinea worden, de Inca's van Peru, of de machtige Zoeloes? Uiteindelijk was de keuze duidelijk: vanavond zult u de Maori's van Nieuw-Zeeland gaan ontmoeten!

We gingen in de voorkamer zitten en professor Payzant haalde verschillende voorwerpen uit een grote scheepskist. Verfijnd uitgesneden balein en groensteen, speerpunten en kleine houten fluitjes, een lange, wijde cape van hondenleer, veren en vlas. Terwijl hij het leven in een Maoristam beschreef, liet hij een fotoboek rondgaan. 'Ze zien er behoorlijk bedreigend uit met hun wilde ogen en hun getatoeëerde gezichten, maar ik kan u verzekeren dat het de hogere klassen zijn die hun lichaam op zo'n manier laten doorprikken.' Hij hield een primitief werktuig omhoog. 'Een eenvoudig proces, uitgevoerd met beitels van bot en blauw pigment. Hoe belangrijker de man, hoe complexer zijn *moko*, oftewel tatoeage. Als ik zo vrij mag zijn, bij de opperhoofden zijn zelfs de billen helemaal bedekt. De vrouwen zijn wat bescheidener met hun versieringen, ze hebben ze alleen op hun lippen en kin.'

De dominee propte een gebakje in zijn mond en likte de poedersuiker van zijn vingers terwijl hij naar de foto's in het album keek, en af en toe naar tante Fran gluurde. 'Wat zien die mensen er wellustig uit. Ze zullen wel gek worden van de lust met al die naaktheid voortdurend om hen heen.'

Professor Payzant antwoordde: 'Wat sommige mensen verachtelijk vinden is voor andere mensen heel natuurlijk. Ze waren erg gastvrij, ondanks dat we zo anders waren. Ze lieten me hun huis binnen en leerden me zelfs eten koken in de warmwaterbronnen door leren zakjes in het stomende water te laten zakken. Heel ingenieus, die Maori.' Hij liep de kamer rond en deed alle lampen uit, op één na. 'Nu ga ik u een van hun legendes vertellen.

Te Rauparaha, het opperhoofd van de Ngati Toa-stam, is wellicht een van de beroemdste van alle Maori-opperhoofden. Op een keer, toen deze grote krijger op de vlucht was voor zijn vijanden, werd hij geholpen door een plaatselijk opperhoofd. Hij verstopte hem in een *kumara*-opslagplaats onder de aarde.' Professor Payzant begon zachtje te fluisteren. 'Te Rauparaha zat stil in het donker, hij durfde nauwelijks adem te halen en wachtte op zijn dood. Toen de opslagplaats eindelijk open werd gemaakt en de zon naar binnen scheen, waren het niet de speerpunten van zijn vijanden die hij zag, maar het lachende, dicht behaarde gezicht van het minzame opperhoofd! Toen Te Rauparaha uit de kuil klom en weer in de zon stond, voerde hij een wilde overwinningsdans uit, een *haka*.'

Professor Payzant deed zijn schoenen uit en begon te scanderen, met uitpuilende ogen en uitgestoken tong. Hij sloeg met zijn vuisten tegen de zijkant van zijn hoofd en stampte en schuurde met zijn blote witte voeten op de grond. Oom Irwin lag snurkend in een stoel in de hoek van de kamer te slapen.

Professor Payzant gebaarde dat we mee moesten doen en ging verder met het stampen van zijn voeten. 'Stelt u zich hun getatoeëerde gezichten voor.' Hij stak zijn tong uit naar weduwe Bigelow. 'Stelt u zich hun wilde ogen voor!' Tante Fran, dominee Norton, dr. Thomas en Precious gingen op een rij naast hem staan. Ze scandeerden mee en struikelden over de woorden. Met gefronst voorhoofd deed dr. Thomas zijn uiterste best om de bewegingen precies goed te doen, Precious lachte en giechelde. Professor Payzant gaf instructies: 'Draai om en maak een rij, u pakt met uw linkerhand de linkerenkel van de persoon voor u vast, en met de rechterhand hun rechterzij om in balans te blijven!' De hand van dominee Norton gleed uit en greep tante Frans achterste vast. Ze draaide zich om en knipoogde naar hem. Hij grijnsde van plezier.

Ik deed niet mee, maar besloot de inhoud van de kist van de professor eens beter te bekijken. Ik wilde dat ik erin kon kruipen en hier ver vandaan kon zeilen. Ik houd natuurlijk wel van de Bay, maar soms voel ik me aan deze plek vastgeketend door alles wat er is gebeurd. Zoveel mannen, inclusief mijn vader, zijn ooit weggezeild. Ze komen thuis met bolvormige flessen, gigantische schelpen of een zeemansvalentijn voor hun vrouw. Maar ondanks dat alles beweren ze nog steeds dat hier in de Bay de zonsondergang het mooist is. Ik hoop dat ze gelijk hebben, want het ziet ernaar uit dat de vrouwen altijd zullen blijven wachten en smachten.

Ik pakte een van de maskers en liet mijn vingers over het ingewikkelde snijwerk glijden. Ik hield het voor mijn gezicht en ademde het houtachtige aroma in van hete zon en warme zee. Wijze Marie zat naast mevrouw Thomas, ze had haar ogen dicht en wreef met haar hand over de ronde buik van de vrouw. Ik kon niet verstaan wat er gezegd werd, maar ik zag tranen langs het gezicht van mevrouw Thomas lopen. Ik liep naar haar toe om te helpen, om haar mijn zakdoek te lenen, of een kopje koffie aan te bieden, maar ik was vergeten dat ik het gezicht op had van een grommend, bloeddorstig monster. Mevrouw Thomas gilde toen ik op haar afkwam en viel flauw op de schoot van Wijze Marie. Dr. Thomas maakte zich los van zijn plekje in de rij, Precious viel op de grond en dominee Norton ving tante Fran op in zijn armen.

De dokter knielde neer bij de voeten van Wijze Marie en gaf zijn vrouw een paar tikjes op haar wang. 'Lydia, Liddie... wordt wakker, lieverd... is alles goed met je?' Hij wierp Wijze Marie een strakke blik toe. 'Ik had beter bij haar in de buurt kunnen blijven.'

Mevrouw Thomas knipperde met haar ogen en dr. Thomas hielp haar overeind. 'O, Gilbert, doe niet zo mal. Het is mijn eigen schuld. Ik had een andere jurk aan moeten doen; deze is te strak en te heet. Trouwens, je zou juffrouw Babineau moeten bedanken in plaats van haar de schuld te geven. Ze heeft me goed nieuws bezorgd.' Ze grijnsde naar Wijze Marie en kneep in haar mans hand. 'We krijgen een jongetje.'

Dr. Thomas gaf een klopje op de hand van zijn vrouw. 'Stil maar,

Lydia, je moet je rustig houden.' Hij hield de rug van zijn hand tegen haar voorhoofd aan. 'Ik weet dat je dat graag wilt, maar laten we ons behoeden voor dwaasheid. Ik heb al eens tegen je gezegd dat het onmogelijk is om het geslacht van een foetus te bepalen.'

'Heb 't nog nooit bij 't verkeerde end gehad,' beweerde Wijze Marie en ze bood mevrouw Thomas een kopje thee aan.

De dokter werd rood in zijn gezicht en zei met opgewonden stem: 'Bijgeloof en oudewijvenpraatjes kunnen soms waar zijn, maar je kunt er niet op vertrouwen. Het geloof in dit soort praktijken vandaag de dag zit de voortgang van de wetenschap alleen maar in de weg. Geen wonder dat de vrouwen hier niet tot bezinning komen.'

Met zijn armen over elkaar en zijn ogen nog steeds dicht zei oom Irwin: 'Ik kan me niet herinneren dat ze het ooit mis had. Niet één keer.'

'Dat is allemaal goed en wel, meneer, maar dat is helaas onmogelijk.' Dr. Thomas waaierde zijn vrouw wat lucht toe met een van de gevederde Maorimaskers. 'Het is dom en zelfs gevaarlijk om op die manier van denken te vertrouwen.'

'Het gevaarlijkste is als je vergeet wie er eigenlijk de baas is. De wetenschap kent geen goedheid. Het gaat alleen maar om de poen,' onderbrak Wijze Marie.

De dokter verhief zijn stem. 'De wetenschap is niet goed of slecht, juffrouw Babineau. Wetenschap is exact.'

'Exáct? Wat heeft een vrouw nou aan exact als ze gilt van de pijn.'

Hij haalde een handvol muntjes uit zijn zak en liet ze in de schoot van Wijze Marie vallen. 'Dat was ik bijna vergeten, ik was u nog wat schuldig, juffrouw Babineau.'

Ze keek hem aan en zei boos: 'Waar is dat voor?'

'Laird Jessup bracht vorige week zijn vrouw naar me toe. Mevrouw Jessup zal de eerste vrouw uit Scots Bay zijn die haar bevalling aan mijn zorg overlaat.'

Ginny Jessup is de meest recente *vrouw van buiten* die naar de Bay gekomen is. Vorige zomer was ze met Laird Jessup getrouwd nadat hij haar had meegenomen over de Bay of Fundy vanuit New Brunswick. Ze is veel jonger dan Laird (niet veel ouder dan ik, schat ik), en zijn tweede vrouw in vijf jaar tijd. Hij raakte zijn eerste vrouw kwijt toen ze er met een vertegenwoordiger van fotolijstjes vandoor ging naar Halifax. Tante Fran weet het natuurlijk aan het feit dat de eerste vrouw van Laird ook van buiten was gekomen. 'Je zou verwachten dat hij z'n les de eerste keer had geleerd. Als hij een beetje langer had gewacht, had hij de hand van Dora kunnen nemen. De man heeft een goed stuk land en prima vee. Veel meer dan dat kan je niet wensen.' Niet dat ik ooit met hem getrouwd zou zijn, maar Ginny past veel en veel beter bij hem. Ze spreekt met zo'n zachte stem dat je nauwelijks merkt dat ze er is, en het is duidelijk dat ze zichzelf voor de wagen zou gooien als dat haar man zou behagen, ze loopt altijd 'ja' fluisterend achter hem aan.

Weduwe Bigelow reikte haar hand uit en legde hem over de gebalde vuisten van Wijze Marie. 'Dat is geweldig nieuws, zeker voor jou, Marie.' Ze grijnsde naar mevrouw Thomas. 'Ik probeer onze lieve Marie Babineau er al heel lang van te overtuigen dat ze ophoudt met het verzorgen van al die moeders en ons voor haar laat zorgen.'

Wijze Marie trok haar handen weg van weduwe Bigelow. 'Hier hebben we het al eens over gehad, Simone. Ik houd niet op voordat de Heer me de weg naar huis wijst.' Ze gaf de munten terug aan dr. Thomas. 'En ik heb al eerder gezegd dat ik geen geld aanneem.'

Tante Fran onderbrak haar. 'De White Rose Society is best bereid om het geld in een Moederfonds te doen, zoals u ooit voorgesteld heeft, dokter. Dan kunnen de vrouwen van de Bay zelf kiezen hoe ze hun baby's ter wereld brengen.' Dr. Thomas gaf het geld aan tante Fran en ze stopte het in haar handtas en trok het koord strak. 'Nu ik de geboortekliniek met eigen ogen gezien heb, denk ik dat dat verstandig is.' Ze wierp Wijze Marie een sympathieke blik toe. 'Onze lieve Wijze Marie zal immers niet voor altijd bij ons blijven.'

Wijze Marie snauwde haar toe. 'U hoeft me niet aan te kijken alsof ik al dood ben, Fran Jeffers. Ik heb hulp als ik het nodig heb. Ik heb Dora nu, en zij doet het prima.'

Ik glimlachte naar Wijze Marie. 'Dr. Thomas, de geboortekliniek is best mooi en zo, maar ik vraag me wel af hoe veilig het is om er te komen. In de winter is het vaak erg moeilijk om van de North Mountain af te komen.'

'Ik ben blij dat u daar iets over zegt, juffrouw Rare. Misschien bent u bereid om mevrouw Jessup te escorteren als het zover is. Dan kunt u zien wat er gebeurt, en zelfs een hand toesteken, en juffrouw Babineau geruststellen. Ik zou uw inzet natuurlijk vergoeden.'

Wijze Marie antwoordde voor mij. 'Dat zullen we nog wel eens zien.'

Archer Bigelow was in de keuken toen ik nog een pot thee ging zetten voor mevrouw Thomas. Hij zat met zijn benen lui uitgestrekt, en een arm over de rug van de stoel gedrapeerd. Ik kon zijn donker starende ogen langs mijn wervelkolom omhoog voelen kruipen.

Grace Hutner en de rest van de kaartclubmeisjes kibbelen er altijd over wie er naast Archer mag zitten in de kerk, op theekransjes, tijdens de Temperance picknick in Lady's Cove. Ik zie heus wel dat hij knap is, en niet als een jongen, maar als een man van bijna dertig. Zelfs zijn werkkleren hechten zich aan hem vast alsof ze iets van hem willen, zijn broek strak in zijn laarzen gestopt, zijn dikke wollen vest netjes dichtgeknoopt. Hij ging staan en ondersteunde mijn zij toen ik op een krukje klom om een pak suiker uit het kastje te pakken. Hij sloeg zijn armen om me heen toen ik naar beneden kwam en hield ze daar even. Ik rook pijptabak en pommade, gemberbier en scheerzeep. Hij fluisterde in mijn oor en ik voelde de warmte van zijn adem. 'Je bent mooi.'

Voordat ik iets terug kon zeggen, stampte Archers broer Hart naar binnen, hier en daar sneeuw achterlatend op de keukenvloer. 'Pas op die ouwe Archie, hoor Dorrie, hij is nogal makkelijk met zijn gevoelens.' Mijn gezicht werd rood van schaamte en ik duwde Archer opzij en keerde mijn aandacht naar de ketel die op het fornuis stond te fluiten en te sputteren.

Mijn twee oudste broers, Albert en Borden, noemen zich samen met Hart de 'Heilige Plaaggeesten van de Bay'. Ze halen altijd streken uit om mij of moeder aan het gillen te krijgen. Vader noemt Hart zelfs zijn zevende zoon. Op mijn dertiende verjaardag bond Hart mijn handen en voeten vast en Albert en Borden deden alsof ze me zo in het varkenshok wilden laten zakken. Hart was op zijn twaalfde al bijna twee meter lang. Niet lang daarna begon hij voor vader te werken op de scheepswerf. Hij was er nog geen maand toen zijn linkerhand tussen een touw en een katrol vast kwam te zitten en hij drie vingers kwijtraakte. Wijze Marie deed haar best ze te redden, maar ze waren helemaal kapot. Als dat niet was gebeurd, zou hij nu naar de oorlog zijn vertrokken met Albie en Borden. In plaats daarvan zit hij vast in de Bay en werkt keihard terwijl zijn tienvingerige broer alle meisjes versiert.

Precious kwam de keuken binnen. 'Mevrouw Bigelow wil weten of je in moeilijkheden geraakt bent?'

Blozend antwoordde ik: 'Moeilijkheden?'

'Met de thee?'

Ik zette de pot, suiker en het melkkannetje op een dienblad en haastte me de keuken uit. 'Nee hoor, geen moeilijkheden gehad.'

De rest van de avond dacht ik aan Archer en hoopte dat hij de kamer binnen zou komen, of dat ik een smoesje kon verzinnen om terug te gaan naar de keuken. Misschien zou ik hem vragen wat hij bedoelde, of zeggen dat ik niet zeker wist wat hij gezegd had en vragen of hij het nog een keer wilde zeggen. Misschien zou hij dit keer dicht bij me komen en lang genoeg blijven staan zodat zijn geur op mijn kleren zou achterblijven, net lang genoeg zodat ik aan hem zou kunnen blijven denken als ik ademhaalde, zonder moeite te hoeven doen.

Tegen de tijd dat ik weer in de keuken kwam, stond Grace Hutner bij de achterdeur, aan de arm van Archer. 'Mooie avond voor een wandeling, vind je ook niet, Dora?'

20 januari 1917

We hebben *Northanger Abbey* uit. Ondanks de bemoeienissen van Isabelle Thorpe is alles goed afgelopen. Catherine trouwt met Henry Tilney.

Wijze Marie klaagt avond aan avond over dr. Thomas. 'Exáct... Hoe kan exáct haar nou helpen? Er is geen exácte manier om een kind te krijgen... net als sneeuwvlokken vangen, ze zijn weg voordat je weet hoe 't zit... exáct, mijn hele leven lang...' Meestal wordt zo'n tirade gevolgd door haar gedachten over 'hoe we met 'm om moeten gaan' en waarom. Ze maakt zich zo druk dat ik me afvraag of ze het niet beter op kan geven.

Ik heb de zolder boven de keuken uitgeruimd. Met mijn oude verenbed, wollen dekens en een sprei slaap ik daar heel gezellig. Eerst sliep ik in het bed met Wijze Marie, maar het is te klein voor ons tweeën, en als ze een paar borreltjes opheeft, ratelt en snurkt ze nogal. Nu, met een lamp en mijn boeken (en nu ik me niet hoef te verstoppen voor dr. Thomas), vind ik het hierboven wel leuk, samen met de draden gerimpelde appels en bosjes salie, kattenkruid, frambozenblaadjes en rozenbottels. Net als in alle andere hoeken en gaten van haar huisje heeft Wijze Marie een portret van de Maagd Maria in de hoek verscholen. Het zit vastgeplakt op het pleisterwerk van paardenhaar, samen met het rafelende behang en oude stukjes kranten. Elke avond voor ik ga slapen, kijk ik naar haar, misschien is dat mijn manier van bidden. In het flikkerende licht van mijn olielamp glimlacht de Heilige Moeder naar me, haar gezicht is omlijst met witte rozen en in haar handen houdt ze een witte duif met een stralend rood hart. Ze kijkt me strak aan, alsof ze iets weet dat ik niet weet.

Het doet er niet toe wat ze weet. Het doet er niet toe wat dr. Thomas of Wijze Marie doet of zegt. Ik kan alleen nog maar aan het woord denken dat Archer Bigelow in mijn oor fluisterde, een woord dat met mijn wensen overeenkomt, dat samenwerkt met de duivel om me te doen geloven dat het misschien wel waar is. Hij heeft het gezegd. Ik heb het niet gedroomd. *Mooi.*

11

Precious heeft een nieuw boek voor me meegebracht, *Information for Everybody* van dr. A.W. Chase. Ze smokkelde het onder in een eiermand mee en was buiten adem van opwinding toen ze de deur van Wijze Marie bereikt had. Het is bij lange na niet zo interessant als het boek van tante Fran dat ze ooit voor me meebracht, *Sexual Secrets*, waarin dr. O.S. Fowler negenhonderd bladzijden lang commentaar geeft op de 'elektrische stroom' die tussen mannen en vrouwen bestaat en hoe die 'speciaal gereguleerd is en verstoord wordt door de geslachtsgemeenschap'. Helaas stond het hoofd van Precious vandaag niet naar seksuele relaties, ze was bezig met bloed. Mijn lieve nichtje is pas veertien en nog niet ongesteld geworden, dus bij de volgende passage raakte ze in paniek.

> Laat me u ervoor waarschuwen dat u niet verkouden wordt in deze periode. Het is erg gevaarlijk. Ik kende een jong meisje, wiens moeder haar niets over dit onderwerp had uitgelegd en ze wist niet wat het betekende. Ze was zo bang dat iemand er iets van zou merken, dat ze naar een beek ging en zichzelf en haar kleren waste, kouvatte en meteen krankzinnig werd.

Ze wees naar de woorden op de bladzijde en haar lieve, ronde gezicht werd bleek. 'De gedachte alleen al. Zo'n jong meisje dat als een gek tekeergaat in een beek, rillend van de kou! Stel je voor!'

Ik legde haar de menstruatiecyclus zo goed als ik kon uit en verzekerde haar dat ik haar nooit gek zou laten worden door bloed of door kou. Toen vroeg ik haar me te beloven dat ze naar me toe zou komen zodra ze dacht een druppel bloed te voelen. Het was een lastig gesprek, want haar moeder had met geen woord over de feiten van het leven gesproken. De ideeën van Precious over 'waar baby's vandaan komen' hebben meer te maken met ooievaars en elfjes dan met iets anders. Het zal niet lang meer duren voordat ik dat ook uit moet leggen, maar ik weet niet zeker hoe ik dat aan moet pakken. Het arme kind valt al bijna flauw als ze de woorden *bloed, dood* of *naakt* hoort. Het is niet goed voor Precious dat tante Fran haar altijd als een klein kind behandelt. Ze hoeft nooit huishoudelijk werk te doen, en ze krijgt alles wat ze wil, jurken uit Halifax, satijnen lintjes voor haar haar, snoepjes voor het eten. Ik wou dat ze meer aandrong op literatuur zoals ik. Ik heb nu bijna alle romans gestolen die juffrouw Coffill in het schoolgebouw verstopt heeft, en de almanakcollectie en gezondheidstijdschriften van tante Fran zijn te ouderwets, hoewel ze ook erg amusant zijn.

Het verbaast me dat Precious überhaupt met me wil omgaan, nu ze een van de 'nette jongedames' van de Bay geworden is. Rond diezelfde tijd hield Sam Gower ermee op om aan haar vlechten te trekken en begon met haar mee naar huis te wandelen na school, Grace Hutner nodigde haar uit voor haar eerste kaartpartijtje. Ik weet niet hoe vaak we elkaars haren nog zullen kammen, samen zoet brood en room zullen eten of het refreintje zullen zingen: 'Ik wil niet bij je komen spelen; ik ben je helemaal moe. Jammer voor je om te zien, dat ik de kelderdeur dichtdoe...' Elke dag begint ze meer op haar naam te lijken, haar gouden haar draait in pijpenkrullen om mijn vingers, haar ogen schitteren bevoorrecht. Ik houd mijn gedachten steeds vaker voor me, want ik weet dat ik haar nooit zou kunnen uitleggen waarom ze zo duister geworden zijn. Mijn huid wordt nooit zo bleek van het wassen als die van haar. Als ik bloos, kun je het niet zien. Ik voel me vuil als ik naast haar zit.

Toen we jong waren vonden de andere meisjes het niet erg als ze bij me in de buurt bleef. Als we uitgespeeld waren, draaide ze zich om en rende naar hen toe met de smoes dat het familieplicht was. Ik begreep het wel. Nu merk ik dat de knappe meisjes haar willen, en dat ze haar betrekken in hun geplaag en geroddel. Sinds ik bij Marie Babineau ben gaan wonen, is het alleen maar erger geworden. Fluisterend buigen ze hun hoofden naar elkaar toe op de achterste bankjes in de kerk: 'De oude vroedvrouw leert haar om te spinnen, zodat ze een heks kan worden.' 'Ik heb gehoord dat ze tafels en theekopjes leert omgooien.' Zoals alles in deze wereld zijn sommige dingen waar en de meeste niet. Vroeg of laat zal Precious moeten kiezen.

Ze smeekte of ze een kopje thee mocht blijven drinken. Eigenlijk geeft ze niets om Wijze Marie. Waarschijnlijk wilde ze iets hebben om aan haar eksterachtige vriendinnen te kunnen vertellen... alsof ze haar hadden uitgedaagd of ze in de gammele hut van een cajunheks durfde te gaan zitten om haar theeblaadjes te laten lezen. Ik vergeef het haar wel. Ze kent het verschil nog niet tussen iets doen uit goedheid en iets doen voor jezelf. Als ik naar de acties van haar moeder kijk, geloof ik niet dat ze het ooit zal leren.

'Alsjeblieft, Dora...'

Ik foeterde haar uit, in de stijl van tante Fran. 'Het duurt niet lang meer voor het donker is, lieverd. Je weet toch dat een wandeling in de avondlucht allerlei ziektes en een slecht uiterlijk teweegbrengt in een jongedame.'

Wijze Marie, die tot nu toe stil was gebleven, lachte hardop. 'Ga maar naar huis, Precious. Je maman zal je flink aan je gouden pijpenkrullen trekken als ze erachter komt dat je bij mijn haardvuur hebt gezeten.'

12

Tante Fran stak haar hoofd door de deur van het huisje en riep met opgewekte stem: 'Is er iemand thuis?' Wijze Marie liet haar binnen en vroeg me om nog een kop en schotel op tafel te zetten. Het beste dat ik kon vinden was een oude tinnen mok en een biscuitbordje. Tante Fran liet haar vingers langs de koude metalen rand glijden, met een samengeknepen, afwijzend gezicht. Ik dwong mezelf beleefd te glimlachen en ruilde mijn gebruikelijke, met bloemetjes bedrukte *demitasse* om met haar slecht passende setje.

'Nou, dankjewel, Dora. Dat is erg aardig van je.' Ze tilde de suikerpot op en keek om zich heen. Ze zocht waarschijnlijk zo'n zwaar verzilverde tang, zoals die bij het eersteklas theeservies hoorde dat ze van oom Irwins moeder geërfd had. Ik veegde mijn theelepeltje af met een schone theedoek en zette het in de suikerpot. Als ze zichzelf er niet toe kon brengen om de suikerklontjes met haar vingers te pakken, zou ze daar genoegen mee moeten nemen.

Wijze Marie stoomde door naar meer praktische aangelegenheden. 'Leuk om te zien dat je dit deel van de Bay weet te vinden, Fran.' Ze trok het gordijn weg van het keukenraam en keek de voortuin in. 'En ik zie dat je alleen gekomen bent... wist niet eens dat je om kon gaan met zo'n paard. Wat brengt je hiernaartoe met die vreselijke kou? Er is toch niemand ziek, hoop ik?' Ik dacht aan vader, geschopt door een paard terwijl hij de slee vastmaakte, moeder met koorts, een van de jongens in bed met de mazelen of de bof.

Tante Fran grinnikte en blies de lucht over de rand van haar kopje, haar lippen werden vochtig van de damp. 'Nee, nee, er is niemand ziek. Geen slecht nieuws. Het gaat allemaal goed. Prima.' Ze nam een slokje thee van het kleine kopje, haar pink fier omhoog. 'Ik zou eigenlijk graag met u alleen spreken, Marie... dat begrijp je toch wel, hè Dora? Het is een vróúwelijke aangelegenheid.'

Wijze Marie mompelde: 'ts ts' en schudde haar hoofd. 'Ben jij vrouwelijk, Dora?'

Ik glimlachte. 'De laatste keer dat ik gekeken heb wel.'

'Nou, dan is het ook jouw aangelegenheid... blijf maar hier.'

Tante Fran probeerde het nog een keer. 'Maar, Marie, het ligt nogal gevoelig.' Ze fluisterde scherp. 'Het gaat over mijn *cyclus*.'

De oude vrouw vatte de serieuze toon van tante Fran licht op en fluisterde terug. 'Wat is er, Frannie, komen de Redcoats niet meer aan op je kust?'

Fran pakte de theepot, schonk iedereen bij en probeerde niet te trillen. 'Ik zei dat het goed met me ging.' Ze bood Wijze Marie de suiker en melk aan. 'Ik vroeg me alleen af...' Haar stem werd steeds zachter. 'Ik vroeg me af of er iets is dat ervoor zorgt dat hij weer op gang komt. De cyclus, bedoel ik.'

Wijze Marie maakte het haar niet gemakkelijk. 'Wat? Ik heb niet gehoord wat je zei.'

'Het is bijna tijd, nog drie dagen, hoogstens vier. Kunt u, is het mogelijk... om ervoor te zorgen dat het komt, op tijd?'

'Maak je je ongerust dat het helemaal niet komt? Waarom twijfel je aan de maan? Je verwácht toch niet anders, of wel?'

Fran zuchtte gefrustreerd en begroef haar handen in de zak op haar schoot. 'Ik zal u betalen voor de moeite, Marie. Heeft u iets of niet?'

Zonder met haar ogen te knipperen greep Wijze Marie het zout en strooide het over de tafel. 'Doe dat smerige geld weg, Fran Jeffers.' Ze wierp een handjevol zout in het gezicht van tante Fran. 'Geen heiligschennis aan mijn tafel, anders moet ik je vragen om te vertrekken... als je denkt dat je goeie hulp kunt kopen, kun je beter in je rijtuigje stappen en naar Canning gaan om die dr. Thomas van je op te zoeken.'

Wijze Marie deed haar ogen dicht, vouwde haar handen in elkaar en begon in zichzelf te mompelen, haar grijze haar kwam los uit het knotje en viel langs haar gezicht. Ze zag er zo oud uit als duizend gebeden. 'Volmaakte Maria, Moeder van allen, zegen dit huis. Bescherm dit huis tegen het kwaad. Tegen hebzucht, tegen zonden. Zegen deze arme, zielige vrouw, die naar me toe komt met haar zakken en haar hart gevuld met zonden, zegen haar, Vrouwe, zegen dit huis.' Tante Fran schudde haar hoofd, ze zag er tegelijkertijd ongeduldig en moe uit.

Ik leunde naar Wijze Marie toe en fluisterde in haar oor.

Tante Fran zuchtte. 'Niet zo geheimzinnig, Dora.'

Wijze Marie trok een kralensnoer los rond haar hals en begon de rozenkrans te bidden. 'Wees gegroet Maria, vol van genade...'

'Juffrouw Babineau, gaat u me helpen, of niet?'

Het gezicht van tante Fran was rood. Het was geen blos van schaamte, zelfs niet van boosheid, maar meer van de plotselinge hitte die door je heen stroomt als je je hulpeloos voelt, als je weet dat je iets gedaan hebt dat niet zomaar kan worden rechtgezet. Mijn tante, die er altijd voor gezorgd had dat alles in haar leven er groots en belangrijk uitzag, zag er nu bang en klein uit.

Ik legde mijn handen op die van Wijze Marie. 'Help haar, alstublieft.'

Ze hield op met bidden en was stil, alsof ze wachtte op een antwoord. Toen ze haar ogen opendeed, keek ze alleen mij aan. 'Goed dan.' Ze liep naar de kast en haalde er drie kruidenpotten uit en het Wilgenboek. 'Vloedthee – hier staat het allemaal... geef haar genoeg kruiden voor een week. Dat moet voldoende voor haar zijn. *Een vrouw moet deze thee drie dagen voordat haar cyclus begint gaan drinken. Tweemaal daags, bij springvloed. Zorgt voor een regelmatige cyclus.*

Wijze Marie klopte op de sprei op haar bed en riep naar tante Fran. 'Kom nu maar, trek die onderbroek uit en dan zal ik eens kijken of ik de engel naar beneden kan roepen.' Tante Fran ging liggen met haar gezicht omhoog en staarde naar het plafond. Wijze Marie pakte een dunne, witte kaars uit een kist achter het bed en wreef hem in met olie. Ze draaide zich om en fluisterde naar me: 'Dit is iep. Dat zal haar op weg helpen.' Ze hield de kaars vast en maakte meerdere kruistekens boven het lichaam van tante Fran. Ze trok haar rok omhoog en liet het puntje van de kaars tussen de benen van tante Fran glijden. Tante Fran jammerde zachtjes. Wijze Marie stopte en keek haar aan. 'Je moet me wel binnenlaten, Frannie. Helemaal tot aan het heiligste plekje.'

Tante Fran haalde diep adem. 'Schiet nou maar op.'

Wijze Marie ging verder en tante Fran kreunde even. Wijze Marie zegde nog een paar gebedjes op, verwijderde de kaars en klemde hem tussen de handen van tante Fran. 'Als het vanavond niet gebeurt, zal je op z'n laatst morgenochtend gaan bloeden, en ook wat pijn hebben. Niet zo erg, hoor. Ga maar gewoon op bed liggen alsof je je niet lekker voelt. Zorg ervoor dat je deze kaars de komende drie avonden laat branden. Zeg een gebedje op voor Maria, dank haar voor haar goedheid, dank haar voor de maan, dank haar voor de getijden. Dan word je weer zo goed als nieuw.' Ze hielp tante Fran haar spullen bij elkaar te pakken en stuurde haar de deur uit. 'En vergeet niet je thee te drinken.'

Lange tijd nadat tante Fran weg was zei Wijze Marie helemaal niets. Pas na het avondeten verbrak ze haar stilte. 'Dit moet je goed onthouden...' Haar vingers draaiden om een van de kralensnoeren om haar nek. 'Het maakt niet uit waar je voor kiest. Ik ben God niet. Hoe hard je ook je best doet, het is iets tussen Hem en haar, wie die háár ook moge zijn. Ik ben hier om de pijn van vrouwen te verlichten. Zo simpel ligt 't.'

Ze begon druk kaarsen aan te steken en zette ze rondom het beeld van de Maagd Maria. 'Een vrouw heeft het recht om voor zichzelf te zorgen. Ze heeft ook het recht om bang te zijn. Zij is degene die het voelt als het touw te strak komt te zitten, ook al merkt haar man of een andere man er niets van. Als hij zich aan haar heeft opgedrongen, is het makkelijk genoeg voor mij om het recht te zetten, en dat kan toch geen toeval zijn.' Ze bond een bosje gedroogde kruiden samen, doopte het in lavendelwater en schudde de druppels door het hele huisje heen. 'Als zij degene is die fout is geweest... nou, dan is ze waarschijnlijk gewoon moe. Moe om voor zichzelf te zorgen, te moe om haar man ermee lastig te vallen, of ze denkt dat ze hem kwijtraakt als ze dat doet. Alleen de vrouw weet of ze genoeg liefde heeft om een leven te creëren. Líéfde moet de keuze bepalen. Het maakt niet uit wat er gezegd wordt, het maakt niet uit hoeveel geld of mooie dingen je denkt dat ze op haar naam heeft staan, alleen het hart weet wat het te verliezen heeft, waar je ook voor kiest. Begrijp je?'

Lieve Dora,
Ik ben jou en juffrouw Babineau erg dankbaar voor jullie gastvrijheid een paar dagen geleden. Mijn liefste wens is dat ons plezierig samenzijn alleen door ons herinnerd wordt. Je bent een lieve nicht en een verstandige jongedame. Vergeet nooit de waarden van loyaliteit en familie.

Je liefhebbende tante Fran

Tante Fran zat vandaag glimlachend en blij in de kerk, ze had Guernsey-room voor Wijze Marie meegebracht en een heleboel kusjes voor iedereen. Wijze Marie negeerde het gekwetter van Fran en staarde naar Ginny Jessup.

Door haar 'incidentele' slechte been, zoals zij het noemt, een scheve heup waardoor haar voet een beetje sleept, moest Wijze Marie steun zoeken in het gangpad. Ginny's arm was toevallig in de buurt. 'Hé, kijk eens aan, meid. Wat een mooie ronde buik heb je daar.'

Ginny knikte beleefd. 'Gaat 't een beetje, Wijze Marie?'

Wijze Marie stak haar arm door die van Ginny en klopte op haar hand. 'Mijn botten proberen er af en toe zonder mij vandoor te gaan. Maar voor de rest gaat 't prima. Maak je over mij maar geen zorgen.'

Laird Jessup ging achter zijn vrouw staan. 'Kom jij maar lekker op de bank zitten.'

Ginny keek Wijze Marie verontschuldigend aan toen Laird haar weg trok. 'Hij maakt zich ongerust over mij, vooral nu het zo dichtbij komt en hij weer bijna elke dag aan het houthakken is in het bos.'

Wijze Marie knikte. 'En zo hoort 't ook... zo hoort 't ook.'

De congregatie nam afscheid van een groepje jongens die mee zouden gaan vechten in de oorlog; sommigen waren op weg naar Camp Aldershot, anderen naar Halifax. Het doet me verdriet te moeten zeggen dat mijn broers Albert en Borden er ook bij zullen zijn. Dominee Norton heeft hen verzekerd dat God glimlachend zal toezien op hun inspanningen. *William Cooke, Guy Jessup, Avery Morris, Samuel Morris, Albert Rare, Borden Rare, Byron Wallis, Tom Ketch*. 'De goede Christenen van de wereld hebben veel te veel tragische verhalen moeten doorstaan in de afgelopen twee jaar. In elke krant staan beschrijvingen van wrede daden door een barbaarse vijand. Ze hebben onschuldige mensen van het leven beroofd, ze hebben nonnen de keel doorgesneden, ze hebben boerderijen en huizen vernield... en laten we de *Lusitania* niet vergeten. Onze vijanden zijn meedogenloos.' Hij leunde voorover, zijn handen grepen zich vast aan de rand van het preekgestoelte. 'Maar we kunnen ons geruststellen met de wetenschap dat de Almachtige Heer geen geduld heeft voor zondaars... en deze rechtschapen mannen zullen ervoor zorgen dat ze voor Zijn oordeel verschijnen.'

Het leek bijna alsof hij blij was om hen te zien vertrekken, hij stuurde hen op pad met gebeden voor hun veilige terugkeer, voor overwínning. Overwinning is absoluut niet hetzelfde als vrede. Er zijn vast evenveel moeders, zusters en geliefden in Rusland en Frankrijk, België, Engeland en zelfs in Duitsland die dezelfde gevoelens hebben. Aan allebei de kanten zijn al duizenden mannen dood. *Glen Ells, gevallen bij Corselette, 19 jaar. Alfred Hiltz, gevallen bij St. Eloi, 26 jaar. Carey Tupper, gevallen bij Ypres, 38 jaar.* Ze zullen nooit meer thuiskomen.

De meeste echtgenoten en vaders in de Bay zijn achtergebleven om voor hun gezinnen en hun akkers te zorgen, om in de bossen te werken, te jagen en te vissen, om verder te gaan met het leven zoals altijd. Het zijn de jongere mannen die vertrekken, de ongetrouwde, degenen die ervan dromen andere oorden te zien, ver weg van hier, degenen die de last voelen van plicht en schuld. Toen de mis uit was, gingen de jongens buiten staan, met hun hoofden fier omhoog. Moeders, tantes, zussen en grootmoeders liepen in een rij langs hen heen, kusten hun wangen, stopten munten in hun handen, vulden hun zakken met gelukwensen en gebeden. Toen de rij voorbij was, hingen de kaartclubmeisjes om hen heen, ze draaiden met hun krullen en deden alsof ze niets merkten van het flirtende geplaag van de nieuwe rekruten.

Tom Ketch, die ik niet meer had gezien sinds die dag waarop zijn moeder haar baby verloor, stond afzijdig en keek toe. Er was niemand voor hem gekomen, zijn vader niet, geen van zijn broers of zussen en zelfs zijn moeder niet. Hij was hier alleen naartoe gekomen vanuit Deer Glen, de lange weg af met de harde, bitterkoude februariwind uit de Bay aan zijn zijde. Toen hij op weg naar huis ging raakte zijn arm licht mijn schouder aan. 'Dora.'

'Tom?'

Hij zei verder niets en liep door.

Ik probeerde de tranen te verbergen die steeds opwelden als ik eraan dacht dat mijn broers van huis weg zouden gaan. Ik keek naar de anderen; met hun lippen uiteen, schouders gedraaid, verlegen glimlachjes aan weerszijden, trokken ze elkaar dicht naar zich toe om nog één keer goed te kijken. Het is triest om de jongens te zien bedelen om kusjes en brieven van het thuisfront, triest dat ik niet een van die meisjes ben.

13

'Opstaan! We gaan naar Ginny. Ik heb een voorgevoel.'

In de koude, roze ochtendschemering liepen we Three Brooks Road af naar Ginny Jessup, ongenodigd. Wijze Marie bood geen geschenken aan en verontschuldigde zich niet. Ze liep gewoon Ginny's huis binnen en ging in de voorkamer zitten. Ze bekeek Ginny van top tot teen. 'Ooooh, ik wist het wel. Ik wist het afgelopen zondag al in de kerk.' Ze wees naar Ginny's buik. 'Hij steekt helemaal naar buiten, klaar om erbij te gaan liggen. Ga eens plat op de bank liggen, Ginny, en laat me even voelen.' Wijze Marie sloot haar ogen en blies warme lucht in haar handen. Al pratend en kirrend tegen de baby begon ze Ginny's strakke buik af te tasten. 'Lieve baby, je moet jezelf omdraaien. Je mag er niet bij gaan liggen, want dan ziet je moeder eerst dat je een jongetje bent in plaats van je mooie gezichtje.' Ze keek op naar Ginny en ging verder. 'Zie je, hierboven, bijna onder je ribben... dat is zijn hoofdje. En dit...' Ze wreef met haar hand over een ronde bult onder in Ginny's buik en schudde haar hoofd. 'Dit zijn z'n billetjes.'

Ginny die de instructie van Wijze Marie zonder morren had gevolgd, sprak met zachte, bange stem. 'Is dat erg?'

'Het is niet goed. Een stuitligging is altijd moeilijk.'

Ginny ging overeind zitten en trok haar kleren recht. 'Nou, ik zal dr. Thomas van uw zorgen op de hoogte brengen.'

Wijze Marie pakte Ginny's hand vast. 'Daar is het te laat voor, tenzij je het hem vandaag wilt vertellen. Wanneer heb je hem voor het laatst gezien?'

Ginny zweeg.

Wijze Marie sprak verder. 'Want als hij niet slim genoeg is om dit op te merken, weet ik zeker dat hij ook niet weet hoe je het moet oplossen.'

'Begin januari. Hij zei dat hij nog eens zou komen om me te onderzoeken, omdat ik een beetje bang ben om door de sneeuw te reizen, maar hij heeft het druk, met de geboortekliniek en alles. Maar ik denk hij binnenkort wel langs zal komen, hoor.'

'Daar is het te laat voor. Als die baby zijn billetjes eenmaal beneden vast heeft gezet, kan hij niet meer terug. Als je dr. Thomas de volgende keer ziet, moet je hem maar zeggen dat we hem een gunst bewezen hebben, oké?' Ze glimlachte naar Ginny. 'Maak je maar geen zorgen, we gaan dit baby'tje omdraaien. We moeten 'm gewoon zo toespreken dat-ie ons kan verstaan.'

Na een dosis Moederthee met wildemanskruid, instrueerde Wijze Marie Ginny om op de grond te hurken. 'Net als een olifant gaan lopen. Op handen en voeten. Niet op je knieën als een baby'tje, handen en voeten, handen en voeten.' Het was een hele vertoning om de oude vrouw de jonge moeder door de kamer te zien leiden. Ginny ademde zwaar, bewoog zich langzaam en voorzichtig voort tussen de kruk en de plantenbak, en vervolgens langs de rand van een stoffig, gehaakt vloerkleed. Toen Ginny moe was geworden, hielp Wijze Marie haar overeind en bracht haar terug naar de bank. 'Ga maar zitten.'

Wijze Marie keek me aan. 'Ik heb drie dingen nodig – een strijkplank, een handdoek en een emmer sneeuw.' Ik vroeg Jenny waar ik alles kon vinden en rende heen en weer, rommelde in de provisiekast en schepte natte, modderige sneeuw uit de voortuin.

Wijze Marie zette de strijkplank rechtop en liet het ene einde tegen de kussens op de bank leunen. Ze roffelde met haar knokkels over de plank, alsof ze wilde testen of hij sterk genoeg was. 'Doe je rok omhoog, meid... instappen!' Ginny hees haar rokken op tot over haar buik en wilde over de constructie heen gaan zitten alsof ze op een paard stapte. 'Nee, nee, lieverd, we leggen je neer, met je hoofd naar beneden. Ik zorg er wel voor dat je niet naar beneden glijdt.' Toen Ginny eenmaal de positie had ingenomen met haar voeten boven haar hoofd, vulde Wijze Marie het midden van de handdoek met sneeuw. Ginny kronkelde zodra de vroedvrouw de ijskoude handdoek op de rand van haar buik legde. 'Ik houd dit hier op z'n plek terwijl Dora even met de kleine spreekt.'

Ik keek Wijze Marie aan.

'Iedereen weet dat jij van het meisje komt dat de vloed opriep. Er zitten liedjes in je bloed. En bovendien, je stem is net zo jong en zoet als die van zijn mama, niet zo wollig en ruw als die van mij.' Ze trok Ginny's benen uit elkaar. 'Leg je kin maar op haar dijbeen en zing iets moois.'

Ik begon met het eerste liedje dat me te binnen schoot. Het enige dat Precious foutloos kan spelen op de piano van tante Fran.

Wals met me rond, Willy, rond en rond en rond;
De muziek is een droom, het is perzik met room,
O! Mijn voeten raken niet langer de grond
Ik ben net een schip op zee, vreugdig en mooi,
Luidkeels wil ik schreeuwen: 'Schip, ahoy!'
O! Wals met me rond, Willy, rond en rond en rond.

Voor het einde van het tweede couplet begon Ginny te giechelen van opwinding, de strakke huid van haar buik bobbelend van de ellebogen en knieën. Wijze Marie knikte en lachte. 'Hij wil de zon net zo graag zien als jij, we moeten hem alleen laten zien waar hij schijnt.'

Toen Ginny weer gemakkelijk overeind zat, bedankte ze Wijze Marie en mij voor ons bezoek. 'Ik wilde dat u mijn baby zou halen, juffrouw Babineau, maar Laird... hij wilde er niets over horen. Ik weet dat hij het niet kwaad bedoelt... hij zegt dat hij alleen het beste voor me wil.'

Wijze Marie stopte met het inpakken van haar tas en legde haar handen nog een keer op de buik van Ginny. 'Niet meer dan een dag of tien, schat ik. Je zult geen complicaties meer hebben. Je bent er bijna.'

Ginny wreef langs haar buik en staarde ernaar alsof ze het kind erin kon zien zitten. 'Mijn moeder stierf toen ze mij kreeg. Ik denk dat Laird bang is dat het een familietrek is. Hij dacht er gewoon te lang over na, en voordat ik het wist waren we in Canning om papieren te ondertekenen. U begrijpt het toch, hè?'

Wijze Marie gaf haar een klopje op haar hand. 'Het komt allemaal goed. Dr. Thomas vroeg om Dora met je mee te sturen. Zij zal bij je zijn om je hand vast te houden. Ze weet wat ze moet doen.'

'Ik ben blij dat je met me meegaat, Dora.' Ze keek naar me op. 'Daar heeft Laird ook te hard over nagedacht. Eerst zei hij nee. Hij had een of ander raar verhaal over hoe je een van zijn koeien had behekst toen je klein was, maar ik hield voet bij stuk en heb gezegd dat ik de berg niet af zou gaan zonder de hulp van een andere vrouw, en als Wijze Marie niet mee mocht, dan in elk geval jij.' Ze glimlachte een beetje trots. 'Dat heb ik tenminste voor elkaar gekregen.'

25 februari 1917

Ginny is zenuwachtig, bang. Het is immers haar eerste baby. *Laird maakt zich zo ongerust.*

Je bent een goede meid, Ginny. Je zult een goede moeder zijn.

Dr. Thomas zegt dat hij het makkelijker kan maken. Hij kan de pijn wegnemen. Sluimerslaap, scopolamine en morfine. Ze zal zich er niets van herinneren.

Ze haalt zwaar adem, hier komt-ie. Ja, ja. *Zorg dat het ophoudt.*

Terug tellen vanaf honderd, ontspannen, alles komt goed.

Ze zit rechtop tegen de kussens met haar hielen in de stijgbeugels, haar knieën hangen slap naar opzij. Het lichaam werkt door terwijl zij van de wereld is, het trilt en maakt krampachtige bewegingen.

Hij is stil terwijl hij daaronder bezig is, tussen Ginny's benen.

Er is nog een vrouw in de verloskamer. Ze is kwaad, gilt al haar klachten uit over haar man. *Schoft. Klootzak, Luiwammes. Stommeling. Onbetrouwbare ezel met je grote bek.*

Ik vraag me af of ze pijn heeft, ook al is ze zich er niet van bewust. Zal het terugkomen in een droom vannacht, of morgen? Hij zegt dat de methode die hij gebruikt hem absolute controle geeft. Een klein sneetje in de strakke rode huid, zodat de verlostang naar binnen kan zonder iets in te scheuren, zodat alles zich schoon en precies kan herstellen als alles voorbij is.

De andere vrouw is aan het huilen en kreunen, ze roept om haar moeder.

Ginny's kind wordt eruit getrókken. Zijn hoofd is misvormd en heeft een paar blauwe plekken, hij ademt alsof hij doodmoe is en geen lucht kan krijgen. Door de Sluimerslaap zijn ze een beetje kortademig, iets dat zo weer overgaat na een warm bad in de kinderkamer.

De andere moeder is stil nu. Ik kan haar ademhaling horen aan de andere kant van het gordijn dat om haar bed heen getrokken is.

Ginny doet haar ogen open en strekt haar hand naar me uit. De rest van haar lichaam ligt stil, alsof ze bang is om te vragen wat er zojuist gebeurd is. Er was geen feestelijk moment aan het eind. Ze voelt zich in de steek gelaten. Onzeker.

Je bent een goede meid, Ginny. Je zult een fantastische moeder zijn.

De dokter vindt dit normaal. Een soort gelukzaligheid. Hij begroet haar blij en vertelt haar dat alles goed verlopen is, uitstekend. Een gezonde jongen. *Kun je je herinneren wat er gebeurd is?*

Niet veel. Nee, niets eigenlijk.

Goed, goed.

Ze staat te trillen op haar benen. Ze kan geen eten binnenhouden. Ze bedankt hem voor wat hij voor haar gedaan heeft. Ze wacht tot ze haar kind kan vasthouden.

The Just Cause
Pier 19
Halifax, Nova Scotia

26 februari 1917

De heer en mevrouw Judah Rare
Scots Bay, Nova Scotia

Lieve allemaal,

Nadat we in Halifax waren aangekomen, hadden Albert en ik het geluk om ons te kunnen aansluiten bij schipper Rupert Flynn, die al snel zei: 'Nog nooit een Rare tegengekomen die geen geweldige zeeman was.' Vanwege onze ervaring met schoeners heeft hij ons uitgenodigd om ons bij de bemanning van The Just Cause *te voegen. Momenteel ziet ze eruit 'als een godverdomde puinhoop'. (Sorry moeder, dat zijn de*

woorden van de schipper, niet die van mij!) Het grote fornuis in de kombuis is verroest en hangt aan elkaar met stukjes ijzerdraad. Blokken en trekijzers ontbreken, en er zijn geen lange touwen, maar ik weet zeker dat ze, als we klaar zijn, een betrouwbare en waardige driemaster zal zijn. De schipper zegt dat ze van plan zijn om haar uit te rusten met 12-pdr kanonnen, want het is de bedoeling dat ze tot de 'mysterieschepen' wordt gerekend, die worden ingezet om de Duitse onderzeeërs uit de tent te lokken voor een sluipaanval.
De bemanning is een uitdagend en krankzinnig gezelschap. Zoals Flynn het zegt: 'We zijn zeelui die leven van gebeden en plotselinge ingevingen.' Perfect voor ons dus! Albie en ik zullen deel uitmaken van de 'Paniekbemanning'. We zullen ons voornamelijk voordoen als onschuldige vissers en passagiers op het dek. Onze kok, George 'Hefty' Wages, die drie maanden dienst heeft gedaan op een Q-schip in de Noordzee, heeft blijkbaar zelfs wel eens een jurk aangedaan, een hoed opgezet en een zak aardappelen als een baby in zijn arm gewiegd. Als een U-boot dicht genoeg in de buurt komt om te kunnen schieten, moeten we in rep en roer raken, de reddingsboten afgooien en 'Verlaat het schip, verlaat het schip!' roepen. Als de Fritzies dichterbij komen om te kijken of het schip de moeite waard is om te plunderen, komt de tweede ploeg naar boven uit het ruim, trekt de witte vlag op en geeft hen er flink van langs!
Proost op het leven van een visser aan boord van The Just Cause. *Het is in elk geval beter dan door de loopgraven te waden zoals de rest van de jongens uit de Bay moet doen. Met een beetje geluk zullen we volgende maand rond deze tijd op weg zijn naar Sydney, Cape Breton Island.*
Ik schrijf snel weer.

Liefs, Borden

PS *Ik stuur deze brief mee met Fred Steele. Men heeft ons geadviseerd om het feit dat we voor de kust rondhangen geheim te houden. Fred was zo aardig om te zeggen dat hij mijn schrijfsels in zijn zak zou stoppen en zou bezorgen als hij teruggaat naar de Bay, als hij klaar is met zijn werk op de werf van Halifax.*

Dora Rare
Scots bay, Nova Scotia

3 maart 1917

Borden Rare
The Just Cause
Pier 19
Halifax, Nova Scotia

Lieve Borden (en Albert),
Zo te horen verheugen jullie je erop om de zee op te gaan. Het leven in de Bay gaat verder zoals altijd. De laatste keer dat ik thuis was, was vader hertenvlees aan het roken. Ik weet dat hij jullie hulp gemist heeft om het beest naar huis te krijgen, want Charlie weegt niet op tegen jullie twee.
Moeder mist jullie elk uur van de dag. Je zou denken dat ze wel met een zoon of twee minder toekon, maar het tegendeel is waar. Ze denkt heel vaak aan jullie en volgens Gord roept ze jullie namen nog steeds door het huis als het etenstijd is. Ze heeft een Food Control-poster opgehangen in de keuken van het Seaside Centre en stelt zich na de mis op in de foyer van de kerk om tegen de dames te zeggen: 'Eet minder vlees, vecht met voedsel!' Jullie zouden echt trots op haar zijn.
Het gaat goed met mij bij Wijze Marie, en mijn opleiding tot vroedvrouw gaat ook goed. Vorige week ging ik met Ginny Jessup naar dr. Thomas. Zij en Laird hebben een jongetje gekregen.
Ik wens jullie een veilige reis en wind in de rug.

Jullie liefhebbende zus,
Dora, alleenstaande vroedvrouw in opleiding

14

Dominee Pineo arriveerde deze week, de titel van zijn eerste preek was: 'Vergeef en vergeet.' Ik heb dit als teken genomen dat ik niets hoef te ondernemen wat betreft de onbezonnenheid van tante Fran met de nu afwezige dominee Norton.

Archer Bigelow kwam te laat in de zondagsmis. Aan het eind van ons bankje is nu plek omdat Albert en Borden weg zijn, dus ging hij naast me zitten. Ik weet zeker dat een paar meisjes de adem inhielden toen we gingen staan voor de hymne en de schouder van Archer de mijne raakte. Zijn handen hielden het gezangboek stevig tussen ons in. Ik had het gevoel dat de hele congregatie me aanstaarde tijdens de groet ter verbroedering. Toen ik me omdraaide en mijn hand over de achterkant van het bankje uitstak om Grace Hutners hand te nemen, werd mijn beleefde gebaar begroet met scherpe vingernagels die zich diep in mijn handpalm begroeven. Al die tijd glimlachte ze liefjes: 'Gegroet zij u in Jezusnaam, Dora.' Ik kreeg er met moeite een pijnlijk antwoord uit. 'Gegroet zij u in Jezusnaam, Grace.'

Toen de mis uit was, holde Precious het gebouw door en deelde uitnodigingen uit voor haar toekomstige kaartpartijtje.

De Hartendame bakt een stol
en ik ben helemaal stapeldol
Ik zou het heel leuk vinden als je op
vrijdag 9 maart om halfacht

bij me kwam eten
Daarna heerlijke thee en een partijtje kaart
Hartelijke groetjes,
Precious Jeffers

Hart liep op Archer af en plukte de enveloppe uit zijn handen. 'Beetje te oud voor thee-uurtjes, of niet, broer?'

Archer griste de uitnodiging terug en stopte hem in zijn borstzak. 'Dat maak ik zelf wel uit, broer.'

Hart trok zijn neus op en schudde zijn hoofd. 'Je zou tot aan je knieën in de modder moeten zitten bij Ypres in plaats van hartenjagen te spelen met kleine meisjes.'

Archer antwoordde met lachende stem: 'Ik kan tenminste mijn kaarten in de ene hand houden en een meisje aan de andere.'

Ik heb nog nooit twee broers gezien die zo verschillend zijn, en zo vijandig. Mijn broers maken ruzie, maar nooit over iets belangrijks – over wie het laatste restje puree krijgt, wie de koeien moet voeren deze week, wie vergeten is om de schuurdeur dicht te doen. Ze vergeten hun gebekvecht meestal al snel en gaan dan verder met grappen en grollen. Als het er ooit op aan zou komen, weet ik zeker dat ze elkaar met hand en tand zouden verdedigen. Archer denkt er blijkbaar niet over na hoe makkelijk het zou zijn voor zijn broer om hem buiten westen te slaan, anders zou hij niet zulke gemene opmerkingen maken. Hij is charmant, maar Hart is minstens tien kilo zwaarder en vijftien centimeter groter dan hij, en daar kan een innemende glimlach of een vlotte babbel niet tegenop. Ik probeerde iets slims te bedenken om te zorgen dat ze geen ruzie zouden maken, maar Grace Hutner ontnam me die kans. Met een gewiekste, sprankelende blik schoof ze de knoop van Archers stropdas naar de bovenkant van zijn boord. 'Daar kan Archer niets aan doen. Hij is veruit de beste partner die ik ooit heb gehad... ik zou geen potje zonder hem kunnen spelen.'

Hart liep mokkend weg, en Archer richtte zijn aandacht op Grace. Ze praatte verder met een zangerige stem die op en neer ging van het giechelen en zuchten, leunde met haar lichaam tegen hem aan en trok aan zijn mouw, alsof hij van haar was.

Ik zag er tegenop om naar het feestje van Precious te gaan. Ik merkte zelfs dat ik hoopte dat Wijze Marie een gevóél zou krijgen, of dat Ginny Jessups baby kou zou vatten, zodat ik de uitnodiging kon afzeggen. Tegen de avond kwam Charlie me ophalen met de slee en Wijze Marie duwde me de deur uit.

Precious had de paartjes al bedacht en bracht ons na het eten naar onze plek aan de kaarttafels die in de voorkamer waren opgesteld. Ik had gehoopt dat ik Charlie als partner kon houden. We zijn een pittig broer-en-zusteam als het aankomt op hartenjagen met partners, whist of 120-en. Helaas zette Precious hem naast Anna Rogers, die zijn aanwijzingen maar al te graag opvolgde.

Tafel een, Precious en Sam Gower, Anna en Charlie. Tafel twee, Florence Jessup en Esther Pineo, Clara en Irene Newcomb. Tafel drie, Grace Hutner met Archer Bigelow, en ik met Oscar Foley. Alles aan Oscar is rond en langzaam, zijn ogen, zijn gezicht, zijn lichaam, zijn verstand. Het is een pijnlijke martelgang om te verliezen met Oscar als partner. Hij weet nooit precies wie er gewonnen of verloren heeft totdat iemand het tegen hem zegt.

Na vier miserabele rondes stelde Archer voor dat we van partner zouden ruilen. 'Voor de afwisseling en de vriendschap.' Oscar stemde toe, ik stemde toe, en Grace, nadat ze een vrolijke grijns op haar gezicht getoverd had, ook. Archer en ik vormden een interessant paar, mijn stille, bescheiden gezicht vertrok geen spier toen hij luid begon te roepen, elke keer als hij een nieuwe kaart pakte. Wat een acteur, zeg! Er zitten niet eens genoeg schoppen in een kaartspel om zoveel te kunnen klagen. De arme Grace deed haar best om het spel aan Oscar uit te leggen, maar zonder succes. Toen het tijd was om van tafel te ruilen, pakte Archer me bij de arm en escorteerde me naar Charlie en Anna. Grace liep stampvoetend naar boven om te pruilen.

Het duurde minstens een uur voordat ik merkte dat onze tafel het enige viertal was dat nog speelde. De andere meisjes waren in een kring rond het haardvuur gaan zitten en voerden een serieus gesprek. Grace maakte zich los uit de groep en liep op Archer af, wuivend met een grote witte struisvogelveer die ze waarschijnlijk in een van de hoedendozen van Tante Fran had gevonden. 'Als president van de Vereniging van de Witte Veder Brigade in Scots Bay, presenteer ik u dit aandenken, voor uw eeuwige toewijding aan verraad, gemeenheid en lafheid. Moge alle hongerende weeskinderen van Europa je naam vervloeken.'

Ik had wel eens berichten gelezen in de krant over mannen die gehekeld en 'gevederd' werden door jonge vrouwen in de straten van Londen, maar had nooit gedacht dat dat soort wreedheden hier in de Bay konden gebeuren. Er werd niet veel gezegd over de mannen die ervoor gekozen hadden om thuis te blijven, want de meeste mensen vinden dat ze er een goede reden voor hebben. Niet lang nadat Albert en Borden vertrokken waren, begon vader over Archer en vroeg zich af waarom hij niet in dienst was gegaan. Moeder, die altijd probeert om het goede in anderen te zien, zei dat weduwe Bigelow hem misschien gevraagd had om niet te gaan, dat ze er niet tegen zou kunnen om nog een man in haar leven te verliezen, of dat Archer misschien niet wilde dat Hart zich dan achtergesteld zou voelen, of dat hun moeder hen allebei nodig had om voor haar grote huis te zorgen. Hoe langer ze doorging, hoe meer vader geneigd was te zeggen dat haar redenen nergens op sloegen. Ten slotte zei ze: 'Kwaadspreken over Archer Bigelow zal onze jongens echt niet eerder naar huis brengen.'

Archer nam de actie van Grace op als een grapje. Hij stopte de veer in het knoopsgaatje van zijn hemd en zette zijn borst hoog op. 'Als enige lid van de Orde tegen de Jonge en Tragische Dood van Scots Bay, neem ik deze eer aan en zal hem met trots dragen.'

Woedend trok Grace Precious naar zich toe en wees naar de deur. 'Ik denk dat ik in naam van alle dames in deze kamer spreek als ik zeg dat je geen echte man bent, maar een slang, een lafaard. Je bent hier niet welkom.'

Ik kon mijn mond niet dichthouden. 'Je spreekt niet voor mij.'

Precious was buiten zichzelf. 'Dora, hoe durf je?'

Ik ging verder: 'Je hebt niet het recht om zijn besluit niet naar de oorlog te gaan in twijfel te trekken.'

Grace was ziedend. 'Als ik zou kunnen, zou ik door heel Europa marcheren om links en rechts Hunnen te vermoorden, met een bajonet hun buik open te halen en hun hersens met de hak van mijn laars te verpletteren. Maar ik kan niet, net zomin als al die andere vrouwen die willen dat het kwaad overwonnen wordt... en net zo min als de jongens die te jong zijn om hun koning te dienen.' Ze keek Archer woest aan. 'Maar jij wel.'

Ik onderbrak haar opnieuw. 'En als je vrede wilt? Mag Archer dat niet?'

Ze spuugde terug. 'Als je vrede wilt kun je evengoed in de oorlog vechten.'

Ik keek haar strak aan. 'O ja?'

Archer stond op. 'Dames, ik zou graag hier blijven om de deugden en ondeugden van oorlog te bespreken, maar ik geloof dat het tijd is om te gaan. Juffrouw Rare, wilt u zo vriendelijk zijn om me de weg naar huis te wijzen?'

Precious stond in de deuropening, en jammerde over verpeste viertallen en overgebleven gebakjes. Grace en de andere meisjes troostten haar. Voordat we de deur uit waren hadden ze al besloten om charade te spelen.

Ik ben nooit bang geweest om met jongens te praten. Aangezien ik ben opgegroeid met zoveel broers, had ik altijd het gevoel dat mijn mening ook telde (tot grote zorg van vader), dat we gelijk waren omdat we samen waren opgegroeid in de Bay. Ik heb niet het talent om dom te doen zoals Grace, geen financiële schoonheid zoals Precious, en dus ook geen reden om mijn mond te houden. Maar toen Archer en ik, geleid door de bijna volle maan, de eenzame weg afliepen, werd ik stil, bewust van alles wat ik zou kunnen zeggen, maar ik kon niets uitbrengen. Omdat hij veel ouder is dan Albert en Borden, is hij in mijn ogen nooit erg jongensachtig geweest. Zolang ik me kan herinneren is hij een netjes geschoren en slimme man, en hij is de enige die me het gevoel kan geven dat ik niets te zeggen heb.

Soms denk ik dat als ik in een andere plaats had gewoond, als ik geen broers had gehad, of als ik zou wegrennen naar een stad als Toronto of Boston of zelfs New York, ik allang verkocht zou zijn geweest. Het is alom bekend dat mannen in grote steden een hang naar het onbekende hebben. Maar hier, waar het leven klein is, en de ideeën nog kleiner, staren ze naar mijn gezicht en de donkere kleur van mijn haar, mijn huid. Ze staren en staren, maar raken me nooit aan.

Hij zei dat hij geen zin had om naar huis te gaan. Ik had geen zin om alleen de zolder bij Wijze Marie op te kruipen, en dus leidde ik hem naar de enige plek die ik kende die leeg was en beschermd tegen de kou, door de kleine klokkentorendeur, over het gangpad de kerk door, naar boven naar het koor. We gingen dicht tegen elkaar zitten op het achterste bankje en dronken slokjes rum uit een gedeukte veldfles, praatten en lachten.

'Ik dacht altijd dat jij een braaf geheelonthoudertje was, Dora.'

'En ik dacht altijd dat jij jezelf te goed voelde om met een meisje zoals ik te praten.'

Hij nam een lange teug en veegde zijn mond af met het uiteinde van zijn sjaal. 'Weet je waarom vrouwen zo dol zijn op hun almachtige verenigingen en deze oorlog?'

Ik schudde mijn duizelige hoofd en ik dacht dat alles wat hij te zeggen kon hebben interessant zou zijn.

'Omdat ze dan een smoes hebben om hun mannen in het openbaar uit te schelden!' Hij gaf me de fles. 'Denk er maar eens over na, Dora, het is de enige tijd dat vrouwen het recht hebben om zichzelf superieur aan mannen te noemen. En bovendien kunnen ze van de hoge toren blazen dat God achter hen staat.' Hij staarde me aan, zijn gezicht ernstig en verdrietig. 'Denk je nou echt dat alle arme en thuisloze kinderen van de wereld zo terecht zijn gekomen door dronken en laffe mannen als ik?'

Ik staarde terug. 'Het is helemaal niet laf om een pacifist te zijn. Het is absoluut prima om jezelf een gewetensbezwaarde te noemen.'

Hij nam de grote veer uit zijn revers, leunde naar me toe en streelde me ermee onder mijn kin. 'Goed, in dat geval, Dora Rare, wil je deze gewetensbezwaarde kussen?'

Daar, in onze kleine kerk, donker en heilig, zijn adem zwaar van de zout-zoete rum, kuste hij me. Even later trok hij me op zijn schoot en rukte aan de knoopjes van mijn bloes, zijn koude handen op mijn borsten. Ik spreidde mijn benen om hem heen, gaf me aan hem over, wreef mijn lichaam tegen het zijne, en hoopte dat hij voor mij zou kiezen in plaats van Grace Hutner. *Kies voor mij. Kies voor dit eenzame meisje dat nog nooit door iemand is aangeraakt. Kies voor mij, en alle dingen die ik voor mezelf heb behouden, in het donker van mijn bed, zullen voor jou zijn.* Ik tastte richting zijn broek en hij hielp me het einde van zijn riem uit de gesp te halen. 'Dat was mijn eerste kus, weet je.'

Hij pakte mijn handen en trok ze weg, vervolgens begon hij de bovenste knoopjes van mijn bloes vast te maken. Mijn vingers volgden die van hem om zijn werk ongedaan te maken. Ik begon hem weer te kussen, en bewoog zijn handen terug naar mijn borsten. 'Niet stoppen, alsjeblieft.'

Hij trok de riem van zijn broek vast en zei boos: 'Nooit bedelen, Dora. Geduld bedelt nooit.'

Ik probeerde hem weer te kussen, hem naar me toe te trekken, maar hij liet het niet toe. Hij duwde me opzij en liep weg zonder nog iets te zeggen.

11 maart 1917

Het gestolen boek van Precious, *Sexual Science*, heeft het volgende te zeggen over aangelegenheden tussen mannen en vrouwen.

> Elektriciteit is ongetwijfeld het middel en de maatstaf van alle leven, actie en plezier, en brengt die galvanische actie voort waaruit het bestaat. De man is positief en de vrouw negatief, en net als twee tegenovergesteld geladen galvanische batterijen die met elkaar in contact komen, herstelt hun seksuele samenkomst een evenwicht doordat ieder zijn en haar magnetische kracht overbrengt en ontvangt.

Een vrouw moet de zwakheid van een man herkennen voordat ze van hem kan houden. Zo gaat dat tenminste in romans. Het is niet zo dat Archer, of welke man ook, werkelijk mooi is. Niet zoals de trieste laatste noten van een viool op een dansavond, of de geur van rozen door een open raam. Nee, de aantrekkingskracht ligt in het vinden van een onvolkomenheid, die wordt afgezet tegen zijn zelfverzekerde voorkomen. Misschien zijn de meisjes daarom zo gek op Archer: vanwege zijn talent om leugens te laten klinken alsof ze de absolute waarheid zijn. Tot op het moment dat hij me wegduwde geloofde ik dat ik zijn enige zwakke plek was. Maar ik denk dat Archer Bigelow, toen het rumgordijn was opgetrokken, besefte dat niet elk meisje de moeite waard is om na het feest mee naar huis te nemen. Hij moest eens weten hoe goed ik ben geworden in het beoefenen van geduld.

Aan de

JONGE VROUWEN VAN CANADA

Gaat je 'liefste jongen' gekleed in legergroen?
Zo niet, zou dat dan VOLGENS JOU niet beter zijn?

Als hij denkt dat
jij en je land het niet waard zijn om voor te vechten.
Is hij dan jou iets WAARD?

Heb geen medelijden met het meisje dat alleen is –
haar jongeman is waarschijnlijk soldaat,
en vecht voor haar en haar land –
en voor JOU.

Als jouw jongeman zijn plicht aan zijn Koning en zijn Land
verwaarloost, zal het niet lang duren voordat hij
JOU VERWAARLOOST.

Denk er over na – en zeg hem dan:

SLUIT JE AAN BIJ HET LEGER, VANDAAG

Dora Rare
Scots Bay, Nova Scotia

20 maart 1917

Soldaat Thos. Ketch
B. Co. 112 Bn West NSR
CEF *Overseas*

Lieve Tom,
Ik weet niet of deze brief je zal bereiken, maar zo ja, hoop ik dat hij je gezond aantreft. Dominee Pineo heeft alle meisjes in de Bay ertoe bewogen een brief te sturen aan ten minste een

jongeman die in de oorlog aan het vechten is buiten de eigen familie. Hoewel ik niet weet wat ik kan zeggen om je moed in te spreken, koos ik voor jou.
Je moeder en zusjes zullen je wel missen, denk ik. Ondanks dat mijn broers een brief hebben gestuurd waarin ze zeggen dat we ons geen zorgen hoeven te maken, mis ik ze erg. Voordat hij wegging zei Borden: 'Als ik sterf, ben ik tenminste als een held gestorven.' Hij zal wel gelijk hebben. Maar ik vraag me af welke dood het ergste is, sterven als een held in een oorlog die je niet zelf begonnen bent, of hier blijven en verder gaan alsof de andere kant van de wereld niet bestaat.
Ik moet eerlijk zeggen dat hoewel ik aan de kant sta van alle jongens van de Bay, ik niet aan de kant van de oorlog sta. Als je me de gebruikelijke argumenten terug zou schrijven, zou ik er niet naar luisteren. Ik ben een overtuigd pacifist van het kamp van Julia Grace Wales en Sylvia Pankhurst, hoewel ik niet moedig genoeg ben en mijn gedachten alleen voor mezelf houdt. Zie je mij al in het wit gekleed en met een spandoek van het 'Vrouwen Vredesleger' naar de Union Church van Scots Bay gaan? (Ik hoop dat je hierom moet lachen.) Soms denk ik dat ik, als ik enigszins talent zou hebben, weg zou rennen om me aan te sluiten bij deze beschaafde vrouwen en mee te demonstreren in de straten van Londen of New York. In plaats daarvan ben ik hier en leer om vroedvrouw te worden en verwacht ik je nooit meer te zien. Niet dat ik denk dat je doodgaat... ik hoop juist dat je iets beters tegenkomt daar, als de oorlog voorbij is, dat je iets vindt dat van jou is en je nooit meer over je schouder kijkt.
Ik weet niet waarom ik dit allemaal zeg, maar ik neem genoegen met de gedachte dat mijn woorden je ergens aan de andere kant van de grote blauwe oceaan zullen bereiken. Dat maakt ze echt en veel waardevoller dan als ik ze met iemand anders zou hebben gedeeld.

God zegene je, Tom,
Dora

Ik vraag me af, is het slechts een wilde, ongebreidelde fantasie om je een wereld voor te stellen zonder oorlog… maar iemand moet het proberen… Julia Grace Wales

De dames van White Rose Temperance Society
nodigen u van harte uit om een middag door te brengen
met thee en conversatie
Zondag 15 april 1917
2 uur
Seaside Centre
Samen zullen we aldaar, onze vereerde gast,
dr. Gilbert Thomas, dokter in de verloskunde
van de Canning Geboortekliniek
welkom heten

Dr. Thomas zal ons zijn inzichten vertellen over
de veiligheid van uw baby

15

Die ochtend had tante Fran het vuur aangestoken van het fornuis in de keuken van het Seaside Centre, om thee te zetten, natuurlijk. 'Wat zouden ze wel van me denken als secretaresse van de White Rose Temperance Society als er geen thee zou zijn? Dat ontbreekt bij geen enkele fatsoenlijke damesbijeenkomst.' Ze had er niet aan gedacht dat het half april was, en dat de namiddagzon dan dwars door de zaal schijnt, helder en heet vanuit de Bay. 'Vorig jaar lag er tot mei sneeuw op de grond. Hoe kon ik dat nou weten?'

Ze ging overeind zitten toen Bertine Tupper, Sadie Loomer en Mabel Thorpe binnenkwamen. Geen van allen had een hoed op, op hun jurken zaten vlekken en sporen van kleine kinderen en zondags buffet. Fran fluisterde naar Trude Hutner: 'Vrouwen van buiten.' Bertine klaagde over de hitte zodra ze binnenkwam, haar brede, ronde wangen roodgloeiend. Ze knipperde met haar ogen en deed alsof ze flauw ging vallen. 'Nou, wat is 't hier heet, zeg.' Ze ging weer naar buiten en kwam even later weer terug, worstelend met een grote steen om de deur open te houden. Sadie, wiens kleine lichaam nu duidelijk zwanger was, waggelde door de kamer en trok alle ramen open die niet klemvast zaten.

'Het lijkt wel of iemand denkt dat het nog winter is, hè Dora?' Mabel kwam naar me toe terwijl ze zachtjes haar baby, Violet, toezong en in haar armen heen en weer wiegde. 'Kijk eens, Vi. Zeg maar hallo tegen het meisje dat je als eerste in haar handen hield.' Ik glimlachte breed naar de baby. 'Hallo, Violet.'

Tante Fran begon te foeteren toen de bladzijden van haar gezangenboek van hun plek waaiden. Weduwe Bigelow, de presidente en oprichtster van de White Rose Temperance Society van Scots Bay, wachtte totdat Bertine en Sadie waren gaan zitten en zei: 'Mijn hemel, u weet toch dat ik snel kouvat als het tocht. Sinds mijn vreselijke reuma-aanval afgelopen winter ben ik gewoon bang, begrijpt u wel, dames? Fran, als je zo vriendelijk zou willen zijn...' Fran haastte zich door de kamer en mompelde in zichzelf over 'die vrouwen die denken dat ze', 'komen uit zo'n godvergeten klimaat', 'met al dat Newfoundlandbloed en zo', terwijl ze alle ramen goed dichtdeed. Wijze Marie en Bertine zaten aan weerszijden van mij, ieder met klikkende breinaalden, te praten.

Als broedende kippen zaten we in katoenen bloemetjesjurken te kakelen en te knabbelen aan theebiscuitjes, twintig vrouwen in een kring, die de hitte en de zoete misselijkmakende geur van gezichtspoeder en rozenwater moeten doorstaan. Na een paar zakelijke minuten en tante Fran die alle vier coupletten van ''Twas Rum That Spoiled My Boy' dirigeerde, stelde ze Dr. Thomas aan ons voor. 'We zijn heel blij dat we dr. Gilbert Thomas hier bij ons hebben. Het is een grote eer zo'n vooraanstaand burger van Kings County als gast te hebben.'

Dr. Thomas begroette tante Fran en nam de plaats achter de oude kromme muziekstandaard van haar over. 'Dank u, mevrouw Jeffers, en dankuwel, dames.' Hij trok aan de bovenkant van de standaard en draaide hem om en om totdat hij hoog genoeg voor hem was. 'Ik ben vandaag hierheen gekomen met een belangrijke boodschap. Net als alle vrouwen op het platteland van Canada betalen de vrouwen van Scots Bay de tol van hun onwetendheid. Uw kinderen worden verwaarloosd in de baarmoeder en geboren onder de slechtste omstandigheden.' De dokter keek over de bril die op het puntje van zijn neus zat geklemd, zweet druppelde langs de zijkant van zijn gezicht. 'Uw kinderen verdienen beter. U verdient beter.'

Tante Fran rommelde in de kast boven de piano en trok er een grote mand met waaiers uit. Ze zaten verstopt achter de gezangenboeken en overgebleven programmaboekjes en worden zelden of nooit gebruikt. Toen Fran ze jaren geleden besteld had, zal ze wel gedacht hebben dat 'ze perfect zouden zijn voor een geval van nood, voor een thee-uurtje, of een avondbijeenkomst van de Temperance, of misschien een huwelijksreceptie.' Ze behandelt ze alsof het kostbare relikwieën zijn, zegt zachtjes tut-tut tegen de afbeelding erop, het vergelende gezicht van Frances E. Willard, 1839-1898. *God hebbe de ziel van deze goede vrouw, de grondlegster van de Temperance Society.* Het nevelige beeld van Frances Willard, met haar netjes opgestoken knotje en haar kanten boord met knoopjes, flikkerde en kriebelde in onze handen. Wazig waaiden haar woorden langs onze hete, vermoeide gezichten en verkoelden onze zweterige halzen en onze vochtige borsten. *Het zal zijn als springstof onder de kroeg, als de minister vanaf de plek waar hij staat zich er actief tegen zal richten; als de leraar, vanaf de plek waar hij staat zijn leerlingen zal onderwijzen; als de stemgerechtigde, vanaf de plek waar hij staat zijn stem aan deze beweging zal geven.*

Dr. Thomas ging verder: 'Ik maak me ernstige zorgen en ben ervan overtuigd dat de vrouwen van deze gemeenschap geen adequate gezondheidszorg krijgen. Dat is misdadig. Waarom zoudt u dames nog langer lijden onder de beproevingen van de bevalling, als er veilige, moderne alternatieven beschikbaar zijn? Zodra u vermoedt dat er familie-uitbreiding op komst is, moet u de beste zorg proberen te vinden die u zich kunt veroorloven. U kunt uzelf gelukkig prijzen dat u zo'n beschaafd instituut als de Canning Geboortekliniek zo dicht in de buurt hebt.' Hij wierp een blik op het briefje in zijn hand en voegde eraan toe: 'Een schone, moderne voorziening.'

Haar baby wiegend op haar arm, zei Mabel: 'Neemt u me niet kwalijk, dr. Thomas, maar we hebben al een vroedvrouw in de Bay.' Ze glimlachte naar Wijze Marie. 'Marie Babineau redt het wel, volgens mij.'

Bertine knikte bevestigend. 'Waarom zouden we helemaal naar Canning moeten gaan om onze baby's te baren?' Ze boog zich naar voren en legde een hand op Sadies zwangere, ronde buik. 'Vooral een vrouw die er al twee of drie gehad heeft, zoals Sadie hier... ik kan me niet voorstellen dat ze op tijd de berg af is voordat de baby komt.' Bertine praat met harde en luide stem, en als je haar niet beter kende, zou je misschien denken dat ze een boze, gemene vrouw is, die gauw ruziemaakt. Maar in werkelijkheid is het slechts een gewoonte, omdat ze altijd naar haar man, Hardy, moet schreeuwen om boven het gedreun van zijn hamer in de smidse en het continue tuiten in zijn oren uit te komen.

Dr. Thomas wreef met een zakdoek over zijn brede voorhoofd en achter langs zijn nek. Een zure glimlach vergezelde zijn woorden. 'Dames, ik begrijp uw zorgen. Ik zal u verzekeren dat als u in een situatie terechtkomt waarin het nodig is dat er een dokter naar u toe komt, ik mijn best zal doen om te komen.'

Bertine ging op het puntje van haar stoel zitten, haar wangen steeds roder van de hitte in de kamer. Ze tikte licht met haar voet op de grond. 'Tegen de tijd dat het bericht bij u aankomt en u de berg opgekomen bent, helemaal tot aan de Bay, heeft u geluk als u op tijd bent om de baby op te vangen.'

Mabel stak haar hand op. 'Marie Babineau en Dora Rare hebben mijn laatste kind op de wereld gezet en er nooit iets voor gevraagd. De mensen geven Wijze Marie wat ze kunnen... aardappelen, appels, brandhout, boter en eieren, een klein beetje geld als ze het hebben.' Ze stopte haar pink in de mond van de baby om hem tot bedaren te brengen. 'Bent u bereid om dat te doen?'

Tante Fran schudde haar hoofd en rolde met haar ogen naar Trude Hutner.

Dr. Thomas zette een zorgelijke pruillip op. 'Alstublieft dames, laten we niet zo snel een oordeel vellen.' Hij schraapte zijn keel en Bertine leunde weer achterover in haar stoel. 'Vandaag de dag zou de zorg van de dokter meer regel dan uitzondering moeten zijn. Het programma van de Farmer's Assurance geeft daar juist de ruimte voor, en ik ben blij u te kunnen meedelen dat uw eigen mevrouw Francine Jeffers zo vriendelijk is geweest om een fonds voor jonge moeders op te zetten die misschien niet de middelen hebben om aan het programma mee te betalen.' Hij liep vlak langs Bertine en Sadie. 'Ik bied u een recept aan voor gezonde baby's en een gelukkige thuissituatie. Als ik u het recept zou geven voor 's werelds beste chocoladetaart, zou u het dan niet willen delen met uw vrienden en familie?'

Over de rand van hun met koolroosjes bedrukte theekopjes klonk een zacht gefluister onder de rest van de vrouwen.

'De meeste huizen, zelfs de mooiste en schoonste huizen, voldoen niet aan de huidige medische normen voor een bevalling, en hoe zorgzaam juffrouw Babineau ook is, men moet de juiste training in overweging nemen. De wetten van de wetenschap en van dit land staan niet meer toe dat er risico's genomen worden. We mogen niets aan het toeval overlaten. Het trainingsprogramma voor verloskundigen is streng en volledig. U bent het toch met me eens dat kennis van essentieel belang is, of niet, juffrouw Babineau... u toch ook, dames?'

Weduwe Bigelow begon te knikken, vervolgens tante Fran en daarna de rest van de dames. Stil en gedachteloos wiebelden hun hoofden instemmend mee. Geneeskundige opleiding, wetenschappelijke methode, moderne kennis... deze dingen hebben nooit tot hun dagelijkse leven behoord, ze kunnen er niets mee doen... maar God verhoede dat ze het lieten merken. Sommigen wendden zelfs hun hoofden af om de ogen van Marie Babineau te kunnen vermijden, hun kin naar beneden onder het gewicht van hun zogenaamde onwetendheid. Moeder had gezegd dat ze zou proberen om ook te komen, maar het was haar niet gelukt. Ze zal het wel te druk hebben gehad met de jongens thuis. 'Ik heb genoeg baby's gehad, Dora. Waarom zou ik er eigenlijk bij moeten zijn?' Ik was blij dat ze niet kon zien hoe hard haar zus en de anderen hun best deden om aardig gevonden te worden, hoe ze hun trots en hun verstand weggaven, alsof ze een reden hadden om zich ergens voor te schamen.

Wijze Marie, die tot nu toe stil was blijven zitten, vroeg: 'Waar bent u geboren, dr. Thomas?'

'In Kentville.'

'Nee, ik bedoel wáár bent u geboren? Preciés.'

'Ik geloof dat ik ben geboren in het huis van mijn ouders, maar...'

'Ja, inderdaad, dat geloof ik ook, en elke vrouw hier is geboren in iemands huis, van hun ouders, hun tante, hun buren of waar dan ook. Ik ben er altijd als ze me nodig hebben, en voor mij hoeven ze niet verder te gaan dan mijn voortuin. Ik verlang niet van hen dat ze hun leven wagen op wegen die glad zijn van de regen of de sneeuw. Ik verlang niet het onmogelijke. En ik vraag nóóit of ze op me willen wachten...'

'Dat is allemaal goed en wel, juffrouw Babineau, maar u zult toch wel opgelucht zijn dat er een dokter is die bereid is om die vermoeiende verantwoordelijkheid tegenover uw gemeenschap van u over te nemen...' Dr. Thomas ging dicht bij Mabel staan en staarde naar de baby alsof hij iets probeerde te vinden wat er mis was. 'U hebt geluk gehad dat u zo'n gezond, lief kind hebt gekregen.'

Mabel staarde terug. 'Zonder Wijze Marie en Dora zou het me niet zijn gelukt. Ik wil u niet beledigen, maar ik denk niet dat een dokter het beter zou hebben gedaan.'

Dr. Thomas trok zijn wenkbrauwen op. 'Was het een pijnlijke geboorte?'

Mabel glimlachte naar me. 'Het was een prachtige dag. Wijze Marie heeft het me zo aangenaam mogelijk gemaakt.'

'Dus u hebt wel pijn ondervonden?'

'Nou, ja, dat wel, maar is een bevalling niet altijd pijnlijk?'

Dr. Thomas liep terug en nam zijn plaats achter de muziekstandaard weer in. 'Ik neem aan dat degenen die hun zorg beperken door de assistentie van een vroedvrouw te verkiezen boven een opgeleide arts wel pijn zullen hebben. Met huismiddeltjes en oudewijvenpraat kom je er niet. Als verantwoordelijke dokter kan ik u een pijnloze bevalling en de beste zorg beloven. Tegenwoordig krijgen vrouwen over heel Noord-Amerika en Europa hun baby's met weinig of geen pijn. Waarom zou u met minder genoegen nemen?'

Happend naar lucht stootten de vrouwen hun instemming uit, ze stikten bijna in hun oh-geroep en ongeloof.

'De nieuwste methodes binnen de verloskunde – chloroform, ether, chloraal, opium, morfine, het gebruik van de verlostang – al deze dingen maken het baren tot de vreugdevolle ervaring die het zou moeten zijn. Ik kan zelfs de Sluimerslaap toedienen.'

Bertine keek hem verward aan. 'Sluimerslaap?'

'Sluimerslaap zorgt ervoor dat de moeder in een rusttoestand kan komen terwijl haar spieren verder gaan met het werk. De dokter verlost de baby, en de moeder wordt uitgerust wakker, zonder herinneringen aan ontberingen en pijn.'

Mevrouw Hutner begon energiek te waaieren. 'Ik wou dat ik Sluimerslaap had gehad! Als er een dokter was geweest die me had kunnen behoeden voor de twee dagen foltering die ik heb moeten doorstaan met mijn dochter, had ik hem de familieboerderij gegeven met Gracie erbij.' De vrouwen grinnikten en lachten.

Ginny Jessup was laat binnengekomen. Ze zat achteraan in de zaal met haar nieuwe baby op schoot. Dr. Thomas liep naar haar toe en legde zijn hand op haar schouder. 'Mevrouw Jessup heeft veel voordeel gehad van de Sluimerslaap.' Hij glimlachte naar de kleine zuigeling op haar schoot. 'Hoe was uw eerste bevalling, mevrouw Jessup?'

Ginny gaf een verlegen, onhandig antwoord. 'Ik zou het niet weten.'

'Kunt u zich er helemaal niets van herinneren? De vreselijke pijn, de uitputtende wachttijd?'

'Nee, meneer. Helemaal niets.'

Hij grijnsde. 'En zo zou het voor elke vrouw moeten zijn.'

Ik onderbrak hem. 'Ik weet zeker dat mevrouw Jessup niet zomaar zal vergeten hoeveel ze heeft moeten betálen om te vergeten. Ik ben bang dat de meeste vrouwen in onze gemeenschap het zich niet kunnen veroorloven om dat soort expertise in te schakelen, zelfs als ze hun vetste zwijn of hun beste melkkoe zouden verkopen.'

Tante Fran foeterde me uit. 'Dora, zo mag je niet tegen de dokter praten. Als je weer voor je beurt spreekt, zal ik je moeten vragen om te gaan.'

Bertine begon weer met haar voet te tikken. 'Ze zegt alleen maar wat ze denkt, en ik persoonlijk vind het niet erg om te horen.'

Dr. Thomas ging verder met kalme, afgewogen stem. 'Kinderen zijn onschuldige, perfecte wezens. We moeten doen wat we kunnen om te zorgen dat ze veilig zijn, onafhankelijk van de kosten. Dat staat ook in de wet... in het Wetboek van Strafrecht van 1892 staat, "Het niet verkrijgen van redelijke assistentie tijdens de bevalling is een misdaad".' Hij keek me bezorgd aan. 'U wilt toch niet al deze oprechte dames achter u aan de gevangenis in slepen, of wel, juffrouw Rare?'

'Nee, maar ik denk niet dat deze vrouwen helemaal begrijpen...'

'Volgens mij...' Trude Hutner schraapte haar keel en begon opnieuw. 'Volgens mij probeert de vriendelijke dokter te zeggen dat het hoog tijd is dat we onze achterlijke manier van denken laten rusten. Het spijt me, Wijze Marie, ik weet dat u het goed bedoelt, maar denkt u niet dat het tijd wordt dat u plaatsmaakt voor de dokter zodat hij kan doen waarvoor hij is opgeleid?'

Weduwe Bigelow was het met haar eens. 'Ik heb al tegen haar proberen te zeggen...'

Andere stemmen uit de hele kamer mengden zich ertussen. 'Het is beter zo.'

'Had al jaren geleden moeten stoppen.'

'Hoe oud is ze eigenlijk?'

'Nu er een dokter in de buurt is.'

'Vind ik ook.'

'Vind ik ook.'

'Vind ik ook.'

'Ja, vind ik ook.'

Bertines voet stampte nu op de grond. De naalden van Wijze Marie gingen vliegensvlug op en neer terwijl ze een gebedje fluisterde. 'Lieve Maria en kindje Jezus, zegent ons allen.'

Dr. Thomas verhief zijn stem en ging verder. Hij deed zijn best om niet te stotteren. 'Ik ben bang dat de wet, hoe graag we ook zouden willen dat het anders was, de zorg van een plattelandsvroedvrouw niet langer beschouwd als "redelijke assistentie". Het zal niet lang meer duren voordat iemand die toch doorgaat met het praktiseren van verloskunde zonder officiële toestemming, verantwoording zal moeten afleggen aan een hoger tribunaal dan de gangbare mening. Het zal niet lang meer duren voordat er iets vreselijks gebeurt.'

Wijze Marie kwam uit haar stoel en ging zo rechtop mogelijk staan. 'Dames vastbinden als zwijnen om hun baby's te krijgen, dat is pas vreselijk!'

Tante Fran, die zo sociaal gevoelig is dat ze geen onenigheid kan tolereren, reikte naar de voorzittershamer die altijd aanwezig was bij deze vergaderingen maar nooit werd gebruikt. Haar gezicht werd rood toen ze de steel beetpakte. 'Dank u wel, juffrouw Babineau. Gaat u alstublieft zitten.' Fran haalde opgelucht adem toen Wijze Marie weer naar haar stoel ging. Ze legde de hamer terug op tafel en kondigde aan: 'We zullen nu de slothymne zingen van *Triumphant Songs*, nummer honderdelf, "Send Me a Lifeboat", alle drie de coupletten.' Ze ging op de pianokruk zitten en begon te pompen met haar voeten, het harmonium pufte en hijgde, en ze begon te zingen.

15 april 1917

Wijze Marie ging meteen naar bed toen we thuiskwamen – zonder te klagen over dr. Thomas, zonder thee te drinken zoals ze altijd doet

’s middags, en zonder haar gebeden op te zeggen. Er is in dit dorpje blijkbaar een streep getrokken tussen de vrouwen die weten wat belangrijk is en de vrouwen die dat niet weten maar wel doen alsof.

16

Niet lang na (of misschien vanwege) de toestand in de White Rose-vergadering nodigde weduwe Bigelow Wijze Marie en mij uit voor de thee op zaterdag. Tot mijn verbazing liep moeder net de deur uit toen we aankwamen. De weduwe riep haar na: 'We zullen nog wel veel hebben om over te praten de komende dagen!' Moeder zwaaide opgewekt naar de weduwe en riep naar mij: 'Sorry dat ik je misloop, lieverd, maar er ligt thuis nog een hoop werk op me te wachten.'

Toen de weduwe en Wijze Marie waren gaan zitten in de voorkamer, ging ik naar de keuken om thee te zetten en een bord met koekjes klaar te maken. Ik ben niet zo goed in Frans, maar ik weet zeker dat ik mijn naam een paar keer hoorde vallen tijdens hun gesprek; de stem van de weduwe klonk ernstig, de reactie van Wijze Marie werd steeds norser. En wat nog erger was, al die tijd dat we op bezoek waren, was Archer niet thuis. Ik had niet verwacht dat hij er zou zijn, maar wel gehoopt.

Hoewel hij verder niet meer naar me gevraagd heeft of me heeft opgezocht bij Wijze Marie, is Archer een permanente bezoeker geworden op het kerkbankje van onze familie. Na het feest van Precious heeft hij de hatelijke struisvogelveer van Grace vervangen door een eenvoudige veer van een witte duif en op zijn revers vastgestoken. Hij draagt hem met een zelfgenoegzame en trotse glimlach, overal waar hij heen gaat, zelfs naar de zondagsmis. Grace en haar hof van kaartmeiden sissen en spugen naar hem als hij voorbijkomt over het middenpad van de kerk. (Dit is waarschijnlijk de ware reden dat hij naast me zit.) Simpel gezegd, tenzij hij naast zijn liefhebbende, praatgrage moeder wil zitten, kan hij op geen enkele andere plek terecht. Ik heb hem gewaarschuwd dat hij niet zo met zijn politieke overtuigingen te koop moest lopen. Het honen van Grace kan misschien weinig kwaad, maar anderen, zoals vader en de andere mannen van de Bay, zouden misschien aanstoot kunnen nemen aan zijn gedrag.

Het was Hart in plaats van Archer die mopperend de keuken binnenkwam. Hij rook naar geploegde aarde en zweet, de pijpen van zijn overall waren bedekt met modder en zaagsel, zijn vuile, ingescheurde knokkels deden een graai naar de koekjes.

Ik petste zijn hand weg van het bord. 'Die zijn voor je moeder en Wijze Marie.'

Hij lachte, pakte met zijn goede hand mijn beide polsen vast en pikte drie koekjes met de knobbelige vingers vol littekens van zijn andere hand. 'Je bent zelf net een mevrouw Bigelow.'

Wijze Marie kwam de keuken binnen stormen. 'We gaan.'

Ik trok me los van Hart. 'Maar u hebt nog geen thee...'

Wijze Marie was al bijna de deur uit en mopperde: 'Ik heb geen geduld meer voor die vrouw.'

Tijdens de wandeling naar huis mompelde Wijze Marie verder en vloekte in het Frans. Ik dacht dat mevrouw Bigelow misschien haar invloed als presidente van de White Rose Society had proberen te laten gelden en vroeg: 'Heeft ze u gezegd dat u op moest houden? Met vroedvrouw zijn?'

'Nee, dat is het niet. Ze weet best dat dat vroeg of laat vanzelf gebeurt.' Ze begon weer binnensmonds te vloeken. *Wie denkt ze wel dat ze is? Zo over mijn meisje te praten.*

'Ik dacht al dat ik mijn naam had horen noemen. Heb ik iets gedaan waardoor mevrouw Bigelow van streek is? Bent u daarom zo boos?'

'Nee, nee... jíj hebt niks verkeerd gedaan. Daar gaat het nou juist om, snap je?'

'Ik begrijp het niet.'

'Misschien kun je beter naar je moeder gaan om antwoord te krijgen. Ze weet hier meer van dan ik.'

Moeder had zich vreemd gedragen tijdens het eten afgelopen zondag. Toen ze de soep opschepte, begon ze allerlei vragen over Archer te stellen. Of ik hem een aardige vent vond? Of ik vond dat we hem moesten uitnodigen om op zondag te komen eten? Of Charlie vond dat hij een harde werker was, een trouwe kameraad, een eerlijke knul? Charlie gaf lachend antwoord, spuug vloog over zijn bord. 'Hij is wel snél, dat in elk geval.'

Moeder fronste haar voorhoofd. 'Wat bedoel je?'

Hij mompelde met zijn mond vol eten. 'Als je snel bent met je woorden, moet je snel kunnen rennen.' Hij slikte en voegde eraan toe: 'Ik heb gehoord dat hij ook snelle handen heeft. Klopt dat, Dorrie?'

Ik bloosde en probeerde zijn opmerkingen te negeren.

Moeder was vasthoudend. 'Dora?'

'Het zal wel.' Ik schopte Charlie tegen zijn schenen onder de tafel. 'Tenminste wat betreft kaartspelen wel... ja hij is snel van begrip.'

Wat moeder te zeggen had

'Het was niet de bedoeling dat je er op deze manier achter zou komen. Ik wilde dat Archer degene was die het je zou vertellen. Weduwe Bigelow wil, hóópt dat jij en Archer met elkaar trouwen. Bij het uitspreken van haar wensen voor haar zoon heeft ze een genereus aanbod gedaan. Als je vader een plek kan vinden op het land van opa Rare, zal ze hem het geld geven om een huis voor je te bouwen. Ze zal alles betalen, Dora. De ramen, de dakspanen, het hout, en ook alles erin. De mooiste gordijnen, het mooiste linnengoed, porselein...'

'En u was het met haar eens?'

'Ja.'

'Maar Archer kent me nauwelijks. Ik geloof zelfs niet dat hij iets om me geeft, niet zoals om de meeste andere meisjes. Weet u zeker dat u het goed verstaan heeft? Als de weduwe iemand wil zien trouwen, dan toch Hart. Ze zeurt de hele tijd over hem, zegt tegen hem dat hij niet moet vergeten dat hij al ruim over de dertig is en dat hij zich nog steeds gedraagt als een kleine jongen, vraagt hem wanneer hij zich gaat settelen. Hij kan niet meevechten in de oorlog, en de meeste meisjes kijken niet eens naar hem met die hand van hem...

je weet toch wat voor een pestkop hij soms is... misschien was hij haar gezeur zat en zei: "Pas op, Moeder, of ik laat je in de steek en trouw met Dora Rare," en zij dacht dat hij het meende. Trouwens, hoe zit dat met al die argumenten die je had om mij het huis uit te krijgen? Hoe zit het met de vrede en de rust die je hebt als je niet meteen een echtgenoot neemt? Wie zorgt er dan voor Wijze Marie?'

'Die dingen heb ik gezegd voordat ik dit wist. Ik had nooit gedacht...'

Ze had nooit gedacht dat ik ging trouwen, tenminste niet voordat er een of andere oude weduwnaar met gebroken tanden in een bootje vanuit Advocate of Parrsboro hiernaartoe zou komen, om wat nieuw bloed naar zijn dorpje mee terug te nemen. Zo is Sadie Loomer hier terechtgekomen. Wes had niemand anders om mee te trouwen dan zijn nichtjes, dus toen hij hoorde dat Hardy Tupper een vrouw gevonden had in Newfoundland, zeilde hij meteen de volgende dag weg en kwam een maand later terug met Sadie.

Wat Wijze Marie te zeggen had

'Het is echt niet zo dat ik medelijden heb met mezelf. Ik red het ook wel zonder jou als het moet... maar zij denkt dat ze het recht heeft om jou te kopen voor haar zoon, dat is wat er mis mee is. En ik zal je de waarheid vertellen, je moet weten dat het komt omdat je een goeie meid bent, een eerlijke meid. Maar toen ze me vroeg of ik *je even kon controleren, om er zeker van te zijn...* toen werd ik pas echt boos. Alsof ik je in je slaap zou besluipen om even te voelen. Het is me wel duidelijk dat je nog niet om bent, en vertel me niet dat het wel zo is: ik zie je blozen, ik zie je op je lippen bijten als hij te dichtbij gaat zitten in het kerkbankje, hij heeft je nog niet genomen. Maar dat is het lelijke ervan, snap je? Het is een oude gedachte, die voortkomt uit het woord van de Heer, maar helemaal is verdraaid... dat een zoet, braaf meisje het zure, onaangename van een man kan compenseren. En je moeder valt me erg tegen. Dat ze het je niet eerder gevraagd heeft. Je bent een vrouw nu, en een vrouw heeft haar eigen rechten, of zo zou dat tenminste tegenwoordig moeten zijn. Maar als je van hem houdt, of denkt dat je dat zou kunnen, dan is het iets anders...'

Wat Archer te zeggen had

'O, dat?' Hij had zijn hoed in zijn hand en een oog was dik, met een kring eromheen in paars, groen en zwart. 'Mijn lieve broer kon zijn vuisten weer niet in bedwang houden. Niets nieuws onder de zon.'

We zaten bij Lady's Cove, de warmte van de dag werd nog vastgehouden door de rotsen, het tij ebde langzaam weg van de kust, alles kleurde goudkleurig door de zonsondergang. 'Ik neem aan dat je ondertussen wel weet wat mijn moeder wil. Het spijt me zeer. Ze bedenkt wat volgens haar het beste is en verwacht dan dat iedereen het met haar eens is.'

'Ik dacht dat er misschien een misverstand was. Ben jij het ermee eens? Want je hoeft niet, ik bedoel, we hoeven niet... Ik zou het wel begrijpen als je niet zou willen...'

'Wat wil jíj, Dora?'

'Ik weet het niet.'

Hij pakte mijn hand. 'Ik heb het gevoel dat ik al mijn hele leven wacht om te kunnen beginnen, om het juiste meisje te vinden, om een leven op te bouwen. Ik wil niet de rest van mijn leven doorbrengen met het schilderen van mijn moeders huis, terwijl ik me afvraag waarom de prijs van een ton haring me niets kan schelen. Moeder heeft geld voor me opzij gezet, voor ons. Ik ga het geld van die goeie ouwe kapitein Bigelow investeren in de spoorwegen, of in automobielen, of misschien in het elektriciteitsbedrijf in de Annapolis Valley.' Hij boog zijn gezicht dicht naar het mijne. 'Heb jij nooit gedacht dat je wel iets meer zou willen? Meer van de mooie dingen, meer van het leven, al die dingen waarvan nooit iemand had verwacht dat je die zou hebben, zelfs jij niet? Want dat is wat er voor je klaarligt.' Hij kuste me tussen zijn woorden door en vroeg opnieuw: 'Wat wil jij?'

'Liefde.'

Hij fluisterde in mijn oor: 'De liefde zorgt voor zichzelf. De liefde doet wat ze wil.'

Wat ik te zeggen heb

Niemand heeft me ooit gevraagd wat ik wil, niet met Kerst, of met verjaardagen, of om welke andere reden dan ook. Ik vond het nooit erg. Ik wist dat wat het ook was, hoe klein het ook was, ik het waarschijnlijk toch niet kon krijgen, tenminste niet zonder het iemand van wie ik hield moeilijk te maken. Dus vandaag, toen iemand het me eindelijk vroeg, met zijn lippen tegen die van mij, bedelend om een antwoord, zei ik het eerste wat me te binnen schoot, iets dat alles en niets kost om te geven.

De genegenheid en gevoelens van Archer zijn zo romantisch als ze kunnen zijn in deze omgeving, denk ik. Ik kan wel blijven hopen op de 'ware liefde' die ik uit de boeken ken, maar dat is nogal onpraktisch. Ik heb in de Bay nog nooit één gebaar van poëtische adoratie gezien, niet één *omdat ik zoveel van je hou*, of een enkel *je bent zo mooi als een zomerdag.* Er is geen tijd voor sonnetten of voor woorden zoals *schat* of *lieveling*. Een liefdesaffaire in Scots Bay zou alleen maar belachelijk zijn en een beetje zielig. Hij, die ruikt naar zoute haring en vol schrammen van de bramenstruiken komt te zitten om een boeketje eenvoudige wilde rozen te plukken; zij, die vermoeid de bloem uit haar haren klopt met handen die blauw zijn van het wol verven. In ons doodgewone hoekje van de wereld is romantiek alleen maar onhandig. Het is beter om het tussen de bladzijden van de boeken te laten zitten.

Ik zie een mooi klein huisje, een volle zijden handtas en de kracht van een jagersboog. Dat had Wijze Marie gezegd op de avond dat ze de laatste appel schilde om te drogen. Ze had niets gezegd over liefde. De bruiloft zal doorgaan en ik hoop maar dat Archer gelijk heeft over de rest. Ik ga met hem trouwen. Ik kan het niet afslaan.

17

Vader vroeg of ik hem wilde helpen met het uitzoeken van een plek voor het huis. Het leek de juiste tijd ervoor. Alles is nu groen en schiet de grond uit, we ademen allemaal mee met de natte aarde. De mensen zijn weer blij als ze elkaar tegenkomen op straat, de praatjes die ze maken zijn gevuld met de lente, klaar om plannen en beloftes te maken. Onderweg naar Spider Hill cirkelden de eerste zwaluwen van mei kwetterend door de lucht en sjeesden laag over de velden. Vanaf de top kun je al het geërfde land van mijn opa zien... de zes huizen van vader en zijn broers, de beekjes die hun weg zoeken langs de berg omlaag, door de vallei heen naar de Bay. Het is een van de mooiste plekjes in de Bay, met uitzicht op North Mountain, Cape Split en de zee. Er liggen stukken van een oude fundering, met mos bedekte stenen steken uit de aarde. Het zijn de resten van de hut waarin mijn grootvader Darius Rare is opgegroeid. Uiteindelijk is de hoeve uiteengevallen en weggerot.

Toen ik nog klein genoeg was om op zijn schoot te zitten, vertelde vader elk jaar op mijn verjaardag het verhaal van Spider Hill.

'Ik weet niet waarom ik die ochtend de zondagse wandeling maakte. Misschien kwam het door de spanning in je moeders stem toen ik naar buiten liep en een opmerking maakte dat vandaag een mooie dag zou zijn voor een nieuwe baby. "Wel een bijzondere baby," zei ze.

Het was een warme ochtend en de velden waren nat, de lucht

helder. Bijna overal lag een zware dauw, maar toen ik vooruit keek naar de wei, leek de heuvel wel bedekt met vorst. Vorst in mei is niet ongehoord – ik heb het één of twee keer eerder gezien, toen ik klein was, maar dat was altijd op de lage gedeeltes. Die heuvel ziet 's morgens als eerste de zon opkomen. Als er vorst op had gelegen zou het allang weg zijn geweest tegen de tijd dat ik er voorbijkwam.'

'Maar toen je dichterbij kwam, zag je wat het...'

'Nou, hou 's op met wiebelen en laat mij 't vertellen, jarige job.'

'Toen je dichterbij kwam...'

'Kon ik zien dat het helemaal geen vorst was. De heuvel was bedekt met duizenden en duizenden spinnenwebben, als een lappendeken aan elkaar geweven. De palen bij het hek zaten er zo dik onder dat ik erdoorheen moest snijden met een zakmes. Als ik er stenen midden op gooide, veerden ze terug alsof ze van rubber waren. Het hele stuk, drie hectare van je opa's land bij elkaar, was bedekt met het drukke werk van deze kleine bruine spinnen. Dezelfde als die in de hoek van je kamer kruipen om te zeggen dat de winter eraan komt.'

'Ik ben er niet bang voor.'

'Ik weet het, Dora. Je bent een moedig meisje.'

'Waarom deden ze dat, papa?'

'Niemand had ooit zoiets gezien, dus niemand wist het zeker. Sommigen zeiden dat de spinnen waren binnengewaaid met een warme zuidenwind, anderen zeiden dat ze uit de grond kwamen, uit alle botten die daar te ruste liggen, van het slachtafval dat je opa daar neerlegde voor de vismarters, de coyotes, raven en kraaien. Hij stuurde ons jongens er altijd op uit om ze daarheen te slepen. *Als je de aasvreters af en toe iets te eten geeft, laten ze de rest met rust.* Mensen kwamen uit de hele streek om te kijken. Ze stuurden er zelfs een slimme professor uit Wolfville op af, maar nadat hij ze uitgebreid bekeken had en van alles had opgeschreven, snapte hij nog steeds niets van die kleine beestjes.'

'Ik weet waarom ze het deden.'

'O ja?'

'Ja.'

'Vertel je het me?'

'Dat gaat niet, papa. Het is een geheim.'

Nadat hij een paar jaar de openingszin *Ik weet niet waarom ik die ochtend de zondagse wandeling maakte...* begonnen was en ik met mijn ogen draaide en zei: 'Ik weet het al,' gaf hij het op. Zoals we daar stonden, leek het gepast dat hij het opnieuw zou vertellen, maar ik wist dat hij dat niet zou doen. Ik durfde het niet te vragen. Ik wilde de jaren van mijn 'wijsneus zijn' niet in zijn teleurgestelde blauwe ogen zien. Ik weet niet wat hij er allemaal over denkt, over Archer, het huwelijk. Dat is nog iets waar hij niets over zal zeggen en waar ik niet naar zal vragen. We zijn beiden tevreden met de wetenschap dat we het ons niet kunnen veroorloven om een geschenk als dit huis af te wijzen.

Hij wees een plek aan in de buurt van de kerk, maar ik vond het te dicht bij de weg, en het lag vlak naast de begraafplaats. Hij wees een andere plek aan, in een open, glooiende wei, maar dat was te dicht bij tante Fran naar mijn smaak. Hoe langer we op de heuvel bleven, hoe meer ik besefte dat er geen betere plek was voor het huis dan precies de plek waar ik stond.

Spider Hill was altijd al mijn verheven plekje geweest, mijn veilige hoek van de Bay. Slechts één keer had iemand, behalve Charlie, me tot daar durven volgen. Toen ik tien was hadden een paar meisjes me van het schoolplein gejaagd. Ze gooiden met stenen en scholden me uit. Ik rende naar de top van de heuvel, op de voet gevolgd door Grace Hutner. Ze greep mijn vlechten, hield me stevig vast en dreigde me de heuvel af te sleuren en me twee blauwe ogen te slaan. Tijdens de vechtpartij kreeg ik een handvol aarde te pakken en gooide die in haar gezicht. Ze liet los en begon te gillen, ze trok aan haar jurk en aan haar haar. Ze zat onder de spinnen (of daar was ze tenminste van overtuigd... ik heb er nooit een gezien). Met haar armen zwaaiend in de lucht rende ze weg en riep: 'Heks, heks, Dora is een heks!'

Aan de andere kant van North Mountain is Cape Blomidon, de grote troon van de Mi'kmaq-god, Glooscap. Cape Split is wat er over is gebleven van zijn met juwelen versierde hand, vol littekens en scheuren van de zwiepende staart van de reuzenbever. Ooit was Isle Haute, ver weg drijvend in de Bay, een eland, geboren op de beverdam bij Cape Chignecto en de Bay in gejaagd door de hongerige honden van Glooscap. Hoewel ik het nooit ergens heb gelezen, en het me nooit zo is verteld, stelde ik me Spider Hill altijd voor als het oog van Glooscap, en dacht ik dat hij, als hij weer tot leven zou komen en zijn nek zou uitstrekken, vanaf deze plek de hele Bay of Fundy van alle kanten zou kunnen zien. Op zomeravonden klom ik tot in de top van de hoogste spar op de heuvel en deed alsof ik de wachter van Glooscap was, een kleine bruine spin die het leven van de mensen onder hem bestudeerde. Urenlang zat ik daar terwijl de mannen de moddervlaktes overstaken achter het terugkerende tij aan om vis te vangen met hun sleepnetten, terwijl de kinderen op het schoolplein tikkertje speelden, terwijl hun moeders kleren en lakens van de lijn trokken, terwijl de maan opkwam tegenover de laatste roze ademteugen van de zon.

'Hier,' zei ik. Ik probeerde niet te knipperen met mijn ogen zodat ik de zonsondergang die onder de hoek van de Bay verdween niet zou missen. 'Ik wil dat het huis hier komt te staan.'

Vader knikte. 'Dit was altijd al jouw plekje, of niet, Dorrie?'

'Ja.'

20 mei 1917

Ik heb een brief gekregen van Borden waarin hij me bedankt voor de zeemanstroost die ik hem afgelopen winter gestuurd heb (wollen sokken, een gebreide muts en twee paar wanten). Hij zegt dat ze nog steeds geen Fritzies zijn tegengekomen, dus hij heeft zich beziggehouden met het repareren van zeilen, vissen, hartenjagen en grapjes uithalen met de rest van de bemanningsleden. Hij klinkt hetzelfde als altijd.

Blijkbaar had hij een oude familiefoto rond laten gaan die moeder hem gestuurd had, en was een van zijn maten, Hefty de kok, een 'beetje verliefd' op me geworden. Borden vindt dat ik hem moet schrijven, omdat hij onlangs zijn jongere broer verloren heeft bij Beaumont Hamel. Ik geloof dat het nieuws van mijn verloving met Archer hem nog niet heeft bereikt.

Dora Rare
Scots Bay, Nova Scotia

22 mei 1917

Borden 'Chips' Rare
Scheepstimmerman
The Just Cause
Sydney, Cape Breton Island

Lieve Borden (en Albert),
Je brief was een welkome verrassing. Ik weet dat je druk bezig wordt gehouden aan boord van het schip, dus ik ben allang blij met de brieven en kaarten die je naar moeder stuurt.
Ik ben bang dat jullie kok een ander moet zoeken als hij een vaste relatie wil. Ik zal hem een condoleancebrief sturen, maar daar houdt het mee op. Ik ben verloofd met Archer Bigelow. Wat vind je daarvan?
Bijna iedereen is blij met het arrangement, behalve Grace Hutner misschien, die Archer (en het geld van zijn moeder) allang op het oog had. Ze is tot de conclusie gekomen dat hij toch niet goed genoeg voor haar was, aangezien hij het met me eens is dat de oorlog onrechtvaardig is. In plaats daarvan zit ze nu achter onze lieve broer Charlie aan! Hij heeft me verzekerd dat 'Grace Hutner niet het soort meisje is waarmee je de kerk binnenstapt.' Hij was zo vrij me precies te vertellen waar hij denkt dat ze goed voor is, maar ik wilde er niet naar luisteren. Ik hoef maar te kijken naar de manier waarop ze hem bij de arm probeert te nemen en botercakejes naar het huis brengt om me er iets bij voor te kunnen stellen. Wacht maar tot ze hoort dat hij niet van plan is om bij het leger te gaan. Dan zal ze hem ook een veer moeten geven. (Hoewel ze zich waarschijnlijk wel zal bedenken voordat ze dat spelletje nog eens speelt, want er zijn niet veel jongens meer over in de Bay.)
Ik weet dat je Archer nooit zo aardig gevonden hebt als Hart, maar wees alsjeblieft blij voor mij. Hij is tot nu toe een echte

heer geweest en bijzonder aardig en complimenteus. Ondanks zijn charme tegenover de dames, heb ik het gevoel dat hij me toegewijd is. Ik geloof dat we goed bij elkaar passen.

Je bijna getrouwde zus,
Dora

18

'Haal eens twee lepels met een lange steel en smeer ze goed in met talg, Dora.' Wijze Marie zat op een stoel naast het bed met een hand tussen Grace Hutners dijen. 'Wat voor de duivel heb je daar eigenlijk in gestopt?'

Grace hield haar adem in toen Wijze Marie de lepels inbracht en het object voorzichtig uit Graces lichaam peuterde. 'Kijk nou eens! Kijk eens wie me toelacht.' Wijze Marie hield een klein rond stukje porselein omhoog, beschilderd met roze bloemetjes en het glimlachende portret van een Chinese keizerin, een van de theekopdekseltjes van mevrouw Hutners veelgeprezen vergulde Lotus-set. 'Dat zal wel een leuk thee-uurtje zijn geweest, of niet, Gracie.'

Grace griste het dekseltje weg van Wijze Marie. 'Geef dat maar aan mij. Het is van mijn moeder.'

Wijze Marie foeterde haar uit. 'Het hoort in elk geval niet thuis in je liefste plekje. Je moet er geen dingen meer in stoppen die er niet in thuishoren, hoor, hoe knap hij ook is.'

Grace ging op de rand van het bed zitten en zuchtte. 'Sommige mannen nemen met nee gewoon geen genoegen.' Ze glimlachte naar me en knipperde met haar oogleden. 'En er zijn er ook waar je gewoon geen nee tegen wilt zeggen, nietwaar, Dora?'

Ik beet op mijn tanden. 'Het doet een man geen kwaad om te wachten.'

Ze lachte, trok haar kousen op en maakte ze vast aan haar jarretels. 'Echt? Tegen mij zeggen ze altijd iets anders.'

Wijze Marie riep vanuit de keuken. 'Het zal de komende dagen wel een beetje pijn doen, daarna ben je weer zo goed als nieuw.' Ik volgde Wijze Marie en keek toe hoe ze een zware pot uit de kast haalde, gevuld met iets wat eruitzag als geweekte bruine wortels. Op het etiket stond: *Beverbrouwsel.*

'Ik zal je iets geven dat je schoonhoudt tot je volgende maan, dan hoef je je geen zorgen te maken over dat prinsesje van jou daaronder. Voor deze ene keer.'

Ik stond vlak bij Wijze Marie en siste naar haar. 'Wat doe je nu?'

Ze goot een beetje van het mengsel door een zeef in een klein potje. 'Ik ben een huwelijkscadeautje voor je aan 't maken. Niks zeggen totdat ze weg is.'

Grace keek in de inmaakfles die Wijze Marie haar had gegeven. 'Wat zit erin?'

'Dat gaat je niets aan.'

'Het ruikt afschuwelijk.'

'Wel alles nu opdrinken, hoor, anders is het niet goed voor je.'

Ze fluisterde naar Wijze Marie: 'Werkt het echt? Kan ik niet zwanger worden?'

'Helemaal opdrinken.'

Grace nam een slokje en moest bijna overgeven. Wijze Marie lachte haar uit. 'Het is makkelijker als je het in één keer opdrinkt.'

Ze dronk de rest en stond op. Met een zelfgenoegzame grijns in mijn richting liep ze de deur uit. 'Tot ziens in de kerk, dames.'

Ik ging aan de keukentafel zitten met Wijze Marie; hete, boze tranen rolden langs mijn gezicht. 'Hoe kon u haar zoiets geven? U weet dat ze achter Archer aan zal gaan.'

'Je weet toch dat ze achter hem aan zal gaan, wat ik ook zou doen, en achter ieder ander die twee keer naar haar kijkt.'

Ik staarde naar de vloer. 'Haat u me zo erg omdat ik wegga? Wilt u dan niet dat ik gelukkig word?'

Ze kwam achter me staan en legde haar armen om me heen. 'Het zou nog veel meer pijn doen als Gracie achter hem aanging en zwanger van je man raakte.'

Wijze Marie is traag geworden, haar rug lijkt met de dag krommer te worden. Ze klaagt 's ochtends, zegt dat ze haar koffie niet kan proeven, niet kan ruiken, niet het scherpe ervan kan voelen. 'Ik weet niet waarom ik het eigenlijk nog drink.'

Ze zegt nog steeds dat ze doorgaat met het verzorgen van de vrouwen in de Bay totdat ze dood onder de grond ligt, maar sinds de lezing van dr. Thomas aan de White Rose Temperance Society hebben de vrouwen in de Bay Wijze Marie links laten liggen. Af en toe vragen ze haar om wat geneeskruiden te mengen om hun menstruatiepijn te verminderen of komen ze een flesje van haar hoestsiroop halen om de keel te verzachten van hun verkouden kind. Maar meestal vermijden ze haar en beginnen ze opeens druk te kletsen als ze in de buurt komt.

De vrouwen van ver zijn haar nog steeds trouw. Mabel Thorpe, Bertine Tupper en Sadie Loomer zetten om de dag een mand voor haar deur neer met zoet brood, room, appelmoes en zuur. Vanmorgen zag ik Sadie de weg afwaggelen met haar hoogzwangere buik. Af en toe draaide ze zich om om te kijken of Wijze Marie naar buiten was gekomen om haar offergave te pakken. Wijze Marie zette de potten op een rij op het aanrecht. 'Wat zijn ze mooi, hè? Ik ben bijna bang om het op te eten, bang dat ik dan de schuld van dat mamaatje mee naar binnen slik.' Ze schudde haar hoofd en greep haar rozenkrans vast. 'Ze is wel klein, die Sadie. En haar baby's zijn erg groot. Ik bid tot Maria en kindje Jezus dat meneer de dokter weet wat-ie doet.'

Niet lang nadat hij de dames van de Bay had toegesproken, werd dr. Thomas volwaardig lid van de Sons of Temperance, waarmee hij zijn broederschap en zijn advies aan de mannen van de orde zal verlenen. Vele mannen uit de Bay zijn erbij (de meesten alleen in naam): vader, oom Irwin, meneer Hutner, Laird Jessup. Zoals Laird met Ginny, heeft Wes, Sadies man, duidelijk gemaakt dat Sadie naar de Canning Geboortekliniek zal gaan om te bevallen. Het is een kwestie van trots voor deze mannen geworden om in staat te zijn te kunnen betalen voor de 'juiste' dingen in het leven. Voor het beste zadel voor je paard ga je naar Pauleys ruiterwinkel in Canning; als je de beste bijl wilt, moet het een Blenkhorn zijn; en als je wilt dat je kinderen 'groot en sterk' geboren worden, dan moet je bij dr. Thomas zijn.

Wijze Marie brengt haar dagen steeds vaker slapend door. Als ze niet aan het bidden is voor Sadie, bidt ze 'voor Louis Faire en dat hij me op mijn thuisreis begeleidt.' Soms schrikt ze opeens wakker en roept naar me dat ik haar moet helpen. 'Haal het kind eruit, Dorrie. Zing haar langs de botten van haar moeder naar beneden. Zing de maan naar beneden. Zing haar naar beneden.' Ze wijst me continu op dingen die gedaan moeten worden, wortels die geoogst moeten worden voordat het nieuwe maan is, welke kruiden in juni, juli en augustus bloeien. Ze wil me zelfs per se bijbrengen hoe je de eerste dauwdruppels van mei moet verzamelen. 'Hierbuiten kan het komen in de vorm van sneeuw, vorst of mist... je weet het nooit, maar hoe het ook komt, je moet de Mariatranen verzamelen, in een potje stoppen en bewaren om er de zieken mee te zegenen.' Onder haar toeziend oog spreidde ik een groot stuk zeil uit tussen vier appelbomen en bond de uiteinden onder aan de stammen vast. Ze gaf me een zware, ronde steen. 'Rol die maar naar het midden toe, dan kunnen de druppels daar naartoe glijden.' Toen pakte ze haar brede houten broodschaal en kroop onder het laaghangende draagdoek en zette hem precies onder de hangende steen om de dauwdruppels op te vangen.

Ze bemoeide zich overal mee toen ik de tuin aanlegde op Spider Hill. Behalve erwten, kool en andere groenten is er nu een begin gemaakt met alle kruiden uit de tuin van Wijze Marie. Blue-eyed Mary, sleutelbloem, onzelievevrouwebedstro, vrouwenschoentjes, goudsbloem, kattenkruid, rozemarijn, tijm, vrouwenmantel, lavendel, iris, citroenmelisse, boerenwormkruid, maarts viooltje. 'En niet vergeten om de zaden te oogsten voor de herfst. Je denkt misschien dat het om de vruchten gaat, of de bladeren, of zelfs de wortels... maar in de zaden zitten de geheimen. Net als elke moeder heeft de plant er zijn hele leven over gedaan om de aarde te leren kennen. Het zijn de zaden die zich alles herinneren. Het zit allemaal in die zaadjes.'

Terwijl wij werkten, liepen minstens tien mannen om de nieuwe kelder heen die vader en oom Irwin hadden uitgegraven in Spider Hill. De kar van Laird Jessup lag vol met stenen die hij opgeraapt had tijdens het ploegen in de lente, en een voor een droegen de mannen ze naar de top van de heuvel. Hoewel het druk is op de scheepswerf waar de mannen hard bezig zijn om het skelet van hun nieuwe schoener te bouwen, hebben ze hun avonden en zondagen samen op de heuvel doorgebracht, waar vader met zijn voetstappen de bouwplannen heeft uitgezet. De mannen staan bij elkaar en knikken als ze het met elkaar eens zijn, ze houden hun pijp vast of krabben of trekken aan hun baard.

Un coup de main, noemt Wijze Marie dat. 'Mannen komen bij elkaar, eerst voor de een, dan voor de ander. Dit huis is wel heel bijzonder, dat het ons bij elkaar brengt terwijl de wereld helemaal uit elkaar ligt.' Ze heeft weduwe Bigelow vergeven en heeft zich er schijnbaar bij neergelegd dat ik met Archer ga trouwen, hoewel ze er niet blij mee is. Voor mijn achttiende verjaardag las ze mijn theeblaadjes om de toekomst te voorspellen van mijn nieuwe thuis. 'Ik zie alle dingen die een huis nodig heeft... er wordt gelachen, gezongen, maar er zijn ook tranen. En baby's... heel, heel veel baby's om vast te houden.' Daar werd ik blij van. Meer dan verliefd zijn, of vrouw zijn, wil ik graag moeder zijn.

Ik beloofde haar dat ik haar altijd zou bijstaan bij haar verloskunst, zolang zij zou beloven om voor altijd in leven te blijven zodat ze er kan zijn om mijn baby's op te vangen, en hun baby's, en hun baby's daarna ook. Ze trok een pruillip toen ik dat zei. 'Je hoeft niet te liegen, hoor. Ik weet dat je me al aan het opgeven bent, net als iedereen.' Ik zei dat ze het mis had, maar ze ging verder. 'Ach ja... ik heb mezelf ook al bijna opgegeven. Is ook beter zo... het heeft geen zin om mijn dromen aan deze botten op te hangen. Niets kan dit oude lichaam nog uit het graf houden. De tijd overwint altijd, en zo is het.'

Ik kon mezelf er niet toe brengen om haar te vertellen dat Archer er nu al op hamert dat ik stop met vroedvrouw zijn zodra we getrouwd zijn. 'Een man heeft de aandacht van zijn vrouw nodig. Je kunt jezelf niet bezighouden met het werk voor ongetrouwde vrouwen en oude oma's en verwachten dat ik daar blij mee ben. Trouwens, dr. Thomas staat er helemaal klaar voor om het over te nemen van Wijze Marie, dat heb je zelf gezegd.' Ik heb niet gezegd wat ik wel of niet zou doen. Ik heb helemaal niets gezegd.

1 juli 1917

Archer en ik zijn vanmiddag naar Lady's Cove geweest om te picknicken. Het getijde had zich helemaal teruggetrokken. De moddervlakte lag kaal in de zon te schitteren. Ik liep op blote voeten en verzamelde mosselen en een paar oesters. Ik zakte tot aan mijn enkels in het warme, zware zand. Archer maakte een vuur, zijn blije gefluit echode in en rondom de getijdenpoeltjes en rotsen.

Nadat we gegeten hadden trok hij een medaillon uit zijn borstzakje (een prachtig gouden ding, rondom gegraveerd met lelies) en gaf het aan mij. Hij zei dat zijn moeder wilde dat ik het zou krijgen voor onze trouwdag.

Toen ik zei dat ik het gebaar te genereus vond, stond hij op en maakte zijn riem los. Zijn broek viel over zijn knieën naar beneden. Hij grijnsde naar me, streelde zichzelf en liet zien wat hij had, en vroeg me of ik de toekomstige bruidegom een bedankje wilde geven.

Deze manier van dankbetuigen begon de avond nadat Grace Hutner Wijze Marie bezocht had. Ik had niet verwacht dat hij zo vlak voor me zou staan, half aangekleed, voor onze huwelijksnacht, maar het was schijnbaar de enige manier om mijn kuisheid te bewaren (een welkome vereiste voor Archers erfenis) en hem tegelijkertijd uit de buurt van Grace te houden. Ik ontmoet hem zo vaak ik kan in de kerk of in de ondiepe grotten van Lady's Cove.

Ik heb mijn broers vaak genoeg naakt gezien zoals ze langs de beek renden met hun bungelende delen, dronken, onschuldig, lachend. Maar Archer lacht nooit, en wat er tussen zijn benen hangt is allesbehalve onschuldig. *Kom op, Dorrie. Gewoon op je knieën. Het duurt niet lang en niemand hoeft het te weten. Doe die lieve mond van je eens open en laat me naar binnen.* Ik vraag me af of liefde zo begint voor de meeste meisjes. Niet uit toewijding, maar door de behoefte om een man gelukkig te maken. *Soms is er meer nodig dan een kus om dankjewel te zeggen. Zie het maar gewoon als mijn manier om te zeggen dat ik je vertrouw. Dat ik jou liever wil dan een ander. Ik geef me aan je over, liefste.*

Hij wil het altijd op een bepaalde manier. *Altijd, altijd op je knieën.* Haar weggetrokken uit mijn gezicht, zijn handen die aan mijn vlechten trekken, me de weg wijzen... eerst langzaam, dan *sneller, sneller.*

Los van de pijn in mijn kaken, en de bittere smaak die het in mijn mond achterlaat, verandert hij er wel door. Hij heeft dan iets zachtaardigs, iets dat er anders nooit is. *Klein meisje, je bent mijn lieve kleine meisje.* Hij vleit en kreunt alsof hij het moet doen. Ik hoop maar dat het genoeg is.

Net toen hij over mijn wang streelde en mijn gezicht dicht naar het zijne bracht, dicht naar de muffe, muskusachtige geur van zijn lichaam, klonk Harts stem over de rand van de rotsen boven ons. Hart begon de rotsen af te klimmen naar de baai en Archer trok haastig zijn kleren weer aan. Zijn gezicht was rood van woede.

'Bewaar nog iets voor de huwelijksnacht, Archie, anders onterft moeder je...'

Ik stond op en gooide zand op het vuur om iets te doen te hebben. Ik keek niet in Harts richting. Ik wou dat hij ons niet zo gezien had. Niet dat ik bang ben voor het hellevuur voor wat ik gedaan heb, of zelfs dat Hart me zou aanzien voor weinig beter dan Grace. Maar als ik voor Archer neerkniel, krijg ik het gevoel dat God teleurgesteld zou zijn als ik hem niet zijn gang zou laten gaan, dat ik de hemel dankbaar moet zijn dat hij me überhaupt wil. Dat iemand er getuige van is, maakt het alleen maar erger. Mijn enige troost is iets wat Wijze Marie ooit tegen me gezegd heeft: 'Het is al vaak en steeds opnieuw bewezen, zo klaar als een klontje – De Heer heeft de mannen zo gemaakt dat ze zichzelf gewoon niet in kunnen houden.'

5 juli, 1917

Vandaag arriveerde alle inboedel voor het huis. Vijf karren stonden achter elkaar op de weg, en tientallen mannen sjouwden dozen en kratten de heuvel op. De vrouwen waren er allemaal, weduwe Bigelow dirigeerde de mannen waar ze de meubels moesten neerzetten, tante Fran roddelde met mevrouw Hutner. 'Mijn nicht Clara in Halifax heeft de benodigdheden voor een heel huis uit de Sears catalogus besteld. De Aladdin Huizencatalogus, Gebouwd in een Dag. Het hele huis kwam per trein. Een héél huis, planken, dakspanen, deurklinken en al!'

Archer sleepte het ijzeren frame voor ons bed het huis in en knipoogde naar me. Nu kan ik niet meer terug.

Rare-Bigelow Huwelijk

Met veel vreugde maken meneer en mevrouw Judah Rare het huwelijk bekend van hun dochter, Dora Marie, met de heer Archer Bigelow. Dominee Claude Pineo voltrok de plechtigheid in de Union Church van Scots Bay, op vrijdagmiddag, 11 juli. De bruid werd bijgestaan door haar nicht, juffrouw Precious Jeffers. De bruidegom werd bijgestaan door zijn broer, de heer Hart Bigelow. Mevrouw Francine Jeffers, de tante van de bruid, toonde haar zangtalent met het zingen van een mooie uitvoering van 'Oh, promise me'. De vrouwen van de White Rose Temperance Society organiseerden samen met weduwe Simone Bigelow, moeder van de bruidegom, een feestelijke avond in Lady's Cove, waarbij veel inwoners van ver en dichtbij aanwezig waren. Het gelukkige paar zal op Spider Hill gaan wonen, alwaar u hen vanaf heden kunt feliciteren.

The Canning Register
25 juli 1917

19

Geborduurde zijden illusie. Zaadparels en bruine glazen kralen. Fijn geklost kant gemaakt door de behendige vingers van tante Althea, gevormd tot rozen en vergeet-mij-nietjes.

Drie weken eerder hadden de dames van het kerkgenootschap een lied gezongen en een toost uitgebracht, en tante Pauline Rare had de notulen voorgelezen van de vorige vergadering. Toen kondigde ze, tot mijn verbazing, aan dat het volgende punt op de agenda 'het huwelijk van Dora Rare en Archer Bigelow' betrof. De vrouwen glimlachten en staarden naar me. Moeder klopte zachtjes op mijn knie en grijnsde.

De volgende paar uur waren ze aan het kibbelen en lachen, en ruzie aan het maken over wie het lekkerste boterglazuur maakte en wie de mooiste stem had om 'I Love You Truly' te zingen. Uiteindelijk werd besloten dat 11 juli de gunstigste dag zou zijn voor een bruiloft (aangezien de mannen nooit op vrijdag uitvaren). Het zou een mis worden bij zonsondergang in de Union Church, dominee Pineo zou de mis opdragen, gevolgd door een kampvuur met gebakken kreeft en mosselen in Lady's Cove.

Tante Fran vroeg: 'En wat gaan we doen met de rum? Jullie weten toch dat de mannen erop staan om die tevoorschijn te halen op bruiloften en begrafenissen...'

Moeder knikte. 'Ik zeg, geen rum voor zonsondergang en niet meer na zonsopgang. En geen enkele man mag een fakkel of een vuur aanraken, anders zijn we minstens een boot, een schuur of zelfs een huis kwijt.'

Een alom beamend 'ja' verplaatste zich door de kamer. Bertine Tupper voegde eraan toe: 'En elke vrouw moet op de hare letten. Ik wil niet iemand anders d'r man in mijn tuin hebben liggen als ik wakker word. Hardy maakt er in z'n eentje al een zooitje van tussen de kool en de erwten.'

Toen het gelach tot bedaren kwam, sprak tante Fran weer met luide stem, en deze keer klonk ze behoorlijk ernstig. 'En hoe zit het dan met de trouwjurk?' Ze keek mijn moeder aan. 'Charlotte, draagt ze die van jou?'

Moeder zuchtte. 'Dat is een zorg...' Haar handen waren bezig met het stoppen van een sok terwijl ze sprak. 'Toen ik met Judah trouwde had ik nooit gedacht dat ik een dochter zou krijgen. Jullie kennen allemaal het gezegde, *Rare mannen leveren Rare zonen*. Dat heeft honderden jaren standgehouden in de Bay... totdat Dora kwam.' Ze keek me verdrietig aan. 'Ik heb mijn jurk gebruikt om doopkleedjes van te maken voor je broers. Het spijt me, lieverd.'

Tante Fran schudde haar hoofd, en haar stem was vol afschuw. 'Nou ja, je mag de mijne wel aandoen.'

Moeder gaf snel antwoord. 'Daar zou ze in zwemmen, Frannie... en trouwens, je zou zelf de eerste zijn om toe te geven dat hij er een beetje ouderwets uitziet tegenwoordig.'

Tante Althea probeerde mijn moeder te troosten. 'Weet je, Charlotte, ik heb dat ook met mijn jurk gedaan.'

De andere vrouwen van mijn vaders broers vielen haar bij. Tante Irene, tante Lil, tante Pauline en tante Tilly gaven allemaal toe dat ze hun trouwjurken uit elkaar hadden gehaald en er doopkleedjes van hadden gemaakt. Tante Lil giechelde en voegde eraan toe: 'Ik heb ook een paar mooie kussenslopen gemaakt van een deel van de sluier. Het satijn is zo fijn om op te slapen. Wie had kunnen weten dat je het voor iets anders nodig zou hebben?'

Tante Althea draaide zich naar tante Fran. 'Heb je een paar van die damesbladen meegebracht?'

Tante Fran haalde een stapel *Ladies' Home Journals* en *Butterick* patroonboeken onder haar stoel vandaan en gaf ze aan mij.

'Waar zijn die voor?' vroeg ik.

Tante Althea glimlachte. 'Zoek maar een jurk uit die je mooi vindt, dan vinden wij wel een manier om hem voor je te maken. Pauline en Tilly zijn de beste naaisters uit de buurt; als 't moet kunnen ze zijde maken van het oor van een zeug.'

Op mijn trouwdag dansten mijn voeten onder de gerimpelde zoom van veertien verfijnde doopkleedjes. Met een kroon op mijn hoofd van oranjebloesem van was en golven zijden tule trouwde ik met Archer Bigelow.

Tegen zonsondergang gingen we op weg naar de baai. Hart, Charlie, Sam Gower en oom Web droegen me op een stuk zeil alsof ik de koningin van Sheba was. Archer zat achter hen aan, met dreigementen dat hij hun aandeel rum zou stelen als ze zijn vrouw zouden proberen te stelen.

Hij voerde me geroosterde kreeft, frambozen en bruiloftstaart. Hij hield zijn handen stevig om mijn middel toen we dansten. Hij zei tegen me dat hij altijd van me zou houden, en ik zei dat ik nooit aan zijn woord zou twijfelen. Tussen twee violen en een hijgende concertina door zag ik mijn ouders dansen aan het einde van de rij. Moeder glimlachte toen ze op elkaar toe kwamen, vader boog een beetje voorover, en ze pakten elkaars handen om een boog te vormen. Hun liefde was als een makkelijke jas, die lekker zit en precies past. Waar kwam dat vandaan? Had ze zich als nieuwe bruid ten minste één dag gelukzalig gevoeld? Had ze een dag, of twee, of zelfs een hele week gehad waarin ze aan niets anders hoefde te denken dan aan haar breekbare wereldje voor twee, voor echtgenoot en echtgenote?

Vader wilde net zijn vijfde of zesde toost uitbrengen toen Bertine Tupper de rotsen af kwam rennen en mijn naam riep. 'Dora, je moet helpen. Sadie heeft het moeilijk, ze zegt dat de baby er zo aankomt.'

'Waar is Wes?'

'Hij is dr. Thomas gaan halen. Sadie wilde niet naar Canning, ze zei dat ze 't nooit zou halen.'

'Waar is Wijze Marie?' vroeg ik.

'Kan haar niet vinden. Ik ben eerst naar haar huisje gegaan, toen naar de kerk, en toen hiernaartoe.'

Ik gaf mijn man een goedenachtzoen en vroeg of hij Wijze Marie kon zoeken op weg naar huis.

Je moet iemand zijn met twee hoofden. Daar bedoel ik mee dat je twee dingen tegelijk moet zien en denken.

Waar was Wijze Marie? Ze was bij het huwelijk geweest. Daarna was ze naar me toe gekomen, had mijn handen vastgehouden, haar knokige vingers die ik zo goed kende fluisterden in mijn handpalmen. Ze zei dat ze moe was: 'Een dansavond is niets voor een blinde ouwe oma... dan zitten mijn eigen voeten me in de weg.' Ik vroeg aan Charlie om met haar naar huis te lopen, maar ze zei dat ze alleen wilde lopen om te kunnen genieten van de zonsondergang en de warme avond. Ik kuste haar op haar wangen. Ze fluisterde: 'Let op haar botten,' en liep weg. Ik dacht dat het een zegen was voor mijn huwelijksnacht. Maar dat was niet zo.

De schouder van de baby bleef haken toen hij naar beneden kwam, en Sadie begon moe te worden. Waar was Wijze Marie? Als er niet snel verandering zou optreden, zou ik het sleutelbeen van de baby moeten breken om hem eruit te krijgen. *Let op haar botten. Breng die botten naar beneden. Zing ze maar naar beneden.* Ik maakte een kruis boven mijn hart, raapte zo veel mogelijk woorden van Wijze Marie bij elkaar als ik kon, spuugde op mijn vinger en maakte een kruisteken over Sadies buik, en zong: 'Moeder Maria, zegen deze moeder, zegen haar kind, zegen dit huis.' Ik verplaatste Sadie naar de rand van het bed, zodat ze er bijna uit hing. Bertine zat achter haar. Ze hield haar overeind en moedigde haar aan. 'Kom op Sadie. Nog eventjes.'

Ik draaide de schouder van de baby langzaam maar stevig naar het zachte gedeelte van Sadies huid. Bertine en ik riepen allebei naar haar dat ze moest 'persen, persen!' en daarmee gleed de baby naar buiten. Een prachtige jongen.

Dr. Thomas arriveerde, te laat om de baby of de nageboorte op te vangen. Hij trok zijn jas uit en ijsbeerde door het huis, mopperend over vrouwen die niet weten wat goed voor hen is. 'Aangezien ze ervoor gekozen heeft om thuis te bevallen, ben ik bang dat ik de zorg die ik haar kan geven, moet beperken. Ik zal mevrouw Loomer en het kind onderzoeken, en dan moet ik er weer vandoor.'

Wes nam de dokter terzijde, zijn twee slaperige peuters hielden zich vast aan zijn been. 'Komt u niet nog een keer langs om te kijken of alles goed is? We hebben al betaald.'

'Ja, maar op het certificaat staat duidelijk dat de bevalling en de zorg moeten plaatsvinden in de Canning Geboortekliniek.'

Bertine kwam de keuken in waar de mannen stonden te praten. 'Dora en ik zorgen wel voor haar. En ik weet zeker dat Wijze Marie dat ook zal doen zodra ze weer boven water is.'

'Bent u familie van mevrouw Loomer?'

'Nee, maar...'

'Zoals juffrouw Rare u kan vertellen laat ik geen bezoek toe in de geboortekliniek. Ook bij thuisgeboortes beveel ik het niet aan. Gezondheidsredenen, begrijpt u wel.' Hij draaide zich naar Wes. 'Ik moet er nu echt vandoor.'

Bertine ging in de deuropening van de slaapkamer staan, sloeg haar brede armen over elkaar, tikte met haar voet op de grond en staarde de dokter met een indringende blik aan. 'Dora doet het hier prima. Ik geloof niet dat Sadie en haar baby uw gepor en geprik kunnen gebruiken.'

Dr. Thomas negeerde haar en duwde zich langs haar heen de slaapkamer in.

Sadie hield haar kind dicht tegen zich aan. 'Iedereen kan zien dat het goed met ons gaat. U hoeft niets aan te raken.'

Dr. Thomas schudde zijn hoofd. 'Dan wens ik u beiden veel sterkte.' Hij keek me aan. 'Goedenavond, juffrouw Rare.'

Bertine zei: 'Ze heet mevrouw Bigelow. Dora is net vanavond getrouwd.'

Hij tikte tegen zijn hoed en liep de deur uit. 'Nou, ik wou dat ik u onder betere omstandigheden zou kunnen feliciteren.' Hij bekeek me van top tot teen en zag mijn trouwjurk die nu besmeurd was met bloed en nageboorte. 'U was vast een mooie bruid. Goedenavond.'

Bertine en ik zetten thee en maakten pap voor Sadie, daarna stopten we de andere kinderen in bed. Wes stond vlakbij toen ik wilde vertrekken. 'Sorry voor je jurk.'

Ik glimlachte. 'Ga maar naar binnen om die nieuwe jongen van je te bekijken. Ik kom morgen weer terug.'

Het was bijna licht tegen de tijd dat ik op Spider Hill aankwam. Mijn lieve echtgenoot lag te snurken in ons bed. Hij had zijn trouwpak nog aan en zijn handen en voeten waren vastgebonden. Hart zat in een schommelstoel, zijn hoofd achterovergezakt in zijn slaap en met de verweerde steel van een bijl tegen zijn borst gedrukt. Hij mompelde en werd wakker, en opende zijn ogen tot smalle kiertjes. 'Wat is er? Dorrie, ben jij dat?'

'Ja, Hart.' Ik gebaarde naar het bed. 'Probeer je hem binnen te houden?'

'Meer Grace Hutner buiten te houden.' Hij gaapte en strekte zijn benen uit. 'Dat is nou echt zo'n meid die niet tegen een druppel kan. Tjonge jonge, wat heeft die een drama opgevoerd... bonzend op de deur. Ze noemde Archie een heksenliefhebber en een laffe angsthaas, ze ging maar door en riep steeds dat dit haar huis had moeten zijn.'

'Ojé.'

'Geen zorgen. Ze komt vast niet terug. Haar vader is gekomen en heeft haar weggesleurd, vloekend en tierend dat hij haar naar zijn zuster in Halifax zou sturen.'

Ik knielde neer naast het bed en begon Archies polsen los te knopen.

'Dat zou ik maar niet doen. Hij zal wel behoorlijk kwaad zijn als hij wakker wordt. Je kunt hem beter laten uitslapen, dan is hij er misschien overheen als hij wakker wordt.'

Als ik zijn verschaalde adem niet had geroken en de stuiptrekkingen op zijn gezicht niet had gezien, zou ik hebben gedacht dat hij dood was. 'Is hij bij Wijze Marie langs geweest?'

'Nee. Hij kon niet eens alleen naar huis komen, laat staan naar Marie Babineau.'

Ik hing mijn besmeurde jurk over de rug van een keukenstoel, deed iets schoons aan en wandelde naar Wijze Marie.

12 juli 1917

Ik wist al dat er iets mis was voordat ik bij de deur was. Er lag een brief op tafel, naast het Wilgenboek en vijf snoeren met rozenkralen, allemaal klaargelegd voor mij.

Lieve Dora,

God, wat hebben we het leuk gehad samen. Zonder jou had ik Jane Austen nooit leren kennen, had ik nooit een idee gehad hoe het is om hier thuis te zijn. Je hebt deze bescheiden muren aan het zingen gebracht.

Er is veel tijd verstreken sinds ik mijn weg hiernaartoe vond

vanuit Bayou. Nu is het tijd om naar mijn volgende plek te wandelen, mijn laatste plek, mijn laatste thuis. Als ik het goed gedaan heb in dit leven, zul je me nooit meer terugzien, dat is alles.
Je moet ook niet gaan zitten huilen. In plaats daarvan moet je een gebed opzeggen. Zo doet de traiteur *dat. We vormen onze tranen om tot gebeden... niet om te bedelen of om God te smeken, maar om eraan te denken waar we vandaan komen. Net als Moeder Maria, of die slimme Jane Austen van je, we zijn allemaal hetzelfde, hetzelfde als de maan, de sterren en de zee.*

Offert ou pas, Dieu est ici.
Genodigd of niet, God is er.
Marie Babineau.

Volgens mij is het goed mogelijk dat Wijze Marie gewoon verdwenen is. Ze kwam er elke dag dichter bij; biddend, de hemel aanroepend, hief ze haar armen in de lucht, maakte zichzelf steeds lichter, sleepte haar jurk als veren achter zich aan en nu is ze misschien gewoon weggevlogen.

Ik heb vele keren gedacht dat ik er alles voor over zou hebben om niet zo te eindigen als zij, om niet zo aan de kant geduwd te worden als een zielige arme drommel, gedwongen om alleen in een scheve, krakende, vervallen hut te wonen. Dat was voordat ik haar leerde kennen. In de afgelopen weken, waarin alles tot een einde leek te komen voor haar en te beginnen voor mij, heb ik vaak gewenst dat de maan die ze elke avond vereerde naar me toe zou komen en iets van Wijze Marie in me zou stoppen – dan zou ik wijs wakker worden, met zilveren gebeden op mijn lippen, die alles zeiden wat in me opkwam (wanneer ik dat wilde). In vergelijking met moeder die zo gevoelig is, leek ze soms een engel, maar soms joeg ze me ook angst aan, op de een of andere manier wist ze altijd wat ik nodig had.

Nadat ik haar briefje had gelezen, voelde ik me meer moe dan verdrietig. Moe van de dag, van het doen van Sadies bevalling in mijn eentje, van het ruziën met dr. Thomas, moe van de gedachte dat de tijd rijp was om deze plek achter me te laten en me te gedragen als de vrouw van. Ik stak kaarsen aan rondom de Gezegende Moeder en zong 'Ave Maria' en bad dat de ziel van Wijze Marie veilig thuis zou komen. Ik draaide haar rozenkransen om mijn nek en ging in haar oude schommelstoel zitten, trok haar lappendeken om me heen en huilde totdat ik in slaap viel.

Ik droomde van haar lach en de geur van koffie die 's ochtends stond te pruttelen, van het kromme handschrift waarmee ze het Wilgenboek had volgeschreven, elk beeld en beeltenis van de Heilige Moeder zong me haar gebeden toe in mijn slaap. Ik droomde dat ik teruggekomen was naar wat er van deze plek was overgebleven. Ik stak het aan en liet het tot de grond toe afbranden, de vlammen stuwden hoog op in de nacht. Schaduwachtige mannen schepten zeewier rondom het vuur om ervoor te zorgen dat het zich niet zou verspreiden, ze gooiden er dingen in die ze niet meer nodig hadden, een kapotte kinderwagen, verrotte appelmanden, versleten kreeftenvallen. Toen kwamen de vrouwen. Ze huilden om Wijze Marie en hielden hun kinderen dicht tegen zich aan. Ze stonden naast elkaar en vertelden verhalen over de bevallingen die ze onder haar hoede hadden gehad. Ik hield mijn moeders hand vast en liet mijn hoofd op haar schouder rusten terwijl de geest van Wijze Marie om ons heen vloog en zong:

Ze zullen je nodig hebben, Dora.

Ze hebben je nodig. Je moet goed op hen passen.

De gave van de vroedvrouw

uit het Wilgenboek

Langs de Bayou Blaize Le Jeune woonde een plattelandsvroedvrouw, een *howdie* of *sage femme*, zoals ze door sommigen genoemd werden. Op een avond toen ze klaar was om te gaan slapen, klopte er een moerasman op haar deur. Ze had hem nog nooit gezien en ze zou hem ook nooit weer zien. Hij riep haar naam bijna zingend en zei tegen haar: 'Om-aa Bonne, er zit een vrouw bij de rivier die je roept. Ze jammert en vloekt, en haar baby komt eraan.' De oma probeerde een fatsoenlijke jurk aan te doen, maar dat mocht niet van de moerasman. Het enige wat ze van hem mee mocht nemen was een klosje garen om de navelstreng af te binden. Hij tilde haar op, zo van de stoep, en droeg haar naar zijn sloep die in de rivier lag te wachten.

Meestal wist Oma Bonne precies waar ze naartoe ging. Ze had de hele rivier afgereisd, drijvend in haar kano, eigenhandig roeiend, om de vrouwen te helpen hun baby's te baren. Maar die avond was er geen maan en de bayou was aardedonker. Ze vroeg de vreemdeling waar ze heen gingen. Hij zei niets meer. Toen ze aankwamen, leek het best een mooi huis. Een gezellige blokhut met een brandend haardvuur, en een heldere en vrolijke lamp bij het raam. Oma Bonne ging naar binnen en trof de vrouw al 'in het stro' aan. Het duurde niet lang voordat de baby kwam, een bijzonder mooi kind dat het zijn moeder niet moeilijk maakte. De vader van het huis speelde viool, de tantes maakten een kring en dansten, en de moeder zong zoetjes en zacht, zoet en zachtjes. Oma Bonne wilde het kind net aankleden toen een van de tantes naar haar toe kwam met een potje zalf. De tante trok de kurk los en de geur van magnolia kwam naar buiten. Ze gaf Oma Bonne een rijmpje op:

Ik geef je deze zalf,
Zo kostbaar en fijntjes
Wrijf het kind in van boven tot beneden,
Van zijn kleine vingers tot aan zijn teentjes.

Welnu, voordat de tante 'niet doen' kon zeggen fladderde er een motvlinder op de wang van Oma Bonne en liet wat stof van haar vleugels achter in haar ogen. Ze veegde het ding van haar gezicht en wreef waar het kriebelde. Wat kon ze anders doen? En toen, tot haar grote verbazing... zag ze met haar ene oog wat ze altijd dacht dat er was, en met het andere zag ze een soort betovering. Ze was helemaal niet in een blokhut. Ze was meegenomen naar een elfenholletje, onder de wilgen. Overal hing mos, vuurvliegjes en fosforescerend hout wierpen licht. Het piepkleine volkje was overal om haar heen. Op elke schouder zat er een te grijnzen. Op haar schoot zater er drie de oren van de baby te kietelen. Oma slaakte een kreet en liet het potje op de grond vallen. De tante wist meteen wat er gebeurd was en zei tegen Oma Bonne dat als ze beloofde dat ze nooit aan iemand zou vertellen waar de elfen woonden, ze een wens mocht doen, wat het ook was.

Oma Bonne dacht diep na. Ze wilde geen rijkdom en verlangde niet naar chique koninginnenkleren. Ze wenste niet eens een groot huis of beter land, want ze wist dat dat soort dingen ook weer konden worden afgepakt. Ze strekte haar handen uit naar de tante en zei: 'Deze twee zijn alles wat ik heb. Maak mijn handen zo dat ze altijd nuttig zijn.' De tante blies geruststelling en goedheid, verhalen en tranen in haar handen, en Oma Bonnes wens werd vervuld.

Deel twee

20

Zodra ik was ingetrokken in het huis op Spider Hill, verschoof ik al het meubilair (al was het maar een paar centimeter) – het bed, de bank, de keukentafel, elke stoel, lamp, plantenbak, tapijt en vaas – dat de weduwe Bigelow 'precies zo' had neergezet. Daarna ging ik verschillende keren op en neer naar het huisje van Wijze Marie om zo veel mogelijk herinneringen op haar oude handkar te laden en mee terug te nemen. Archer klaagde dat we niet genoeg ruimte hadden voor tweedehands spullen. Toen ik de schommelstoel van Wijze Marie in de voorkamer wilde zetten, zei hij: 'Zet hem dan tenminste ergens neer waar anderen hem niet kunnen zien. Het is een belediging voor de gulheid van mijn moeder.'

Hij was vooral gemeen toen hij me een kast zag vullen met potten geneesmiddelen en kruiden. 'Ik dacht dat ik je al gezegd had dat je daarmee op moest houden.'

'Maar stel dat iemand hulp nodig heeft?'

'Daar hebben we dokters voor.'

'Maar als het midden in de nacht is? Wijze Marie had altijd iets bij de hand.'

'Je praat alsof die oude vrouw werkelijk ooit iets zinvols heeft gedaan. Ik heb dat spul geproefd dat ze moeder gaf tegen reumatiek... het was niets anders dan wijn met suiker. Ziektes spelen zich de helft van de tijd alleen in het hoofd af, vooral bij vrouwen. Moeder ligt altijd op bed met dit of met dat. Het is allemaal hetzelfde. Gewoon een smoes om aandacht te krijgen.'

'Als ik het weggooi is het er niet meer voor iemand die het misschien nodig heeft. Wat als het niet lukt om bij de dokter te komen? Wat als een kind de kroep heeft, of een vrouw last heeft van zwangerschapsmisselijkheid? Wijze Marie is er niet meer om...'

Toen hij zag dat ik bijna ging huilen, trok hij me in zijn armen. 'Oké, hou je toverdrankjes maar. Maar wel uit het zicht.' Hij streek mijn haar uit mijn hals en zei met zachte overtuigende stem: 'Ik hoop dat je het de andere vrouwen uit de buurt hebt laten weten dat je niet meer in de babyzaken zit.' Hij pakte mijn hand en liet hem langs de voorkant van zijn broek naar beneden glijden. 'Je hebt nu andere plichten te vervullen.'

Ik wist weinig over mijn man totdat ik met hem sliep. Het begon elke avond hetzelfde, zijn lippen zochten de mijne in het donker, zijn handen tastten mijn lichaam af, maar algauw was er niets teders meer tussen ons, niets hield hem nog tegen om zijn zweterige, wrede lichaam tegen dat van mij te dwingen. 'De eerste keer hoort het pijn te doen. Zo maakt een man een vrouw eigen; hij "breekt haar in" en daarna is ze van hem.' Volgens Archer moet een vrouw haar man graag en welwillend in haar toelaten, zo vaak hij dat wil, en heeft hij het recht om veeleisend en rusteloos te zijn, zonder me een dag rust te gunnen als ik pijn heb of als ik ongesteld ben. Ik heb geprobeerd om hem warme melk en een heet bad te geven voordat we gaan slapen in de hoop dat hij zijn behoeftes zal vergeten en in slaap valt, maar hij zet door, zegt dat het zijn natuur is. 'Het geeft me het recht om mezelf een man te noemen.' Niets had me hierop kunnen voorbereiden, voor de schaamte die opkomt omdat ik hem niet wil geven wat hij wil, niet weet hoe ik een echtgenote moet zijn, altijd hoop dat hij me met rust laat. Ik geef toe als ik het niet wil, hij houdt mijn handen boven mijn hoofd en mijn benen wijd open, totdat ik zeeziek ben en leeg achterblijf. Als het voorbij is ga ik op zoek naar rozen in de schaduw op het behang, terwijl hij daar geheel bevredigd ligt te snurken.

Ik heb geprobeerd om er met mijn moeder over te praten, maar het kwam er helemaal verkeerd uit. Haar wangen werden rood; ze dacht dat ik vroeg of een vrouw te vaak echtelijke omgang wilde hebben. 'O Dorrie, lieverd, maak je daar maar geen zorgen over. Geniet er maar gewoon van nu je nog geen kinderen hebt om voor te zorgen.' Toen fluisterde ze, half verstopt achter haar breiwerk: 'Je vader en ik klemden ons zo vaak we konden aan elkaar vast, soms was het overal behalve in ons eigen bed... de hooizolder, op de bodem van een versleten bootje, in Lady's Cove...' Ze stopte toen ik een paar steken liet vallen en de boord van de want die ik aan het breien was begon te rafelen.

Ik probeerde hem af te schepen, bleef op tot hij te moe was om nog de moeite te nemen, terwijl ik sokken breide voor de oorlog, kleren verstelde, brood bakte. Zo was ik tenminste één, misschien twee avonden per week van hem af, avonden waarin ik vrij was van mijn 'verplichtingen als vrouw'. Het maakte de andere dagen van de week draaglijk, ook al klaagde hij er onophoudelijk over.

Eén avond kon hij wel 'over het hoofd zien', vooral als ik zei dat ik ongesteld was. Twee avonden was soms mogelijk, maar nooit achter elkaar. Maar door hem drie avonden in één week af te schepen heb ik nu geen echtgenoot meer.

Hij zat te wachten in de voorkamer, zijn benen bungelden over de zijkant van de bank en met zijn luie vingers rolde hij een lege inmaakpot over de vloer. 'Hé, hoe gaat 't met je, daar is ze dan, mevrouw Dora Bigelow...' Hij stond op en kwam naar me toe, pakte me beet en probeerde me te kussen. 'Kom op, Dorrie, wat dacht je ervan, als ik je nou eens mee naar bed neem en jij je gedraagt als een fatsoenlijke echtgenote.'

'Alsjeblieft, Archer, niet als je in zo'n bui bent.'

Hij trok aan mijn arm en plukte aan de knoopjes aan de voorkant van mijn bloes. 'Kom op, ondankbare hoer.' Hij bracht zijn gezicht vlakbij en spuugde de bittere stinkdierengeur van het overrijpe brouwsel van de gebroeders Ketch over me uit. 'Wacht, was ik bijna vergeten... je weet niet eens hoe je een hoer moet zijn, laat staan een fatsoenlijke echtgenote. Ik had net zo goed met Grace Hutner kunnen trouwen.' Hij greep me bij mijn middel en trok me in een vreemd soort wals door de kamer heen. 'Je kent Gracie toch nog wel, of niet Dora? Mooie Gracie... dat was nog 'ns een meid die de weg naar het hart van een man wist te vinden.' Ik maakte me van hem los, maar hij kwam weer op me af en schreeuwde: 'Moeder had me misschien onterfd, en ik zou waarschijnlijk arm zijn geweest, maar Gracie zou me tenminste elke avond boven op haar hebben laten kruipen om een man van me te maken.' Hij maakte een vuist en hief zijn hand hoog in de lucht. Hij haalde uit om me te slaan, maar miste en sloeg een gat in de wand van de voorkamer.

Ik rende door de keuken en sloot mezelf op in onze slaapkamer. Ik klemde de rug van de schommelstoel van Wijze Marie onder de deurklink. Hij schopte en bonsde op de deur totdat de muren trilden. 'Vertel me nou 'ns, mevrouw Bigelow... hoe is het mogelijk dat een vrouw geen enkel genot kan vinden bij haar eigen man?' Ik kon hem door het huis horen ijsberen, toen kwam hij weer terug naar de slaapkamerdeur en hamerde erop bij elk woord dat hij zei. 'Laat... me... erin, dan neem ik je keihard, schatje... dan zullen we wel eens zien of je erom durft te huilen.' Uiteindelijk hoorde ik de deur dichtslaan en vervolgens het geluid van een paard dat de zweep kreeg en de weg op gejaagd werd.

In de kerk vroegen verschillende mensen waar Archer was. Moeder, weduwe Bigelow, tante Fran en Precious, zelfs dominee Pineo. Ik had overwogen om niet naar de mis te gaan, maar mijn moeder zou door mijn afwezigheid meteen naar het huis zijn gekomen om me te zoeken. Ik was van plan geweest om te zeggen dat Archer zich niet goed voelde. (Dat was in elk geval de waarheid wat betreft de laatste keer dat ik hem gezien had.) Maar in plaats van de hele lijst aan symptomen op te sommen die ik geoefend had (zere keel, lichte koorts, nachtzweet en rillingen... waarschijnlijk gewoon een verkoudheid), breide ik een lang verhaal aan elkaar, geïnspireerd door een adver-

De BIJBEL is het best verkopende boek ter wereld

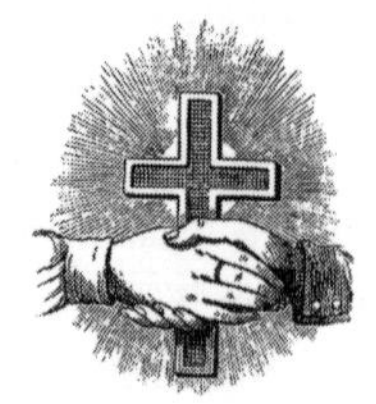

Aangezien de meeste mensen over de hele wereld veel respect hebben voor dit boek, is het niet nodig om veel druk te zetten bij de verkoop, en dit geldt vooral voor onze nieuwe

ANALYTISCHE BIJBEL

De bijbelverkoper dwingt alom respect af. De mensen schrijven zelfs idealen en deugden aan hem toe die hij misschien niet heeft.

tentie die ik in een uitgave van Archers *Vaughn's Almanac* had gezien, en zei tegen hen dat mijn lieve man besloten had om door heel Nova Scotia te reizen om bijbels te verkopen.

'Ik heb echt het gevoel dat dit het beste is wat hij kon doen, een soort dienst bijna, in plaats van werk, om mensen hoop te brengen... in deze moeilijke tijden.'

Dominee Pineo knikte plechtig en stopte zijn bijbel onder zijn arm zodat hij beide armen naar me uit kon strekken om me te troosten. 'Het goede boek is een gezegende balsem voor iedere ziel. Ik zal voor hem bidden, Dora. Ik zal bidden voor verwelkomende, open deuren en een veilige thuiskomst.'

Ik ga naar de hel.

Toch is het idee van Archer als verkoper niet zo ver gezocht. De bruiloft was nog geen week voorbij toen hij tijdens het eten de pagina's van de *Halifax Journal* en *Vaugh's Almanac* over de hele tafel begon uit te spreiden. Terwijl de soep van zijn lepel druppelde wees hij dit of dat aan, en riep: 'Daar heb je 't, Dorrie, dit wordt een succes!' en wat het ook was, transistorradio's, elektrische apparaten, brandverzekeringen of bezems en borstels, hij zou het gaan verkopen. Elke week arriveerde er weer een nieuwe doos, boven aan de trap werden de monsters en verkoophandleidingen hoog opgestapeld, en telkens weer vervangen door iets nieuws, en algauw vergeten. Door het smoesje wat ik verzonnen heb zal in elk geval niemand verwachten dat ze hem binnenkort weer zullen zien, en als hij toch naar huis komt, kan ik net zo verbaasd zijn als alle anderen.

Moeder maakt zich natuurlijk zorgen over het feit dat ik alleen ben. Ze vroeg of ik misschien met haar mee naar huis wilde komen totdat Archer weer terug is, maar ik zie het niet zitten om me te verplaatsen van deze rustige, lege plek naar de drukte tussen vader en de jongens. *Pak je boeltje toch en kom naar huis, Dorrie.* Ze heeft het opgegeven. Denkt dat hij voorgoed weg is. Hij is al drie dagen weg, en zij denkt dat ik te veel verwacht heb, iets gedaan heb waar ik me niet mee had moeten bemoeien. Ik vind het sneu voor haar, meer nog dan voor mij. Ze was zo hoopvol over ons huwelijk. Elke dag dat hij langer weg is, komt er een vrouw bij die zich begint af te vragen hoe het zit, tegen degene naast haar vertelt – op het kerkbankje, tijdens de breikring, op de markt – dat ze wel wist dat het zo zou aflopen, dat Dora Rare zeker niet mooi, of vindingrijk, of zelfverzekerd, of financieel trots genoeg was om Archer Bigelows gelijke te zijn. Zoals Wijze Marie altijd zei, *wat je ook doet – er zal ergens iemand zijn die altijd heeft geweten dat je dat zou doen.* Een echtgenote voor drie maanden en ik kon niet tevreden zijn met wat ik had. Wees gerust, tegen de tijd dat Archer thuiskomt (als hij thuiskomt), weet ik precies hoe het allemaal zit, en zal er niets meer zijn om me nog druk over te maken.

21

Bertine Tupper kwam naar het huis. Ze trok haar jongste kind aan de arm mee en het kleine meisje sleepte een lappenpop achter zich aan. Ze hadden alledrie een rode gebreide muts op en zagen eruit als een scheve poppetjesslinger. Ze kwam binnen zonder te kloppen, haar luide, vrolijke 'hallo' galmde door de keuken. Ze zette het meisje en een bobbelige, verschoten meelzak op tafel en lachte naar me alsof ik haar verwacht had. 'Heb Hardy net zijn lunch gebracht, en die kleine Lucy vond dat ze niet naar huis kon gaan voordat ze jouw mooie nieuwe huis vanbinnen had gezien. Niet te geloven, het is al oktober en ik ben nog steeds niet op bezoek geweest. Beter laat dan nooit.' Ze trok de wollen muts van het hoofd van haar kind en Lucy's haar stond recht overeind. 'Ziet eruit alsof ik haar onder een mand heb gevonden, hè?' Bertine probeerde de springerige krullen van Lucy glad te strijken, maar gaf het al snel op en richtte haar aandacht op haar tas. Ze haalde er een luchtig, zoet ruikend brood uit. 'Lekker voor bij de thee, dacht ik. 't Is nog warm ook.' Ze ging in de voorkamer zitten en zette Lucy op haar schoot. Het kind begon aan Bertines trui te trekken omdat ze de borst wilde krijgen. 'Sta daar nou niet zo te kijken, Dora, hoeveel handen denk je dat ik heb?'

'Sorry, ik had niet verwacht...'

'Dat is niet het juiste antwoord.' Ze fronste haar voorhoofd en grijnsde. 'Eerst zeg ik: "Hoeveel handen denk je dat ik heb?" en dan zeg jij: "Een minder dan jij nodig hebt, lieverd. Ik zal wat thee voor je zetten.'' Heeft je moeder je geen manieren geleerd?' Ze proestte het uit, haar hele lichaam schudde van haar hartelijke lach. Lucy's wangen wipten op en neer, haar lippen stevig zuigend om zich vast te houden aan Bertines borst. 'Allejezus, Luce – pas op je tanden hoor, schatje.'

Ik pakte de ketel van het fornuis en schonk het water in een schone pot. 'Zin in frambozenbladthee?'

'Mmmm... ruikt net als bij Wijze Marie.' Ze stopte haar pink in de hoek van Lucy's mond en kietelde het kleine meisje onder haar mollige kin. 'Het wordt tijd dat ik dit kind speen, volgende maand wordt ze twee.' Lucy knipperde met haar ogen naar haar moeder en glimlachte. 'Maar je weet, zodra ik dat doe, komt de volgende natuurlijk. Als de melk eenmaal opgedroogd is, ben ik weer rijp om geplukt te worden.'

We zaten in de voorkamer en dronken thee, Bertine was bezig een paar wanten te breien en Lucy ging van de ene op de andere schoot zitten en verstopte zich achter de gordijnen. Voordat ik het in de gaten had, stond ze boven op Archers leunstoel, en liet haar lappenpop over de hoge rugleuning wandelen en stopte de slappe arm ervan door het gat dat Archer in de wand had geslagen. Ze lachte en giechelde en duwde het hoofd van de pop in het gat, alsof ze op avontuur was en een verborgen schat aan het zoeken was.

Bertine verontschuldigde zich en trok aan Lucy om haar uit de stoel te krijgen. 'Kom naar beneden, Lucy. Ik geloof dat het tijd is dat Dolly een dutje gaat doen.' Ze legde Lucy en haar pop op de chesterfield neer, naast elkaar in het hoekje, en ging weer in haar stoel zitten. 'Nog nooit een muizenhol zo hoog gezien. Erg groot ook. Heb je een rat?'

Ik lachte nerveus en verzon een smoes. 'Er is zoiets grappigs gebeurd, ik probeerde een schilderij op te hangen en...' Ik trok een breed grijnzend gezicht naar Lucy in de hoop dat ze weer zou gaan giechelen en Bertine zou vergeten wat ze gevraagd had.

'En?' Bertine begon met haar voet te tikken onder haar rok.

Ik trok mijn schort voor mijn gezicht en liet mijn hoofd er af en toe bovenuit komen om naar Lucy te kijken en te grijnzen. 'En de hamer ging zo door het pleisterwerk heen.'

Lucy trappelde en gilde van het lachen.

Bertine rukte mijn schort uit mijn handen. 'Een verhaal dat begint met "Er is zoiets grappigs gebeurd" is nooit de waarheid. Die woorden horen bij visserspraatjes en mannen die te laat thuiskomen voor het eten. Bovendien heeft jouw vader dit huis gebouwd, deze muren in elkaar gezet... ik weet best dat er meer voor nodig is dan een meisje, een hamer en een schilderijenhaakje om zijn werk stuk te maken.' Ze stopte Dolly knus in de armen van Lucy. 'Stil zijn nu, meisjes.' Lucy krulde zichzelf op tot een dichte, gehoorzame bal. Bertine keek me streng aan. 'Je hebt met je hoofd tussen de benen van een vrouw gezeten en haar baby eruit gehaald en God mag weten wat nog meer, verdorie. Je hebt meer van vrouwen gezien dan hun mannen naar durven te kijken, dus ik neem aan dat je eerlijker bent dan de meeste mensen.' Ze richtte zich weer op haar breiwerk en telde de steken voordat ze verderging. 'Probeer me nog maar eens opnieuw te vertellen wat er gebeurd is...'

Bertine was altijd de favoriete vrouw van buiten van Wijze Marie geweest. Op de dag dat dr. Thomas zijn lezing had gehouden voor de White Rose Temperance Society en de rest van de dames van de Bay, had ze haar hardop aan het lachen gemaakt. Ze nam hem goed op zodra hij de deur van het Seaside Centre binnenkwam. 'Ik heb nog nooit zo'n schone man gezien. Ziet eruit alsof hij niet in werk gelooft. Ziet er bijna zondig uit, vind je niet?' Ze is te jong om ook maar half zo wijs te zijn als Wijze Marie, maar ze is even fel en eerlijk. Dus ondanks dat ik besloten had dat ik wilde dat Archer naar huis kwam, dat alles wat er gebeurd was – zijn kwetsende woorden, het gat in de muur, zijn behoefte om te drinken tot hij woedend was – voor het grootste gedeelte mijn schuld was, nam ik Bertine in vertrouwen, en vertelde haar snikkend wat er was gebeurd.

'Ik was het zat, hem zat, denk ik. Ik was koel tegen hem, wees hem af. Hij werd kwaad op me. Ik neem het hem niet kwalijk. Ik weet het niet. Misschien is echtgenote zijn niets voor mij. Hij is niet gelukkig met mij. Het spijt me, ik wil helemaal niet huilen. Ik neem het hem niet kwalijk.'

'Dat is vreselijk, vreselijk.' Ze gaf me een zakdoek en legde haar arm om mijn schouder.

'Ik weet het. Ik had hem zijn gang moeten laten gaan.'

Bertine snoof boos. 'Als je dat nog een keer zegt, moet ik je mond met talg en azijn uitwassen.'

'Denk je dat het terecht is wat ik voel? Ik heb geprobeerd om er met moeder over te praten en...'

'Bij mijn weten heb je het recht om te voelen wat je wilt. Niet dat een man het ooit zal begrijpen, hoor.'

'Was Hardy ook zo?'

'Hardy is wel lief nu, maar in het begin werd hij vaak woedend over allerlei dingen, vooral aangebrande maaltijden of te veel stijfsel in de lakens. Zijn toon veranderde toen we eenmaal een kleintje hadden gekregen.'

'Denk je dat Archer wat rustiger zou worden als we een baby krijgen?'

'Het leven zit vol verrassingen. Denken dat je een man kan veranderen is natuurlijk zinloos, maar aan iedereen zit een positieve kant als je er maar lang genoeg naar zoekt. Zoals mijn moeder altijd zei, *als je man rookt, wees dan dankbaar dat hij niet pruimt; als hij rookt en pruimt, wees dan blij dat hij niet drinkt; als hij het alle drie doet, wees dan dankbaar dat hij niet oud zal worden.'* Ze begon Lucy warm aan te kleden voor de wandeling naar huis. 'Volgende week donderdag kom ik weer langs, laten we zeggen, zeven uur?'

'Dat zou fijn zijn.'

'Wat zal ik zeggen dat we aan het doen zijn?'

'Hmm?'

'Hardy wordt altijd opstandig als ik iets wil doen zonder goede reden. Volgens hem moeten vrouwen voor alles een goede reden hebben.'

'Wat dacht je van sokken breien voor de oorlog?'

'Perfect. Dat zegt Dinah Moore ook altijd als ze er tussenuit wil knijpen met haar neef Hank, ze zegt tegen haar vader dat ze naar haar zus toegaat om zorgpakketjes voor de soldaten te maken... het is tot nu toe nog steeds goed gegaan. Zullen we het de *Vrijblijvende Breistersverening* noemen?'

'Dinnie knijpt er tussenuit met Hank?'

'Och God ja, dat doen ze al sinds het begin van de oorlog. Iedereen denkt dat ze smacht naar Emery Steele, maar Dinnie heeft die ouwe Hank om haar warm te houden. Ik vertel je volgende week donderdag de rest wel, ik moet nu naar huis om het eten op te zetten.'

's Avonds kwam Hart langs om te zeggen dat hij zou helpen om de dingen op orde te houden tijdens Archers afwezigheid. Eerst wilde ik nee zeggen, maar ik vond het goed dat hij voor de paarden zou zorgen, de stal zou uitmesten en de koe zou voeren. Het melken doe ik zelf, want Archer vergat het bijna altijd en die arme Buttercup hield niet van zijn nalatigheid of de ruwe manier waarop hij met haar uiers omging. Ik ben bang dat ze bij het horen van een mannenstem geen melk meer geeft.

Het is soms moeilijk te geloven dat Hart de oudste van de gebroeders Bigelow is. Ondanks zijn kreupele hand en het feit dat hij minstens dertig jaar oud is, stralen zijn lichaam, zijn manier van lopen, zijn persoonlijkheid iets energieks uit waardoor hij jonger lijkt dan hij is. Hij brengt zijn dagen door in de Bay en werkt voor twee of zelfs drie mannen, altijd bereid om een helpende hand uit te steken. Hij ziet er meestal slordig uit, zijn krullende bruine haar stoffig van het hooi, maar hij is het gelukkigst als hij aan het werk is en heeft geen geduld voor 'zorgeloze mensen en nutteloos gepraat'.

Hart had nog een bezoeker bij zich: zijn collie Pepper. 'Zou je even naar haar willen kijken? Ze loopt al meer dan een week mank en ik kan niet achterhalen waar het aan ligt. Ze laat het niet toe dat ik haar vastpak om te kijken.'

Ik ging op de keukenvloer zitten en bekeek haar goed. Er zat een steentje vastgeklemd tussen de kussentjes onder haar poot, verstopt onder een stevig stuk vacht, dat ze niet los had kunnen knagen, hoewel ze de rest van haar poot ruw gelikt had in haar poging om erbij te komen. De hond draaide haar kop naar me toe en probeerde te bijten, maar Hart zorgde ervoor dat ze kalm bleef, en met één knip van mijn schaar haalde ik het vervelende ding weg.

Hij gaf Pepper een klopje op haar kop. 'Ik geloof dat ik getuige ben geweest van Dora Bigelows eerste wonderbaarlijke genezing op Spider Hill. Marie Babineau zou trots op je zijn.'

Ik lachte en liep naar de kast onder de porseleinkast, en rommelde door de spullen van Wijze Marie die ik daar verstopt had... het Wilgenboek was ingeklemd tussen potten met geneesmiddelen, bosjes kruiden, talgkaarsen, Mariabeeldjes en een klein houten doosje gevuld met rozenkranskralen, het zakje met mijn helm lag erbovenop. 'Tegen niemand zeggen, hoor. Ik heb Archer beloofd dat ik niet meer aan hekserij zou doen.' Ik haalde een pot van zalf van goudsbloemhoning van Wijze Marie tevoorschijn en deed de deur stevig dicht. *Geneest wonden en brandwonden.*

Hart verontschuldigde zich voor het gegrom van Pepper. 'Sorry dat ze zo kregelig tegen je is.'

'Dat valt wel mee.' Ik boog voorover en wreef de zalf op haar zere plek. 'Ze moet er waarschijnlijk een paar dagen voorzichtig mee zijn. Je kunt haar het beste binnenhouden tot het beter is.' Pepper sprong op en jankte een beetje, en snuffelde door de keuken, op zoek naar etensrestjes.

Hart krabde aan zijn kin, kamde met zijn vingers over de ruwe huid veroorzaakt door het koude weer en de beginselen van een winterbaard. 'Moeder zou me wat doen. Volgens haar is Pepper niet beter dan een varken.'

Ik zette een kom water neer en gaf de hond een kluif om aan te knagen. 'Dan blijft ze hier. Op voorschrift van de dokter.'

Terwijl we theedronken liet ik Hart mijn meest recente brief van Borden zien. Ik was vergeten dat mijn broer een paar onaardige dingen over Archer had gezegd.

> *Ik heb Albie verteld over je huwelijk met Archer Bigelow. Hij drukt het beter uit dan ik. 'Zeg tegen Dorrie dat ze ervoor zorgt dat ze gelukkig is als we thuiskomen, anders zullen we Archer mee moeten nemen naar het bos om te gaan jagen.' Ik voegde eraan toe dat je tegen Hart moet zeggen dat hij zichzelf in de vingers heeft gesneden omdat hij je niet in het oog heeft gehouden!*

Hart mopperde: 'Zeg maar tegen Borden dat hij zich geen zorgen hoeft te maken. Archer is blijkbaar een nieuwe man geworden nu hij met jou getrouwd is. Ik had nooit gedacht dat hij carrière zou maken met het verkopen van bijbels aan de goede mensen van Kings County.' Hij krabde Pepper achter de oren en keek me aan. 'Bijbels zei je toch, hè?'

Ik deed mijn ogen wijd open en probeerde hem een overtuigde blik toe te werpen. 'Dat klopt.'

Hij deed zijn jas aan en liep naar de deur. 'God weet dat Archie regentonnen zou kunnen verkopen in de woestijn.'

'Dat klopt.'

Ik denk niet dat hij me geloofde.

25 oktober 1917

Men verwacht wel vaker dat een vrouw al een paar maanden na het huwelijk zwanger is. Ik begon hoop te krijgen toen mijn ongesteldheid uitbleef, maar ondanks mijn dagdromen van geluk en huiselijkheid is het bloed toch gekomen.

Archer is nu meer dan drie weken weg. Het kan niet lang meer duren voordat zijn geld op is en hij naar huis moet komen. Ook al geeft hij niets om mij, zijn moeder heeft nog altijd haar hand op de knip van de rest van zijn erfenis. In dit geval ben ik blij dat ze Archer binnen haar bereik wil houden.

Bertine zegt: 'Hij is niet de eerste man die wegrent bij zijn vrouw. Hij zal het moe worden om steeds een plek te moeten vinden om zijn hoofd neer te kunnen leggen, om steeds weer te moeten uitleggen wie hij is, om steeds te moeten bedenken wat zijn volgende stap zal zijn... hij komt heus wel weer thuis.' Wat ook de reden zal zijn dat hij naar huis komt, ik zal hem verwelkomen met mijn genegenheid, mijn liefde en mijn lichaam. Ik verwacht echt niet dat ik hem ooit zal kunnen veranderen; hij kan doen wat hij wil zolang ik maar kan hebben wat ik altijd heb gewild. Als ik zwanger ben, zal niets er nog toe doen.

22

De eerste officiële vergadering van de Vrijblijvende Breistersvereniging werd niet alleen bijgewoond door Bertine, maar ook door Mabel en Sadie, en elke vrouw bracht haar kinderen en een mand vol met garen en naalden mee. Bertine was van plan om ons te leren hoe haar grootmoeder sokken breide. Ze zei dat het doorgegeven was door haar familie, eerst van de Orkney-eilanden naar Newfoundland. 'En nu naar de Vrijblijvende Breisters van Scots Bay.'

'Mam noemt het altijd het "vrijerslusje", andere vrouwen die ik ken noemen het gewoon *pool inweven*. Maar hoe je het ook noemt, het geeft sokken, wanten en mutsen dubbel zoveel warmte. Mam en mijn tantes hebben een lading voor de compagnie van mijn broer gemaakt, en nu vraagt de rest van het regiment er ook naar.' Bertine draaide een sok die af was binnenstebuiten, de wollige pool veerde op uit de nette toeren en ze zei met trotse stem: 'Volgens horen zeggen zijn ze zelfs tot in Egypte gekomen. Ik durf te wedden dat geen vrouw in de Bay dat over haar sokken kan zeggen.'

Mabel stelde voor de initialen VBV in elk paar te breien. 'Gewoon om ons stempel erop te drukken.' Ik voegde een wit randje toe aan de boordjes die ik breidde, een stil gebed voor de vrede. Tussen de rechte en averechtse steken door raakten de vrouwen van buiten op hun gemak en vertelden er lustig op los, hun gedachten vlogen van het een naar het ander, ze praatten onbevreesd en over alles behalve wat tante Fran fatsoenlijk zou vinden. Terwijl de kinderen speelden, verschoof het gesprek zich van klaagzangen over de natte herfststormen naar de beste en meest effectieve manieren om 'zwanger te worden'.

'De truc is dat je niet op moet staan voordat het ochtend is.' Sadie wiegde haar baby op en neer in een grote mand met een ronde bodem die bij haar voeten stond. 'Wat je ook doet, sta niet op totdat je echt moet, want anders raak je het zaad kwijt.' Sadie is pezig en sterk voor zo'n kleine vrouw als zij, ze heeft altijd een lach in haar zeegrijze ogen en haar tong is zo rap en zo wrang als die van een zeeman. Met een knipoog en een grijns krijgt ze je zover om dingen te zeggen die je niet van plan was, nieuws dat je liever niet wilde delen. 'Nu we het toch over vrijers hebben, hoe gaat het eigenlijk met die nieuwe man van je, Dora?'

Ik boog mijn hoofd en deed alsof ik de tel van mijn steken was kwijtgeraakt. 'Goed. Het gaat goed met hem.'

'Je zult hem wel erg missen.' De baby trilde met zijn oogleden en viel in slaap terwijl Sadies breinaalden tussen haar vingers klikten. 'Als ik zo'n knappe man had, zou ik zeker...'

Bertine fronste haar wenkbrauwen naar Sadie en schudde haar hoofd.

'Waarom trek je zo'n gezicht, Bertine? Ik bedoelde er helemaal niets mee. Ik zei alleen dat Archer Bigelow een mooie vent is. Doe maar niet alsof je dat niet gemerkt hebt.'

Bertine werd rood in haar gezicht.

'En... als ik me goed herinner heb ik je meer dan eens horen zeggen dat hij volgens jou schoon genoeg is om van te eten.'

Mabel proestte het uit en probeerde haar lach in te houden. 'Hou op, Sadie, straks ligt Dora helemaal dubbel en doe ik 't in mijn broek.'

Bertine klopte op mijn knie om mijn aandacht te krijgen en hield vervolgens haar handen onder haar grote borsten. 'Trek het je niet aan, Dorrie. Sadie moet goedmaken wat ze niet hééft door zo grof te zijn als een rasp, hoer die ze is.'

'Je kunt me een hoer noemen zo vaak je wilt, mevrouw Tupper. Mijn oma zei altijd, *stoute meisjes en hoeren zijn de enigen die het lekker vinden*. En ik vind het al lekker sinds mijn veertiende.'

Mabel hield op met lachen en wipte haar baby op haar schoot. 'Mijn moeder nam me de avond voor mijn bruiloft terzijde en zei tegen me: "Mabel, lieverd, als de bruiloft voorbij is, neemt je man je mee naar huis. Dan gaat er iets met je gebeuren, en je zult het niet leuk vinden." Ik kon het niet over mijn hart verkrijgen tegen haar te zeggen dat ze daar een beetje te laat mee was.'

Bertine zuchtte. 'Ik vind het niet vervelend, maar ik doe ook niet meer zo mijn best. Met Hardy is het net een ritje in de carrousel – je stapt op en net op het moment dat je de muziek leuk begint te vinden, en dat je nog wel een keer zo'n mooi rondje wilt maken... net als ik denk dat het iets begint te worden, is hij klaar.'

Moedig vroeg ik: 'Maar moet je niet je best doen als je wilt dat je er zwanger van raakt?'

'Tegenwoordig doe ik alleen nog maar mijn best als ik wil dat het snel voorbij is. Als er in de keuken pannen op me staan te wachten die ik schoon moet schrobben, of als ik denk dat de kinderen het zullen horen en ik de hele nacht met hen op moet blijven. Maar het maakt niet uit wat ik doe: als ik eenmaal weer ongesteld word, hoeft Hardy alleen maar mijn hand te schudden en me zijdelings aan te kijken, en ik ben alweer in verwachting.'

Mabel nam een slokje thee en bloosde. 'God vergeef me dat ik het zeg, maar geen man kan het beter doen dan jijzelf. Als je denkt dat hij je gelukkig moet maken voordat je een kind van hem kunt krijgen, kom je net zo vast te zitten als Sarah die op een engel wacht. Ze was te kieskeurig, en de oude Abraham kon haar gewoon niet genoeg plezieren. Dat deel van het verhaal wordt er alleen nooit bij verteld.'

Bertine knikte. 'Dat is zo. Ik heb ooit zo'n vrouw gekend. Ze ging naar een oude howdie-heks die haar zei dat ze drie knopen in een rood koord moest maken, om haar middel moest draaien en zich door haar man van achteren moest laten nemen, als een hond.'

'Werkte het?'

'Jazeker. Ze is allang dood nu, maar ze heeft wel drie tweelingen gekregen.'

Sadie geloofde het niet en schudde haar hoofd. 'Als je plezier wilt hebben, moet je bovenop gaan zitten. Dat is nog eens een rit. Als je een baby'tje wilt is het natuurlijk beter als je onder ligt. Maak een fijn stevig kussen gevuld met boekweit. Leg het onder je heupen zodat hij heel diep in je kan als hij boven op je ligt. Trek hem naar je toe als hij kreunt. Denk aan dansen; stel je voor dat je je van binnen uit naar hem uitstrekt. Denk aan de laatste keer dat je je echt hebt laten verrassen – misschien vind je het wel lekker. De truc is, niet opstaan voor het ochtend is.'

23

Zodra tante Fran gehoord had van de Vrijblijvende Breistersvereniging besloot ze op de zondagmiddag 'familietheeuurtjes' te gaan geven voor moeder, Precious en mij. Ik probeer haar uitnodigingen zo veel mogelijk af te wijzen, maar de vijftiende verjaardag van Precious viel op een zondag, en ik kon het niet over mijn hart verkrijgen haar lieve, kwetsbare, porseleinen poppenhart teleur te stellen.

Ik nam mijn uitgave van *Heart Throbs, 1905: The Old Scrapbook* voor haar mee, wat ik op de diploma-uitreiking van juffrouw Gertrude Coffill, de ongetrouwde schooljuf van Scots Bay, had gekregen.

> Hartkloppingen – ja, hartkloppingen van geluk, hartkloppingen van moed, hartkloppingen die ons een goed gevoel geven. De dingen die u aanspreken, moeten ook anderen aanspreken; dit kenmerk van inspiratie terzijde – laat ze naar buiten komen, dan gaan we een tijdschrift maken dat zowel de taal spreekt van het hart als van de geest. Stuur deze knipsels naar me toe, zodat ik kan zien welke verhalen u, uw moeder, zussen, broers, zonen en dochters interessant vinden. Ik wil weten wat voor soort korte maar krachtige artikelen u precies zou uitzoeken als u naast me aan mijn redacteursbureau zou zitten. U leest voortdurend verhalen en anekdotes in tijdschriften, boeken, kranten of religieuze periodieken. Misschien heeft u ze uitgeknipt of in uw plakboek geplakt,

of misschien herinnert u zich waar u zo'n verhaal hebt gezien en dacht: 'Nou, mooier kan eigenlijk niet.' Die verhalen zoek ik.
Ik heb tienduizend dollar op de First National Bank of Boston gezet. Dit geld zal beheerd worden tot de tijd die hieronder aangegeven staat. Dan zal het worden verdeeld onder degenen die me helpen. Dan geef ik aan tien mensen die de beste knipsels ingestuurd hebben, ieder

EEN STAPEL ZILVEREN DOLLARS ZO HOOG
ALS ELKE SUCCESVOLLE DEELNEMER

Annabelle, de zus van juffrouw Coffill, was een van de tien geluksvogels die voor een prijs werden gemeten. Een paar jaar geleden trouwde ze en verhuisde naar New Hampshire, maar er gaat geen schooljaar voorbij zonder dat juffrouw Coffill iets van het verhaal van haar zus vertelt. 'Annabelle was een klein, mooi meisje. De dag dat ze het telegram kreeg, was de enige dag waarop ze graag wat meer op haar grote, lelijke zus had willen lijken.' Met behulp van Annabelles ongunstige gebrek aan lengte leren de kinderen van Scots Bay rekenen:

Er gaan zes zilveren dollars in een centimeter *(vijftien in een duim)*
En Annabel is een meter en vijfenveertig centimeter lang *(vier voet en drieënhalve duim)*
Hoe groot is haar prijs?

Nadat we het antwoord hadden uitgerekend, gingen we elkaar opmeten, en daarna gingen we naar huis en maten onze ouders op. Charlie nam zelfs de maten op van onze dikke oude zeug, van oor tot poot en van snuit tot staart. Vervolgens klom hij op het dak van de schuur en mat die ook. Juffrouw Coffill was te beleefd om het te zeggen, maar we wisten allemaal wat ze bedoelde... als we meer waard waren dan Annabelle, was het prima. Op zeventigjarige leeftijd staat Gertrude Coffill nog steeds recht overeind – een meter tachtig lang *(vijf voet en elf duim)*. Ze is nooit getrouwd geweest maar ze weet in elk geval dat ze 1065 zilveren dollars waard is.

Heart Throbs is het enige boek dat ik heb waar tante Fran geen bezwaar tegen heeft en dat ik bereid ben om af te staan. Tussen de vele pagina's 'krachtige' gedichtjes en eindeloze huldebetogingen aan Abe Lincoln, trouwe jachthonden en een 'oude kano' zitten een paar parels: de monologen van Hamlet, *The Choir Invisible* van George Eliot en *Recessional* van Kipling. Deze en een paar andere passages heb ik gemarkeerd met een stukje rood koord in de hoop dat Precious ze zal vinden. (De rest van het koord heb ik om mijn middel geknoopt in afwachting van Archers thuiskomst.) Ik heb haar ook een nieuwe naaimand gegeven, eentje die ik na de bruiloft van Archers moeder had gekregen. Mijn ouwe mand is prima, dus het was niet moeilijk om de nieuwe aan Precious te geven. Ik had een paar roze lintjes door het deksel en rondom het handvat geregen in de hoop dat de weduwe hem niet zou herkennen bij een lappenbijeenkomst of een dameskransje. Ik geloof niet dat tante Fran mijn geschenken op prijs stelde, maar Precious was erg aardig en deed heel enthousiast. Ik had haar graag iets nieuws gegeven, maar aangezien ik nog niets van Archer heb gehoord, en ik nog steeds doe alsof alles in orde is, probeer ik alles wat ik extra heb te sparen voor het geval ik het deze winter nodig heb.

Tante Fran was beleefd, maar ze is nooit zomaar aardig. Ze zegt namelijk nooit iets zonder omwegen. Nee, tante Fran schept er een ziekelijk genoegen in om opmerkingen als *ze zeggen* en *ik heb gehoord* op precies uitgekiende momenten te laten doorsijpelen. Haar woorden zijn als jodium in een wond, heldere, pijnlijke herinneringen aan wat er mis met je is, en wat voor fouten je volgens haar hebt gemaakt. 'Ze zeggen dat de mannen die tegenwoordig langs de deuren gaan nog erger zijn dan zeelui. Ik heb gehoord dat ze hun verdiensten opdrinken, en hun vrouw alleen en zonder geld achterlaten. Ik hoop toch wel dat die lieve Archer van je dat soort mensen niet is tegengekomen nu hij bijbels verkoopt. Wanneer komt hij weer naar huis, lieverd?'

'Binnenkort, tante Fran, hij komt binnenkort weer thuis.'

'Nou, dat hoop ik dan maar voor je. Er is koud weer op komst, en volgens de almanaks, zowel volgens *Belcher's* als de *Ladies' Rural Companion*, wordt het een strenge winter. Meer sneeuw en ijs dan we in jaren hebben gehad. Wil je het zien? Ik heb de *Ladies*' al uit. Je mag hem gerust van me lenen.' Ze reikte haar hand uit naar de naaimand naast haar stoel. 'Er staat een handig stukje in over het maken van zalfjes en kompressen... het deed me denken aan je vriendin Marie Babineau. De winnende recepten van dit jaar staan hier op de voorkant. *Allemaal appels: Appel-kruimelgebak, Appelmoes, Appeltaart, Gebakken appels met varkensgebraad.* Misschien vind je wel een nieuw lievelingsgerecht voor Archer. Neem het straks maar mee.'

Precious gaapte. 'Gaan we nu taart eten? Of een potje kaarten?'

Moeder kwam ertussen alsof ze al haar vragen had opgespaard om ze er allemaal achter elkaar uit te laten rollen. Ze zoemden door mijn oren en ik wist niet wat ik moest zeggen. 'Dominee Pineo zegt dat hij een aantal nieuwe gezangenboeken, kerkboeken en een paar bijbels wil bestellen als Archer thuiskomt. Weet je wanneer dat ongeveer is? Ik zou het graag binnenkort aan de dominee vertellen, zodat hij plannen kan maken. Tegen Kerstmis, denk je? Zei je dat je van hem gehoord had? Is hij ver weg? Ik neem aan dat mensen de troost van het woord van de Heer hard nodig hebben in deze moeilijke tijden. Hij zal het wel druk hebben. Zei je dat je van hem gehoord had?'

Tante Fran legde haar hand onder mijn kin en tilde mijn gezicht op naar het licht. 'Dora, lieverd, je gezicht is helemaal rood. Voel je je niet lekker? Je kunt vanavond gerust hier blijven als je geen zin hebt om naar huis te gaan.'

Precious klapte haar handen in elkaar. 'Je kunt bij mij in bed slapen, net als vroeger. Kunnen we elkaar geheimen vertellen tot het licht wordt.'

Mijn gezicht brandde en mijn keel deed pijn terwijl ik probeerde niet te huilen. 'Het gaat best, tante, misschien heb ik een koutje onder de leden. Ik heb alleen wat rust nodig. Ik kan beter naar huis gaan. Bedankt voor een fijne avond.'

Moeder fluisterde in mijn oor: 'Heeft Archer je zwanger achtergelaten?'

'Nee, mama, dat is het niet.'

'Weet je het zeker?'

'Ja, mama.'

Tante Fran verkondigde: 'Volgens mij moet je dr. Thomas opzoeken. Je kunt niet van een vrouw verwachten dat ze voor zichzelf zorgt als ze een kind krijgt, zelfs niet een die bij een vroedvrouw heeft gewoond.'

'Maar ik ben niet...'

Fran foeterde me uit. 'Zeg maar niets, Dora. Ik weet zeker dat de dokter je zal ontvangen als ik het vraag. Irwin moet deze week voor zaken naar Canning. Jij gaat met hem mee. Ik regel de rest, ik sta erop.'

Ze stond er ook op dat oom Irwin het rijtuig inspande om me naar huis te brengen. Hij nam de langste route, floot naar de paarden en praatte met ze over het weer. De lange schaduwen van de winter zijn onderweg, dreigend en donker strekt de berghelling zich uit, de god Glooscap slaapt, zijn verhevenheid weggedraaid van de Bay en onze kleine leventjes. De sikkelvormige maan lag op haar rug, drijvend tussen de duisternis en de zee. Een olielamp die vlak bij een keukenraam stond, wierp een kleine gele aureool van licht op twee kinderen die hun moeder smeekten om een laatste snoepje. De scherpe geur van brandend dennenhout op het haardvuur, in de gaten gehouden door oplettende echtgenoten, hing in de lucht. Als ik deze dingen kon stelen en kon bezitten, zou ik het doen.

Dr. Thomas stelde de diagnose dat ik neurasthenie had, 'een vrouwelijke aandoening die zich kenmerkt door hysterische neigingen'. Hij zei dat het geregeld voorkwam onder de jonge vrouwen van tegenwoordig en dat 'de kwaal te behandelen is, maar niet altijd te genezen'.

'Ik heb uw aardige tante, mevrouw Jeffers, gesproken. Ze is erg ongerust over een aanval die u onlangs had toen u bij haar op bezoek was. Weet u zeker dat u niet zwanger bent?'

'Ja. Heel zeker.'

'Maar u wilt natuurlijk wel een kind hebben.'

'Ja.'

Na een kort onderzoek en een aantal vragen, verkondigde hij: 'Door uw vroegtijdige blootstelling aan de primitieve en soms onbetamelijke regeneratieve aspecten van het vrouwzijn, tezamen met uw huidige wens om kinderen voort te brengen, is uw fysieke systeem in een constante staat van nervositeit. Door uw kwetsbare mentale toestand zijn uw vrouwelijke organen ingestort, waardoor u onvruchtbaar bent, ziek en mager.' Hij schudde zijn hoofd en zuchtte. 'Hebt u nog andere bevallingen bijgewoond?'

'Nee, niet sinds die van Sadie Loomer, op mijn trouwdag.'

'Goed. Houden zo. U heeft geen kans om zwanger te worden zolang we uw kwaal niet onder controle hebben.' Hij stond op en liep naar een kast aan de andere kant van de kamer. Behalve een aantal grote schematische tekeningen van de menselijke anatomie en verschillende medische behandelmethoden aan de muur, was zijn spreekkamer niet veranderd sinds de grote rondleiding voor de dames van Scots Bay. Terwijl hij weg was, las ik wat er op een grote poster stond over gezondheidsbelangen voor de vrouw, die aan de muur was genageld.

Angstgevoelens? Moe? Huilerig?

U bent niet de enige. De modernisering van de maatschappij heeft een toename in neurasthenie, bleekzucht en hysterie veroorzaakt.

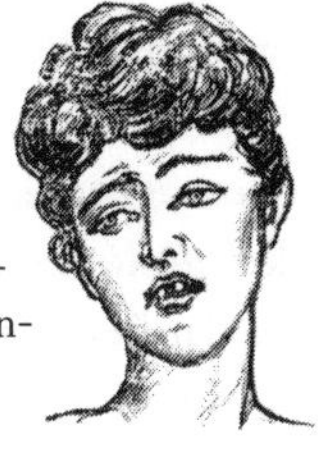

Symptomen van neurasthenie zijn onder andere: huilen, melancholie, angst, geïrriteerdheid, depressiviteit, onbeheerstheid, slapeloosheid, mentale en fysieke moeheid, loos gebabbel, plotselinge koorts, doodsangsten, regelmatige opwinding, vergeetachtigheid, hartkloppingen, hoofdpijn, schrijfkramp, geestelijke verwarring, continue bezorgdheid en angst voor dreigende krankzinnigheid.

Praat met uw dokter. Hij kan u helpen.

Een kleine kachel in de hoek van de kamer klopte en tikte van de hitte. De geluiden waren een echo van het nerveuze bonzen van mijn hart. 'Ga maar op de tafel liggen, dan zal ik u de behandeling toedienen. Het maakt de baarmoeder klaar, zodat ze in alle rijpheid kan wachten op een nieuw zieltje.' Dr. Thomas trok de rok van mijn jurk omhoog. Ik had ervoor gekozen om alleen mijn kousen en ondergoed uit te doen en voor het fatsoen mijn jurk aangehouden in de hoop dat hij het rode koord om mijn middel niet zou zien en ernaar zou vragen. Hij trok een karretje naar de tafel toe en opende een grote zwarte doos die er bovenop stond. Ik kon het etiket niet lezen. De Zweedse bewegings- en gezondheidsgenerator, een vreemd, log apparaat, omringd door een rood fluwelen kussen. Het was zilverkleurig en glansde. Aan een kant kwam er een lange zwarte draad uit. In de vakjes rondom het apparaat lagen verschillende hulpstukken die stuk voor stuk leken op de mechanische snuit van een dier of de geboende, donkere snavel van een exotische vogel. 'Een waar medisch wonder.' Hij draaide een grote, ronde zwarte neus aan de andere kant van het apparaat. 'Ik kan de behandeling binnen enkele minuten toedienen, het stuwt het bloed naar de verstopte delen, maakt innerlijke spanningen vrij, waardoor u verlost wordt van uw lijden. Als het goed is slaapt u vannacht als een baby, mevrouw Bigelow.'

Dr. Thomas draaide een knop om aan het handvat en het ding begon luid te zoemen. Hij verhief zijn stem om boven het geluid uit te komen. 'Spreid uw benen en probeer te ontspannen.'

Het gezicht van dr. Thomas was kalm en vastberaden. Ik sloot mijn ogen en probeerde me voor te stellen dat ik ergens anders was. Thuis lag er nog verstelwerk. Had ik genoeg sokken gebreid voor Archer voor de winter? Misschien zijn er nog genoeg appels in de kelder voor een lading appelmoes. Ik moet eens kijken of ze zacht aan het worden zijn. Ik hoop dat ze niet rot zijn. Volgens de *Ladies' Rural Companion* moet je kaneel gebruiken. 'Het geeft deze winterse lekkernij iets spannends, vooral als het warm wordt opgediend.'

Dr. Thomas draaide rondjes met het puntje van het apparaat, en ging steeds verder langs de trillende roze huidplooien naar binnen, maakte mijn baarmoeder open en doorzocht haar. Mijn hart begon heel snel te kloppen, waardoor ik me moeilijk kon concentreren. Dit was meer dan ik ooit gevoeld had in de armen van mijn man, zelfs meer dan ik mezelf had kunnen geven tussen de warme dekens van mijn tienerbed. Dr. Thomas had gelijk; ik deed alle moeite om mijn hersens bezig te houden met onschuldige gedachten, maar mijn bloed werd steeds heter en pulseerde vol levenslust. Ik dacht aan de zondagse gezangen, bladzijdes uit waardige boeken, stelde me moeder voor die over de dansende derwisjen van Constantinopel leest, haar handen die een groot bruin boek van de plank pakken met een glinsterende gouden titel op de rug, *Good Words, 1866*.

> De derwisjen zelf kwamen plat en alledaags over, met bleke gezichten en een half sensuele, half nerveuze en hysterische uitstraling.

Mijn heupen gingen koortsachtig en gespannen op en neer en volgden elke beweging die hij maakte. Mijn knieën trilden. Het snoer van de rozenkralen van Wijze Marie, zat strak om mijn nek, alsof het aan me trok en ik me niet los kon maken, geen adem kon halen. Ik beet op mijn lip en ik proefde de zoete, alarmerende smaak van bloed op het puntje van mijn tong.

> De neiging om de prikkeling en onstuimigheid van de ziel uit te drukken of te ontladen door middel van uiterlijke tekenen van plezier zoals zingen, schreeuwen, dansen en dergelijke is natuurlijk, hoewel deze vaak doorslaan naar het hysterische.

'Goed zo, mevrouw Bigelow. Een snelle, diepe ademhaling is wat ik wil zien. Het stimuleert het zenuwstelsel, ruimt ziektes op.'

> De omschakeling van louter animalisme, dat niet belemmerd wordt door moreel besef, naar flagrante sensualiteit is heel natuurlijk.

Als je plezier wilt hebben, moet je bovenop gaan zitten... Denk aan dansen; stel je voor dat je je van binnenuit naar hem uitstrekt. Denk aan de laatste keer dat je je echt hebt laten verrassen...

'Laat uw pijn gaan, mevrouw Bigelow, zuiver het bloed, laat uw pijn gaan.'

Mijn ogen sprongen open met een enkele pulserende schreeuw. Het was een succesvolle behandeling.

Het zoemen hield op. De Zweedse bewegings- en gezondheidsgenerator hield op. Dr. Thomas glimlachte; hij had zijn werk gedaan. Ik tuimelde uit mijn hemelse, tollende dans en begon te giechelen en kreeg lachstuipen. 'Mevrouw Bigelow? Mevrouw Bigelow! Rustig aan. Houd uw gevoelens in bedwang. Luister naar me, alstublieft.' Tranen rolden over mijn wangen. Ik kon niet ophouden en trilde van het lachen. Ik trok mijn jas over mijn schouders en rende de spreekkamer uit.

> Secundaire symptomen zijn onder andere: gapen, jeuk, maagoprispingen, spierkramp en kitteligheid.

Dr. Thomas rende achter me aan met mijn zondagse zijden kousen als een sleep in zijn hand. Hij schreeuwde en volgde me door de straat. 'Ik adviseer een wekelijkse behandeling, mevrouw Bigelow. Uw toestand is in een gevorderd stadium. U riskeert een totale emotionele en fysieke uitputting als u er niets aan doet.'

> Komt vooral voor bij ongetrouwde vrouwen en jonge weduwen, hysteroneurasthenische aandoeningen uiten zich vaak als neurotische 'aanvallen'. Nadien schaamt ze zich voor haar gedrag – zelfs zo erg dat ze het zal ontkennen of beledigd zal zijn als ze eraan herinnerd wordt.

Dr. Gilbert Thomas
Pleasant St. 124
Canning, Nova Scotia

6 november 1917

Mevrouw Dora Bigelow
Scots Bay, Nova Scotia

Geachte mevrouw Bigelow,
Hoewel mijn recentelijke diagnose van uw huidige gesteldheid u misschien geschokt heeft, moet ik erop aandringen dat u mijn advies in acht neemt en onmiddellijk de juiste actie onderneemt. Bij het laatste bezoek werd het me duidelijk dat uw ziekte veel zorg en observatie vereist. Zoals u hebt ervaren,

is er een effectieve methode voor uw klachten, en ik ben graag bereid om de behandelingsmethode aan te wenden die u nodig hebt om u weer helemaal gezond te voelen.
U hoeft zich geen zorgen te maken over de kosten, want ik heb gesproken met uw aardige tante, mevrouw Francine Jeffers, en zij heeft toegezegd zich over uw onkosten te ontfermen. U kunt er gerust op zijn dat zij niet op de hoogte is van de kwetsbare omstandigheden van uw gesteldheid, maar ze is eenvoudigweg bezorgd, net als ik, over uw geluk en uw welzijn.
Wederom dring ik erop aan dat u de behandeling niet uitstelt. Een situatie als deze kan snel verkeerd uitpakken en zelfs de sterkste vrouwen gebroken, hulpeloos achterlaten, waardoor ze in het ziekenhuis moeten worden opgenomen.

Hoogachtend,
Dr. Gilbert Thomas

8 november 1917

Archer is nu bijna een maand weg.

Veel symptomen van de neurasthenie houden aan: slapeloosheid, melancholie, plotselinge huilbuien en algehele lusteloosheid. Dr. Thomas heeft verschillende brieven geschreven om me eraan te herinneren dat hij nog steeds beschikbaar is. Ik begrijp zijn bezorgdheid dat mijn kwaal misschien erger wordt, 'waardoor ik nutteloos word voor mijn familie en mijn gemeenschap', maar ik kan mezelf er niet meer toe brengen om nog eens naar hem toe te gaan. Trouwens, volgens mij heb ik zelf een behandelingsmethode gevonden.

Achter in de *Ladies' Rural Companion* die tante Fran me geleend heeft, kwam ik een advertentie tegen voor de Witte Kruis Thuisvibrator. Ik ga hem kopen met een deel van het geld dat ik gespaard heb – het beetje dat Wijze Marie gekregen had van gulle moeders, wat er over is gebleven na mijn maandelijkse rekening van *Newcomb's Dry Goods*, en de muntjes die vader altijd in mijn schoen stopt als ik thuis kom eten.

Witte Kruis Vibrator met accu

Echte Zweedse beweging en bijzonder verkwikkende resultaten, dezelfde behandeling waarvoor u in de spreekkamer van een dokter ten minste $2.00 per keer moet betalen.

Vibratie is levenslust

Het zal de jaren op wonderbaarlijke wijze verjagen. Elke zenuw, elke cel in uw lichaam zal tintelen door de kracht van uw wakker geworden vermogens. Het zuivere genot, de geneugten van de jeugd zullen in u kloppen. Rijk, rood bloed wordt door uw bloedbaan gestuurd, en u zult de lust van het leven werkelijk beleven. *Zelfs uw zelfrespect zal zich honderdmaal vermenigvuldigen.*

U kunt pijn, stijfheid en moeheid wegnemen en u kunt het lichaam verstevigen en opbouwen met spannende, verkwikkende vibraties en elektriciteit. *Slechts een paar minuten met deze geweldige vibrator en het rode bloed tintelt door uw aderen en u voelt zich vitaal, sterk en gezond.*

25 november 1917
10 uur 's ochtends

Vandaag kwam er een pakketje voor me met de post, de Witte Kruis Thuisvibrator van Lindstrom-Smith Co., 253 LaSalle St., Chicago, Illinois, USA. Met de komst van dit 'medisch wonder' heb ik goede hoop dat ik mijn spaargeld goed geïnvesteerd heb.

Ik zal de resultaten van mijn gebruik van het apparaat goed in de gaten houden en noteren. Als er nog steeds geen verbetering optreedt in mijn gesteldheid, zal ik een nieuwe afspraak maken met de goede dokter.

12 uur 's middags

Na wat moeilijkheden met het aansluiten van het apparaat op de grote, zware accu, ben ik de thuisbehandeling met de Witte Kruis Vibrator begonnen. Tot nu toe ben ik tevreden met het resultaat! Hiermee zouden mijn gebeden wel eens verhoord kunnen worden.

(De eerste poging leek erg veel op mijn ervaring in de spreekkamer van dr. Thomas, hoewel ik erop gelet heb om niet verder te gaan dan het hemelse tollen van de derwisjen.)

Halfdrie

Na de lunch voelde ik me angstig en verdrietig. Tijdens mijn dagelijkse karweitjes werd ik geplaagd door eenzame gedachten, en ik dacht dat Archer nooit meer thuis zou komen. Om te proberen mezelf te helpen en de ware krachten van het apparaat te testen, heb ik mezelf vandaag voor de tweede keer een behandeling gegeven. Wederom werd ik zo gestimuleerd dat ik me helemaal gelukkig voelde. Het is zelfs zo dat ik mezelf toelach met een gevoel van trots dat dit 'doktersdomein' zo makkelijk betreden kan worden door een eenvoudige vroedvrouw als ik. Heb ik bij toeval weer een methode ontdekt die beter wordt uitgevoerd door het schone geslacht? Zouden de geleerden en medische tijdschriften niet verbaasd zijn als ze van mijn bevindingen zouden horen?

10 uur 's avonds

Na mijn derde behandeling gloei ik van vermoeidheid en voel ik me wat koortsachtig. Het geeft me zoveel vreugde dat het moeilijk is om te weten wat de juiste dosering is. (Misschien is drie keer op een dag te veel?) Ik was zo moe dat ik voor het eten een dutje ging doen en pas wakker werd toen het bijna negen uur was! Ik voel me uitstekend. At een laat ontbijtdiner. Spek, gestoofde appels, vette room en zoetbrood. Ik ben ervan overtuigd dat dit, samen met mijn vertrouwen in de middeltjes van Wijze Marie, ervoor zal zorgen dat ik klaar ben (en meer dan bereidwillig) als Archer terugkeert.

Lieve Dora,

Het spijt me dat ik je zo lang alleen heb gelaten.
Kom zo spoedig mogelijk naar huis en heb veel te vertellen.
Uiterlijk met Kerstmis zal ik weer bij je zijn.

Veel liefs,
Je echtgenoot,
Archie

24

Het kaartje van Archer stuurde me onmiddellijk terug naar het Wilgenboek om op te zoeken of ik iets had gemist van de voorbereidingen of gebeden die me konden helpen om zwanger te worden. Telkens als ik een middeltje van mijn lijst afstreep, wacht ik met meer ongeduld op zijn thuiskomst (en met zoveel egoïsme dat ik het nieuws aan niemand anders wil vertellen). Als dit ooit gaat werken, moet ik alleen met hem zijn.

Ik houd me aan mijn dagelijkse ritueel: vier keer per dag een flinke dosis van het maanelixir van Wijze Marie – ontbijt, lunch, thee, avondeten, en dan een dubbele dosis samen met een vibratorbehandeling voordat ik ga slapen. Ik slaap alleen op mijn rug, met een stevig kussen onder mijn heupen en een stenen mannetje warm en zwaar binnen in me genesteld, zodat mijn baarmoeder tot de volgende ochtend op de juiste manier gekanteld is.

Het maanbad dat Wijze Marie aanbevolen had, was een koude en onaangename toestand. Ik ging op het kruispunt liggen waar Three Brooks Road en de oude houthakkersweg die naar het huis van Wijze Marie gaat bij elkaar komen. Binnen de kortste keren lag ik te rillen.

Vader zei altijd dat je niet met je hoofd bloot in het maanlicht moest slapen. 'Houd de gordijnen altijd dicht tijdens de volle maan, en bedek je hoofd als je naar buiten gaat... vooral als ze fel op het water schijnt. Als het licht genoeg is om te hooien, kan je makkelijk een maansteek oplopen. Word je gek van. Veel erger dan een zonnesteek.' Verschillende keren schrok ik op omdat ik dacht voetstappen op de weg te horen. Maar het was alleen de wind die ritselde door de dorre dode bladeren die nog aan de bomen hingen. Op een gegeven moment dacht ik zelfs dat ik de geest van Wijze Marie naar me hoorde roepen, en leek het net of de kringelende sleep van haar rokken over mijn hoofd vloog. Maar later bleek dat een van Laird Jessups koeien was losgebroken en zijn hete adem tussen de elzen door snoof. Te veel elixir die avond, waarschijnlijk.

Ik heb wel het gevoel dat het werkt, de recepten van Wijze Marie, haar stenen man, alles. Vooral het elixir lijkt veel te helpen. Als ik het inneem tijdens mijn behandeling, voel ik me warm van binnen en vol verlangen. Ik merk dat ik niet kan wachten tot het avond is, verzin smoesjes om niet naar een gezangenavond te hoeven of naar het avondeten met moeder of de Vrijblijvende Breisters, zodat ik alleen kan zijn om een gezonde dosis (of twee) te nemen, zodat ik kan dromen dat Archer weer thuiskomt en dat hij degene is naar wie ik verlang.

Op een avond kwam Hart binnen nadat hij de dieren verzorgd had. Hoewel de poot van Pepper al een poosje genezen was, had hij pas nu besloten dat het tijd was om de hond mee naar huis te nemen. 'Binnenkort gaat het sneeuwen en ik heb haar nodig om het vee uit de wei te halen, dichter naar de schuur.' Ze was eigenlijk weer zo goed als nieuw, maar toen Hart haar riep begon ze gauw te hinken.

Hart ging op zijn hurken zitten en riep opnieuw. 'Kom op, meid. Kom nou, Pepper.'

Ze verstopte zich onder de tafel.

Ik ging op de grond zitten en probeerde haar er onderuit te lokken met een half theebiscuitje. 'Het is mijn schuld dat ze niet wil gaan. Ik heb haar na elke maaltijd mijn bord laten aflikken, en ze is eraan gewend geraakt om op het voeteneind van het bed te slapen.'

Hij klapte in zijn handen en commandeerde: 'Hier.'

Met haar oren in de nek en de staart tussen haar benen kwam ze mokkend naar hem toe en ging bij zijn voeten liggen, met haar buik naar boven. Hij lachte en aaide haar met beide handen en zei kirrend: 'Ja, braaf, Pep. Kom, we gaan naar huis. Morgen is een lange dag.'

Pepper sprong overeind en kwispelde met haar staart. Alles was vergeven.

Zodra Hart de deur achter zich had dichtgetrokken, kwam hij weer binnenstormen. Hij trok mijn jas van de haak en gaf hem aan me. 'Kom mee.'

Ik glipte mijn laarzen aan en gooide mijn jas over mijn schouders. 'Wat is er? Is er iets aan de hand?'

Hij trok me de voortuin in. 'Het is niet ver.'

Ik keek naar de duisternis rondom de bomen beneden aan de heuvel. Ik dacht dat Pepper ervandoor was gegaan, achter een wasbeer of een stekelvarken aan. Ik sloeg Hart op zijn arm en wees naar Pepper die geduldig op de veranda lag. Haar staart sloeg op de traptreden. 'Hier is ze. Het is koud, ik ga weer naar binnen. Zet die oogkleppen af en neem je hond mee naar huis.'

Hij hield mijn arm stevig vast. 'Kijk eens naar boven.'

Noorderlicht reikte boven de sparren op de top van de heuvelrug uit, blauw glinsterend, vervolgens groen. Het trilde en danste, soms kwam er een streep donkerroze tussendoor. Het is niet vaak te zien in de Bay, en ik geloof dat ik het nog nooit eerder zo helder en licht gezien heb. Wijze Marie vertelde me eens dat ze geloofde dat het licht er altijd was, 'net als een regenboog of een trouwe vriend is het er altijd, maar de zegen om de opmerkelijkheid ervan te kunnen zien, komt alleen als we er behoefte aan hebben. Het geheim van hoe de aarde is gemaakt, ligt verscholen in zijn dans, soms kun je het zelfs een deuntje horen fluiten. Het noorderlicht vertelt het verhaal van de wereld, alleen laat God ons niet de woorden vinden om het hardop te zeggen. Maar als hij ooit van gedachten verandert en het me vertelt, laat ik het je weten.'

Ondanks dat ze zo verschillend zijn, lijken Hart en Archer ook wel op elkaar, de diepe ademhaling, de hapering in het laagste gedeelte van de stem, de manier waarop ze me allebei, onbedoeld, nerveus maken. Ik ben voor allebei een beetje bang, voor de een omdat hij me nooit laat weten of hij gelukkig is, en voor de ander omdat hij me nooit laat weten waar ik sta. Ze zijn verschillend, natuurlijk, en je moet hen niet door elkaar halen.

'Hij weet niet wat hij doet. Als hij straks terugkomt, lacht hij iedereen uit die hem probeert te vertellen dat hij veel te lang weg is gebleven.'

'Ik weet het.' Ik wilde hem vertellen over het kaartje van Archer, maar hij ging verder voordat ik iets kon zeggen. Zodra hij begon te spreken, besloot ik om niets te zeggen.

'Als je wilt dat ik hem ga zoeken en naar huis breng, dan doe ik dat.'

'Nee. Het is beter als hij uit zichzelf naar huis komt.'

25

Mijn overgrootmoeder Mae Loveless zei altijd, *Als je niet goed rookt, krijg je maaien.* Als je haar niet kende, dacht je misschien dat ze het over elft, haring of makreel had, maar Oma Mae gebruikte die uitdrukking bij elke gelegenheid. Meestal doelde ze dan op de juiste manier om een kind op te voeden, of de manier waarop een vrouw te veel rimpels in het gezicht kreeg als ze een hard leven had. Als je niet goed droogt, als je de belangrijke dingen verwaarloost, als je niet oplet... *gedraag je, blijf bij het vuur, houd een oog in het zeil, voorzichtig met die man van je, anders loopt hij bij je weg.* Oma Mae vertelde ook vaak dat haar moeder, Dahlia Woodall, een echte legende was en de wáre reden dat de *Great Shad Seine* van Scots Bay zonk. 'Die mannen kregen op een hardhandige manier met Dahlia te maken, en daarmee was het afgelopen.'

Toen een paar rijke mannen uit Halifax lucht kregen van de hoeveelheid elft die men in de Bay kon vangen, kwamen ze hiernaartoe met allerlei beloftes, en richtten de Great Seine Company op in Scots Bay. Sommige mensen zeggen dat het net zo'n groots opgezette onderneming was als de spoorweg die van Halifax naar de Annapolis Valley gaat, en dat er in alle dorpen die daartussen lagen net zoveel over werd gepraat. Mannen uit de Bay stonden te popelen om er te gaan werken. De vrouwen waren graag bereid om de taak van het knopen van grote netten op zich te nemen. Hun handen waren vaardig in het werken met berkenhouten breinaalden en het maken van zegenknopen. In de lente bracht elk huis zijn stuk van het sleepnet mee om tegen de andere stukken aan te leggen. De vrouwen gingen op de weg zitten en weefden het ding aan elkaar.

Ze maakten een gigantisch sleepnet en bouwden een barak voor de voorman en de werknemers. Maar in plaats van dat hij de mannen een eerlijk loon betaalde, vond de baas het beter om ze te betalen met een okshoofd rum, en werd hun loon geregeld 'doorgegeven' als de vangst binnen was. Het duurde niet lang voordat de mannen hopeloos dronken waren en sommigen bij de vis in het bootje moesten worden gegooid. Anderen strompelden rond, verdwaalden in de mist of vielen schreeuwend en gillend als schooljongens over elkaar heen. Uiteindelijk hadden ze meestal veel van hun vangst verloren, en werd het ongerookt en rottend achtergelaten aan de waterkant.

Terwijl de mannen aan het ploeteren waren, in hun bootjes vol met elft rondduikelden en niet meer wisten wat de staart van een vis of zijn lelijke gapende bek was, trommelde Dahlia de vrouwen op en marcheerde naar het sleepnet toe. Met wasmanden en handkarren verzamelden ze zoveel vis als ze konden en namen het mee naar huis om schoon te maken en te pekelen voor eigen gebruik. Oma Mae zei altijd vol trots, *ondanks al die gekheid waren de vrouwen niet van plan om hun kinderen te laten verhongeren.* Toen dit zo verderging, verspreidden de roddels over de luie, dronken idioten van Scots Bay *die zowat familie zijn* zich door de streek. De vrouwen werden het al snel moe dat ze zo ontzettend veel moeite moesten doen om de elft en de reputatie van hun mannen te redden. Dahlia wist dat het niet lang meer zou duren voordat de 'Duivelse Rum' de mannen van de Bay zowel het leven als hun levensonderhoud zou kosten.

's Avonds op 1 augustus, 1800 kwamen de vrouwen van Scots Bay bij elkaar op de boerderij van de familie Woodall. Dahlia zat te wachten. Ze zei tegen de vrouwen dat het tijd was om een eind te maken aan 'Satans luiheidselixir'. 'Vanavond brengen we onze mannen naar huis, we brengen ze weer terug in de schoot van de familie.' Ze sloot haar kinderen veilig op in de blokhut, gaf elke vrouw een fakkel en zo marcheerden ze de deur uit. Op die warme zomeravond, gewapend met vuur en bijlen liepen de vrouwen naar het sleepnet en terwijl ze 'Jerusalem' zongen, omcirkelden ze de barak. Toen de mannen naar buiten kwamen om te kijken wat er aan de hand was, renden de dames naar binnen en gooiden elke kroes met rum aan diggelen zodat de amberkleurige vloeistof door de kieren in de vloer de aarde in vloeide. Nu was het hun beurt om te gillen en te schreeuwen terwijl ze met hun fakkels de muren in brand staken. Het dak vatte vlam en verpulverde tot felrode en oranje bloesemblaadjes, en vloog als as uiteen.

Als ik mijn man terug wilde, zou ik hem zelf thuis moeten brengen.

'Ik heb hem twee dagen geleden 's avonds bij de Burnt Nickel gezien. Dat was niets bijzonders, want de meeste mannen komen binnen om wat te eten of te drinken onderweg naar ergens anders, maar toen Archer een beetje lastig begon te worden, dacht ik dat ik het je maar beter kon laten weten.' Jack Tupper zat aan mijn keukentafel en propte de laatste hap van een flink stuk appeltaart in zijn mond. Aangezien hij bijna vijftig is, zo mager als een lat en ongetrouwd, begint Jack een gesprek meestal met een eenvoudig kopje koffie, maar maakt hij pas duidelijk waar hij het over heeft als hij je halve ijskast heeft leeggegeten. 'Ik neem aan dat je net zo goed als ieder ander weet dat Archie wel van een glaasje houdt. Als hij maar een of twee slokjes heeft gehad, gaat het nog wel, maar deze keer had hij een lege fles in de ene en een bijna volle in de andere hand. Erger nog zelfs, hij had niet genoeg op zak om die ouwe Georgie Wickwire te betalen. Archie smeekte om een tweede kans, dubbel of niets, maar Wickwire geeft nooit een tweede kans, hij houdt niet van oplichters.'

'Is Archer in elkaar geslagen? Waar is hij nu?'

'Wickwire huurde iemand in om hem buiten de deur te zetten en "de schuld weer goed te maken" ... die man kan het zich veroorloven zijn eigen handen niet vuil te maken. Archie heeft flinke klappen gehad; gebroken vingers en ribben, zijn oren dichtgeslagen en bloederig, en hij heeft twee blauwe ogen. T.L. Gordon, de apotheker, ken je die? Hij zei dat hij Archie een verband om zou doen en zou ontnuchteren en dat hij in de kamer boven de winkel kon blijven tot hij fit genoeg was om naar huis te gaan.'

Ik zette de appeltaart voor hem neer, er was nog driekwart over. 'Neem zoveel als je wilt, Jack. Er ligt vers brood op het aanrecht en room in de ijskast om erop te smeren. Bedankt dat je de moeite hebt genomen om hier langs te komen. Ik zorg dat de rest in orde komt.'

'Goed als ik zo uit het bakblik eet?'

'Dat is prima. Zet de borden maar op het aanrecht neer als je klaar bent.' Ik pakte een paar spullen in de verlostas van Wijze Marie en liep naar de deur. 'Hou Archers verblijfplaats nog maar even geheim, oké?'

Jack keek op, knikte en glimlachte met zijn mond vol taart.

Charlie was zo aardig om me naar Gordons winkel in Kentville te rijden. Archer lag boven te slapen in een kamer met kale muren.

Wijze Marie had het vaak over meneer Gordon gehad maar ze had hem nooit ontmoet. Hij stuurde de dingen die ze nodig had (wonderolie, *Jayes Fluid*, garen en andere benodigdheden) naar haar op per post, en vroeg er nooit veel voor, of helemaal niets. Er waren drie andere apothekers dichter in de buurt van Scots Bay, maar ze wilde naar niemand anders toe. 'Het moet van een gelovige komen. Weet je waar de T.L. voor staat? De naam van die man is *Trusted Lord* Gordon. Glorie aan de heilige Maagd, hij heet *Trusted Lord*! Staat gewoon op zijn recepten. Als zijn mama hem bewust zo heeft genoemd, heeft hij geen keus, dan moet hij wel geloven.'

Archer klaagde nog steeds een beetje over zijn blauwe plekken, maar was erg charmant en vol berouw. 'Ach, mijn lieve vrouw. Je kon het zeker geen dag langer meer zonder me uithouden, hè schat?'

'Na twee maanden zou je denken dat ze bijna vergeten was dat ze getrouwd is.' Charlie deed zijn armen over elkaar en zag er moe en boos uit.

Ik ging naast Archer op het bed zitten en trok zijn verband recht. Hoewel ik het met Charlie eens was, kreeg ik toch medelijden met de treurige toestand van Archie en voelde me zelfs enigszins verantwoordelijk. Ik zou alles gezegd hebben om ervoor te zorgen dat hij naar huis kwam. 'Je hoeft hem niet uit te schelden, Charlie, hij heeft wel genoeg meegemaakt.'

Meneer Gordon was zo aardig om ons allemaal een slaapplek te geven die avond. 'Heeft geen zin om in het donker naar huis te gaan. Er is hier plaats genoeg.'

26

In de ochtend van 6 december was er veel commotie in Gordons winkel. Een man kwam vanaf de straat naar binnen rennen en zei dat er een vreselijke ramp gebeurd was in Halifax. Anderen zeiden het ook, maar niemand kon precies zeggen wat er was gebeurd of waardoor het veroorzaakt was. Twee plaatselijke dokters kwamen binnen en vroegen aan Gordon om hun alles te geven wat hij maar enigszins kon missen. Alle dokters, verpleegsters, vroedvrouwen en andere hulp moesten zich voor de middag melden bij het treinstation. Charlie zei meteen: 'Mijn zus, Dorrie, is vroedvrouw, ze is een genezeres. Zij komt ook.'

'Ik weet het niet, Charlie. Ik moet Archer eigenlijk naar huis brengen. Ik kan toch niet zoveel hulp bieden.'

Een van de dokters drong aan. 'Ze kunnen alle hulp gebruiken die ze kunnen krijgen. Als je enige ervaring hebt met verband aanleggen of het verzorgen van zieke mensen...'

'Ik ga wel,' bood Charlie aan.

'Charlie, nee.'

'Ik ga, Dora, ook als jij niet gaat.'

Charlie keek naar Archer alsof hij verwachtte dat hij zou zeggen dat hij ook mee kwam, maar Archer schudde alleen zijn hoofd en hield zijn verbonden arm omhoog. 'Ik moet me om mijn eigen wonden bekommeren.'

Meneer Gordon pakte verschillende dozen in en zette ze op de toonbank neer voor de dokters. Aan mij gaf hij een kleine dokters-

tas. 'Ga maar helpen. Ik zorg wel voor hem.'
Herfststormen zijn in staat om een hele werf van de waterkant af te trekken, een storm met sneeuw en ijs kan het dak van een veestal afrukken, maar die dingen worden door de natuur veroorzaakt. Toen ik de ravage zag die was achtergelaten door de explosie in Halifax voelde ik me bang en nederig als nooit tevoren. Kilometers puin veroorzaakt door de menselijke obsessie voor oorlog.

Het duurde een paar uur voordat we Halifax bereikt hadden. (Ik zat voor het eerst in de trein. Ik was voor het eerst zo ver van huis.) Nog voordat we enig teken van de ramp hadden gezien, stopten we onderweg in Falmouth en vervolgens in Windsor, waar we massa's gewonde mannen, vrouwen en kinderen zagen die in de richting van het ziekenhuis in Truro gingen. Minstens één dokter en een verpleegster uit onze groep gingen met hen mee, omdat er zoveel mensen bij waren die huilden, bloedden of al bijna dood waren. Ik weet nog dat ik Charlies hand vasthield toen we steeds dichter bij de stad kwamen. Glimpen van ingestorte schoorstenen en puinhopen gingen over in een eindeloze reeks zwartgeblakerde huizen en geruïneerde levens, en ik greep zijn hand nog steviger vast. Grijze wolken hingen laag boven de grond. Door de lucht zweefden stukje teerpapier, eerst vrolijk dansend als paardenbloempluisjes, en daarna hier en daar neerdwarrelend, zodat ze deel werden van het smerige landschap. Toen de trein niet meer verder kon, liepen we naar Richmond, waar het spoor langs de Narrows loopt en de oostkant van de haven, langs beelden die ik voorheen altijd had geassocieerd met de hel. Huizen waren uiteengereten; waar ooit muren hadden gestaan, zaten grote gapende gaten. Ik zag een moeder met haar kinderen in een hoekje van hun huis bijeengekropen zitten, hun handen warmend boven een hoopje brandende kolen om nog een beetje troost te vinden. Toen we richting Camp Hill Hospital liepen, zagen we de doden, hun armen, benen of hoofden zaten vast tussen de vloerplanken, scherpe stukken metaal staken door hun vlees. Hun lichamen, hun huizen, hun levens waren zwart geworden. De dood schroeide en stonk in de zware, vette lucht en deed pijn in mijn longen. Degenen die achtergebleven ronddwaalden waren er slechter aan toe dan de doden... zoekend naar iets of iemand die ze konden herkennen. Hun kleren gescheurd, hun gezichten besmeurd met bloed en roet, zagen ze eruit als een leger van

verdriet, allemaal even gebroken en verloren.
De uren vlogen voorbij en de lichamen werden af en aan gevoerd naar Camp Hill. Er was nooit genoeg tijd om te wachten en te kijken wat er aan kwam, of om de doden te tellen. Mijn hoek op de tweede verdieping stond voor alles open, dokters die bloederige, aan flarden gescheurde ledematen afzaagden, verpleegsters die lichamen met lakens bedekten, stemmen uit de rijen stretchers die om hulp riepen. *Help me, alsjeblieft. Ik leef nog. Mama...* We deden alles wat we konden om de mensen om ons heen te troosten, maar het was nooit genoeg. Ze stuurden de zwangere vrouwen naar mij toe. Ze hielden hun buiken stevig vast of hadden een hand tussen hun benen alsof dat het laatste was dat het kind nog binnen hield. Het geluid en de kracht van de explosie hadden de weeën op gang gebracht, en ik kon er niet veel aan doen om dat terug te draaien. Het ene te vroeg geboren kind na het andere, meer dan tien net als Darcy, die stierven in de armen van hun moeder, en er werden er nog meer geboren die nauwelijks menselijk waren, of al dood. Een verslaggever van de *Halifax Journal*, die de namen verzamelde voor de lijst van slachtoffers, vertelde me dat er ankers van een halve ton uit de haven over de huizen heen waren gevlogen, en neergestort waren op werkplaatsen en scholen. Het was een wonder dat er baby's en moeders waren die het overleefden. Voor elke baby die stierf, waren er evenveel die in leven bleven, om vervolgens wees te worden als hun moeders stierven door de shock.

De verslaggever zei: 'Het is belangrijk dat je hun namen vraagt, vooral als je denkt dat ze het niet zullen redden. De lichamen stapelen zich op in het mortuarium, en we weten niet wie wie is. Zoek desnoods hun zakken na.' Door alle verwarring was het niet in me opgekomen om ernaar te vragen. Zoiets had ik thuis nog nooit meegemaakt. Daar kende iedereen elkaar en weet iedereen altijd wie je bent en waar je thuishoort. Hij haalde een enveloppe uit zijn zak en gaf hem aan mij. Er zaten een paar etiketten in, dezelfde als die je op een postpakketje plakt. 'Als er iemand sterft, vul dit dan zo goed mogelijk in. Het zal veel tijd besparen als de lichamen in zakken worden gestopt en naar het mortuarium gaan. Er zijn zoveel doden dat er geen goeie plek is om ze allemaal onder te brengen. Ze hebben momenteel de school op Chebucto Road in gebruik genomen.'

Verschillende keren per dag stuurde ik de mensen daarnaartoe, mensen die hun dierbaren waren komen zoeken op Camp Hill, om vervolgens te horen te krijgen dat ze dood waren.

> Lara, of Laura? Lichtbruin haar, blauwe ogen. Ongeveer 20 jaar. Roze bloes met bruine rok, blauwe onderrok, zwarte wollen kousen en striklaarzen maat 37 van echt leer. Een gouden medaillon om met een foto van een soldaat. Overleden tijdens de bevalling. Kind van het mannelijk geslacht, ook overleden. Doodgeboren. Mevrouw Hannah Jones. Bruin haar, bruine ogen. Ongeveer 25-30 jaar oud. Blauwe overgooier en bruine jas met een zwarte band. Trouwring en pantoffels aan. Overleden tijdens de bevalling. Kind van het vrouwelijk geslacht leeft en is naar Halifax Kindertehuis gebracht. Gelieve te zoeken naar vader of andere familieleden van mevrouw Jones. Voorheen woonachtig op Gottinge Street 1245.

Eén geboorte bracht verdriet en hoop bij elkaar. Charlie en een jonge soldaat brachten haar op een stretcher naar me toe, haar gezicht bedekt met een bloederig verband, haar arm zat aan haar zij vastgebonden. Colleen O'Brien was degene die me ervan weerhield om weg te rennen uit dat ziekenhuis en me te verdrinken in het smerige, verdorven water van de haven. Ondanks alles wat er met haar was gebeurd, was ze vol vreugde over de geboorte van haar kind. Ze kreunde en lachte zelfs door haar weeën heen en klaagde meer over de wonden aan haar ogen dan over de pijn van het persen. De baby kwam snel, dus er was geen tijd om te kijken naar het verband op haar gezicht. Ik zei tegen haar dat ze zou moeten wachten.

Het was een roze en gezond jongetje. Het ging goed met Colleen en ze kletste zelfs wat met me terwijl ze de nageboorte eruit perste. Toen we klaar waren, legde ik haar op een bed in de hoek met kussens in haar rug zodat ze haar kind beter vast kon houden.

'Kun je het verband van mijn ogen halen?' vroeg ze. 'Ik geloof dat ze dichtgeplakt zitten van het bloed.' Ik hield warme handdoeken tegen haar gezicht en haalde voorzichtig het verband eraf. Onder het bloed zag ik verschillende stukken glas in haar opgezwollen huid zitten. Haar ogen waren bijna niet te herkennen, helemaal stuk. 'Ik denk niet dat ik hem ooit zal zien, of wel?'

Ik was blij dat ze mijn tranen niet kon zien. 'Jullie hebben elkaar, en dat is het enige dat telt.'

'Zeg eens hoe hij eruitziet.'

Ik pakte haar hand en aaide ermee over zijn zachte, donkere haren. 'Hij heeft een behoorlijke bos haar... het is koolzwart.'

Ze ging van het ene lichaamsdeel van de baby naar het andere en telde zijn vingers met haar handen, wreef met haar wang langs de zijne. 'Ga verder,' smeekte ze, 'niet ophouden.'

'Zijn wangen zijn rood en hij heeft een brede borst. Je kunt nu al zien dat hij flink sterk zal worden.'

'Net als zijn papa.' Haar stem stokte in haar keel. 'Ik wou dat hij er was.'

'Weet je waar hij is?' Ik durfde het bijna niet te vragen, bang dat hij dood was.

'Hij zit in Frankrijk. Wie had kunnen denken dat de loopgraven veiliger zouden zijn dan Halifax?'

26 december 1917

Kerstmis was vermoeiend. Ik voel me eenzaam, ondanks dat Archer thuis is, ondanks ons warme, gezellige huis. Ik kan de schuld aan mijn gedachten over Halifax geven, maar in mijn hart weet ik dat december, met of zonder die herinneringen, een maand is waar een schaduw van duisternis en angst over hangt. Hoeveel lampen er ook branden, hoeveel sinaasappels of kousen, lintjes en hulsttakjes er ook zijn, of christelijke mensen kerst vieren of niet, dit is de waarheid van het seizoen. Als jong meisje voelde ik de schok van de Mariaboodschap, mijn maag kromp altijd ineen van de pijn als ik naar Gabriël luisterde, die met grote vleugels dreigend over Maria heen boog. *De Heilige Geest zal tot u komen en de macht van de Allerhoogste zal als een schaduw over u heen vallen...* De zoete elfjes dansten op kerstavond niet één keer door mijn raam naar binnen. In plaats daarvan waren mijn dromen gevuld met de scherpe fluisterstem van Gabriël, die me de vreselijke boodschap kwam brengen dat er in de hemel een fout was gemaakt en dat ík de plaats van de Heilige Maagd zou moeten innemen. Met een deken over mijn hoofd getrokken lag ik dan te wachten op de ochtendschemering, en besefte dat Maria veel meer geleden had dan men ooit heeft gedacht. Dat ze op dát uur de geest van het Christuskind inslikte, huilend in de nacht omdat ze wist dat Hij zou moeten sterven. Tante Fran, of zelfs dominee Pineo, noemen het misschien godslastering, maar toen ik Wijze Marie erover vertelde, zei ze: 'Dat is een heilige droom. Het is het bloed dat je deelt met de Heilige Moeder, waardoor je zo'n pijn hebt. Hetzelfde bloed dat ze met alle vrouwen deelt.'

Dit jaar verzamelde ik alles wat ik me kon veroorloven en stuurde het naar de slachtoffers van de ramp. De melodie van het kerstlied van Coventry leek duisterder dan ooit; kaarslicht en kerkklokken wierpen eenzame twijfels over mijn inspanningen. Toch heb ik in de kranten gelezen dat de kinderen in de weeshuizen van Halifax kerstliedjes zingen en nieuwjaarswensen doen. Misschien zijn de verhalen die moeder in deze tijd van het jaar vertelt waar; misschien heeft de mimespeler met het donkere masker de strijd verloren. Archer heeft beloofd zijn drankgebruik te minderen, ik heb beloofd dat ik meer toegewijd zal zijn. Ik hoop nog steeds op een kind.

27

Ik liet Archer de ideeën van dr. John Cowan over de coïtus lezen, in de hoop de best mogelijke situatie voor conceptie te creëren.

De Wet van Nieuw Leven van dr. John Cowan

De man en vrouw – in liefde samengekomen, volmaakt gezond en krachtig – willen beiden een onschuldig, slim, gelukkig, gezond liefdeskind voortbrengen, met geniale eigenschappen, kuisheid en heiligheid diep in zijn systeem. Indien ze zich voorheen nooit met spiritualiteit hebben beziggehouden, laat hen dan deze ochtend, op hun knieën, voor de troon van de deugd, getuigenis geven van hun wensen en hun oprechte dank.

Een plezierige wandeling, van een uur of meer, in de vriendelijke ochtendzon. Ontbijt om ongeveer acht uur – een ontbijt van eenvoudig en ongekruid voedsel. Opnieuw de openlucht en het heldere zonlicht in; vervolgens moeten de man en vrouw een paar uur lang enthousiast en liefdevol hun gedachten, hoop en wensen uitwisselen. Met hun gemoed zo helder als de zon, zonder tussenkomst van een enkele wolk die hun kamer verduistert, en in het heldere licht van de dag wordt aldus het Nieuwe Leven ontvangen en voortgebracht.

Hij heeft natuurlijk zo zijn eigen ideeën...

De Wet van de Volharding van Archer Bigelow

'Stel dat je naar de jaarmarkt gaat.

Je besluit een gok te wagen bij een ballentent, die met die grijnzende kermispoppen met van die dikke billen. Het doel van het spel is om de poppen om te gooien, niet waar? Als je er een omgooit, mag je nog een keer. Als je er twee omgooit, mag je de pop mee naar huis nemen. Als je er drie omgooit, mag je een prijs uitzoeken – van molentjes tot tollen, van theepotten tot porseleinen poppen. Een hele emmer ballen voor drie cent. Hoe meer ballen je gooit, hoe groter je kans. Het kan niet anders, op een gegeven moment schiet je raak.

Dus, het spreekt vanzelf... als jij, lieve vrouw, me vaak genoeg toestaat om je een flinke stoot te geven... komt alles voor elkaar. Ze noemen het niet voor niets wel "met jong schoppen".'

Hij gaat niet wetenschappelijk te werk met het uitvoeren van zijn theorie. In de loop van de week word ik in de deuropening naar de voorkamer vastgepind, door de kou van de hooizolder gerold, meteen beklommen als ik 's ochtends wakker word en meerdere keren van achteren genomen. Als het werkt, met het rode koord en alles, zal ik niet kunnen zeggen waar en wanneer en waarom het is gebeurd.

Ik zie niet hoe ik hem zou moeten afwijzen nu ik bereid ben. Trouwens, het doet ook niet meer zoveel pijn. Misschien komt het door de dubbele dosis van Wijze Marie's elixir dat ik elke avond inneem, maar ik merk dat ik, als ik tijdens de daad aan de kans denk dat er misschien een kind uit voorkomt, dat het een moeder van me zou kunnen maken, bijna alles kan vergeten: Archers vertrek, dat hij nooit heeft uitgelegd waarom, dat ik nooit om een reden heb gevraagd. Ik lig daar en stel me hem voor als een eerlijke, aardige bijbelverkoper en mezelf als een lachende moeder met een ronde buik en dikke billen. Ik doe mijn ogen dicht en probeer me de dingen mooier voor te stellen dan ze zijn in de hoop dat mijn volharding ze realiteit maakt.

Soms bereik ik zelfs een punt waarop ik geneigd ben om te bidden, om de Maagd Maria om haar goeddunken te vragen en me een baby te brengen. Maar aangezien ik nooit het talent heb gehad om psalmen te onthouden, voer ik in plaats daarvan gesprekjes in mijn hoofd met Wijze Marie. Een doorgeefgebed waarin ik haar vraag om een goed woord voor me te doen bij Maria, en zij weer bij God, is het enige soort gebed dat, naar mijn idee, toepasselijk is tijdens de intieme omgang.

28

Het nieuws dat er iets aan de hand was met Ginny Jessup kwam via Sadie tijdens de eerste bijeenkomst van de Vrijblijvende Breisters van het nieuwe jaar. 'Ik ging bij hen langs om wat appels af te geven. De baby zat onder de keukentafel te dreinen, zijn gezichtje was besmeurd met roet. Ginny deed er niets aan... ze zat gewoon aan de tafel, met haar hoofd in haar handen, haar ogen waren donker en rood. Toen ik haar vroeg wat er was, zei ze 'weet ik niet' en begon te huilen. Ik probeerde te helpen, maar ze gooide me eruit, zei dat ze mijn appels en mijn medelijden niet wilde, dus ben ik omgedraaid en naar huis gegaan... De appels heb ik daar gelaten natuurlijk.'

Tegen de tijd dat ik Ginny ging opzoeken, was alles nog erger geworden. De keukentafel zat onder het meel en in het midden lag een klomp stevig brooddeeg dat te lang gerezen had. In de hoek stonden drie manden, twee ervan puilden uit met was, in de andere lag haar baby te slapen. Hij was half in een hemd van zijn vader gewikkeld en rook naar vieze luiers en zure melk.

De arme Ginny deed alsof ze blij was om me te zien en alsof ze zich schaamde. Ze nodigde me direct uit om te gaan zitten, bood thee aan, fladderde heen en weer, schoof de resten van het ontbijt in een grote pan die aangekoekt was met overgekookte pap. Ze stond voor de open kastjes te staren naar de planken op zoek naar iets dat ze kon aanbieden. 'Ik ben bang dat ik geen koekjes in huis heb, maar als je een poosje blijft, kan ik stroopkoekjes bakken.'

Het jongetje gaapte en deed zijn ogen open. Ik glimlachte naar hem, en hij kwam langzaam naar me toe wankelen. 'Hé, kijk eens aan, nog geen jaar oud en baby Jessup kan al lopen! Wat een grote jongen ben jij. Dat wist ik nog niet.' Ik stak mijn armen uit en hij klom op mijn schoot. 'Het is zeker al een tijdje geleden dat ik je gezien heb – nog voor Kerstmis? Hij komt goed vooruit, Ginny. Hoe lang doet hij dat al?'

'Sinds vlak voor kerst, denk ik.' Ze pakte een theedoek en begon het meel van de tafel af te stoffen, met een frons op haar voorhoofd omdat het meeste op de grond dwarrelde. Ze schuifelde er met haar voeten overheen, alsof het daarmee weg zou zijn. 'Je zou verwachten dat het makkelijker wordt als hij heeft leren lopen, maar dat is niet zo.'

'Ginny, is er iets dat ik voor je kan doen? Sadie Loomer zei...'

'Sadie? Wat heeft zij nou eigenlijk te zeggen? Alleen omdat ze thuis drie baby's heeft, denkt ze dat ze overal alles vanaf weet.'

'Ik geloof niet dat ze het verkeerd bedoeld heeft. Ze wilde alleen helpen.'

'Ze moet haar appelplukkersneus maar in haar eigen zaken steken. Die appels die ze had meegenomen waren half rot, weet je dat.' Langzaam rolden er een paar tranen over haar wangen en maakten de borst van haar bevlekte jurk nat. 'Ze heeft niet het recht om te oordelen. Ze is niet beter dan een ander. Van die appels kan ik niet meer dan drie liter moes maken, en waarschijnlijk gaat het schiften en dan knallen de deksels nog voor de lente van de potten af. Ze heeft het recht niet.'

Ik wreef haar haar uit haar ogen en veegde met mijn zakdoek haar gezicht af. Het schone witte doekje pikte het vuil op uit de donkere rimpels rond haar ogen. Ik schat dat ze niet veel ouder is dan ik, maar ze ziet eruit als een uitgeputte vrouw. Ze heeft nog steeds het figuur van een meisje, maar haar kin hangt naar beneden, en haar schouders zijn afgezakt, alsof ze gelooft dat het niet netjes is of de moeite waard om te glimlachen. 'Wanneer heb je voor het laatst goed geslapen?'

Ze verstopte haar gezicht in haar handen. 'De baby loopt me de hele dag voor de voeten, wil de borst of wil worden vastgehouden. Ik zweer het je, als hij niet in mijn armen ligt of slaapt, dan huilt hij.'

'Wat zegt Laird daarvan?'

'Hij is natuurlijk kwaad dat die baby de hele tijd zo'n drukte maakt. Meestal houdt hij het zo lang mogelijk uit en dan gaat hij de deur uit, maar niet zonder te zeggen dat hij beter naar de oorlog zou kunnen gaan zodat hij een beetje rust kon krijgen. Dan geeft hij me een kus en zegt dat hij me maar plaagt en of ik op wil blijven tot hij thuiskomt, want hij wil graag nog een jongetje erbij voordat hij te oud wordt om ze paardje te laten rijden op z'n knie. Nog een jongetje... alsof ik hem kan bestellen bij Eaton's. Nog een baby. Hij wil nog een baby.'

'Kun je niet iemand van je familie vragen om te komen?'

'Ik ben bij mijn tante in Fredericton komen wonen toen ik nog een baby was, maar tante is de laatste jaren kreupel geworden, ze kan nauwelijks haar eigen trap op en af.'

'En Lairds moeder dan? Ze woont niet ver van de Bay vandaan. Ik weet zeker dat ze je graag zou helpen.'

'O, nee... van z'n leven niet... Ze komt hier en pakt die jongen vast alsof hij van haar is, noemt hem *baby, mijn lieve jongen*, alsof zij al dat werk heeft gedaan, hem gedragen en gebaard heeft. Laat hij haar maar eens aan haar hangende oude tepels bijten en trekken en haar de hele nacht wakker houden, dan zullen we eens zien hoe ze zich voelt over haar baby.'

'Maar hij is nu oud genoeg, ze kan af en toe een oogje op hem houden. Dan kan jij gewoon een beetje rust nemen, of je komt bij mij een kopje thee drinken?'

'En haar een reden geven om mij een slechte moeder te noemen, een slechte vrouw? Dat zou ze wel willen, die spitse kip. Ik laat nog liever alles om me heen in elkaar donderen voordat ik haar vraag om een handje te helpen. Laird gaat maar door over haar deugden: *Moeder maakte de beste aardappelschotel van de wereld, ik kan hem bijna zo proeven. En ze hield vijf kinderen, een man en haar huis op orde; waarom is het voor jou zo moeilijk?* Weet je, die man ruikt zelfs na zijn bad nog naar koeienstront. Geen wonder dat de eerste mevrouw Laird Jessup ervandoor ging.' Ze lachte en huilde tegelijkertijd.

'Maak je geen zorgen, Ginny, we komen er wel uit. Ik zal je familie zijn.'

Uit het verhaal van Ginny, en van wat ik me herinnerde van Wijze Marie, kon ik opmaken dat de baby kolieken had. *Meestal als de baby niet kan slapen komt dat omdat hij vuur in zijn buik heeft. Een kind met kolieken kan zelfs de liefste moeder aan het vloeken maken. Zorg ervoor dat ze er precies op let wat ze in zijn mond stopt.* Ginny had Lairds favoriete maaltijden gekookt: koolsoep, zuurkool met worst, lever met uien. *Geen kool, knoflook, uien of pittige kruiden als ze de borst geeft. Wrijf de buik van de baby in met dillezaadolie. Pijlwortelkoekjes en appelmoes voor het kind zodra het eerste tandje verschijnt. Venkelthee, gerookte makreel en beschuit met melk voor de moeder totdat het strakke buikje van de baby weer in orde is.*

Ik bracht Ginny naar bed en zette de baby in de wastobbe om hem een bad te geven. Ik maakte het huis schoon, kookte een pan aardappelsoep en bakte een oven vol stroopkoekjes. Ik haastte me om op tijd klaar te zijn voordat Laird thuiskwam om te eten. Ik deed mijn best om als Wijze Marie te klinken toen ik afscheid nam, en zei tegen Ginny dat ze 'thee en rust nodig had, dan nog meer thee en nog meer rust' en dat ik de volgende dag weer terug zou komen om te helpen.

Dora Bigelow
Scots Bay, Nova Scotia

10 januari 1918

Borden Rare
Scheepstimmerman
The Just Cause
Sydney, Cape Breton Island

Lieve Borden,
We hebben jou en Albert gemist met kerst. Maar ik ben dankbaar dat jullie niet zo heel erg ver van huis zijn. Ik weet niet of moeder je er al over geschreven heeft, maar Charlie is weggegaan. Hij reisde steeds op en neer naar Boston, omdat hij in de hulpverlening was gegaan na de explosie in Halifax, en sindsdien heeft hij besloten om er te blijven. (Ik weet het niet zeker, maar zijn keuze zou wel eens met een meisje te maken kunnen hebben.) Maar ja, ik raak liever een broer kwijt vanwege een vrouw dan vanwege de oorlog.

Bij deze brief zouden genoeg sokken en wanten moeten zitten om jullie en jullie maten de winter door te helpen. Met de complimenten van een nieuwe vrouwenorganisatie in de Bay, de Vrijblijvende Breistersvereniging. Ik ben de algemeen secretaresse.
Hopelijk tot gauw,

Je liefhebbende zus,
Dora

29

Tijdens de lange februariavonden begin je te verlangen naar warme zoete dingen, gelach en koekjes... een pot lavendelthee met een blad vol met suikerbeignets van Wijze Marie. Met Ginny Jessup erbij zijn de Vrijblijvende Breisters nu met z'n vijven. We komen nog steeds in mijn huis bij elkaar, maar alleen op woensdag, want dat is de kaart- en dartsavond van de Sons of Temperance, en dan hebben onze mannen iets anders te doen. Midden in deze hongerige, koude winter ben ik een vriendin, een verpleegster en soms een zigeunerin geworden (zoals Mabel me noemt), ik lees theeblaadjes en houd andermans kinderen in mijn armen. De meeste woensdagavonden eindigen met sporen poedersuiker kriskras door de voorkamer en de keuken, die allemaal uitkomen bij een mollig, slapend kind dat onder de sprei van mijn bed ligt opgekruld.

Als we geen sokken voor de soldaten aan het breien zijn, proberen we iets te doen voor andere goede doelen: lappenpoppen naaien voor de kinderen van Halifax, of midwinterdozen met spijs rondbrengen naar degenen die ingesneeuwd zitten of behoeftig zijn. Confituren, brood, appelmoes, boter, spek, zoute haring, wollen sjaals, sokken en wanten, en een flesje met de hoestsiroop van Wijze Marie. We laten de geschenken achter op de drempel, kloppen op de deur en rennen weg. Mabel stelde voor om geheim te houden dat het van ons komt, 'want arm zijn betekent nog niet dat je geen trots hebt'.

Hoe deugdzaam onze daden ook zijn, onze gesprekken zijn een heel ander verhaal. Luid, en grof genoeg om een zeeman te doen blozen. Heet als een vuist vol vuur.

Toen we alles gezegd hadden wat er te zeggen viel over de beste manier om zwanger te worden, besloot Bertine dat ze het erover wilde hebben hoe je níét zwanger kon raken.

'Lucy is bijna klaar met de borst... Ik denk dat ik me beter kan gaan voorbereiden op baby nummer drie.'

'Kun je je dagen niet bijhouden? En hem afschepen als je er middenin zit?'

'Ik heb nooit op mijn ongesteldheid kunnen rekenen. Ik ben heel onregelmatig. Trouwens, Hardy pikt het niet om te worden afgescheept.'

Sadie gniffelde. 'Doe hem een condoom om.'

'Sadie, je noemt weer iets wat uitsluitend voor hoeren is. Welke echtgenoot gaat er nu een rok om zijn piemel doen als hij met zijn vrouw is? Als je toch geen syfilis kunt oplopen? Doet Wes er een om?'

'Nee, maar ik ben ook niet de hele tijd aan het klagen over kinderen krijgen. Je moet gewoon een vrij groot stuk zeespons nemen, laten weken in pepersap, in de honing dopen en naar binnen duwen.'

Mabel sloeg haar ogen neer op haar breiwerk. 'Er zijn nog andere manieren...'

Bertine grinnikte. 'Weet je wat Hardy's moeder me ooit heeft gezegd om te proberen? *Tangwaterthee*, gemaakt van het smerige spul dat onder in de emmer zit nadat de smid er de hele dag zijn smeedtang in heeft gedoopt om hem af te koelen. *Van smidsvrouw tot smidsvrouw*, zei ze, alsof het een kostbaar geheimpje was. Geen wonder dat de tong van die vrouw er altijd zo paars uitzag, alsof hij er bijna afviel. Ze zei ook dat je *de knop* kwijt kon raken, als je denkt dat je al zwanger bent, door je borsten in te wrijven met buskruit.' Ze vouwde haar handen in elkaar alsof ze bad tot Mabel. 'Als je iets hebt wat werkt, zou ik het heel graag willen weten.'

'De enige manier die ik ken die zeker werkt is voor als het al gebeurd is. Mijn nicht Penny heeft Madame Drunette's Maanpillen genomen, ze had er een advertentie van gezien in *Ladies' Rural Companion*... Ze zei dat ze dacht dat ze doodging. Ze kreeg vreselijke hoofdpijn en alles wat ze at kwam er aan allebei de kanten meteen weer uit. Het werkte wel, maar uiteindelijk zei ze dat ze liever het risico had genomen om van een paard te vallen.'

Ginny liet twee suikerklontjes in haar kopje vallen en al roerend staarde ze erin. 'Mijn nicht heeft me iets opgestuurd, ze noemt het een vissersknoop. Het ziet eruit als een verwarde bol touw, maar ze zweert dat als je het diep genoeg in je duwt, het de baby's buiten houdt.'

Sadie vroeg haar uit. 'Heb je het al geprobeerd?'

'Nee, Laird zegt dat hij nog een zoon wil hebben binnenkort.'

'Jij bent degene die hem moet dragen en voor hem moet zorgen,' zei ik tegen haar.

'Ik was bang dat hij het zou merken of, erger nog, dat ik het er niet meer uit zou kunnen krijgen.'

Bertine nam nog een beignet van de schaal en veegde de suiker weg die in haar schoot viel. 'Ach, we kunnen beter ophouden om erover te praten. Die arme Dorrie hier wil zo graag een baby, ik ben bang dat we haar ongeluk brengen als we zo doorgaan. Ik kan net zo goed maar gewoon blijven bidden.' Ze keek op naar het plafond. 'Een paar maanden nog, Heer. Misschien een jaar als U het kunt missen?'

Ik ging naar de kast onder de porseleinkast en haalde de pot eruit die Wijze Marie gebruikt had toen Grace Hutner naar haar toe was gekomen, haar pot met Beverbrouwsel. 'Wijze Marie had iets dat misschien werkt bij jou, Bertine, hoewel ik niet kan beloven dat het beter zal smaken dan de thee van Hardy's moeder.'

Bertine zei verontwaardigd: 'Waarom heb je dat niet eerder gezegd?'

'Volgens de regels van Wijze Marie moet iemand erom vragen. Het is stom, ik weet het, maar...'

Mabel keek bezorgd. 'Ik dacht dat je geen vroedvrouw meer was.'

'Ben ik ook niet. Ik doe alleen een gunst aan een vriendin.'

Bertine keek naar de pot alsof ze een beetje bang was voor de inhoud. 'Maar ik heb er niet om gevraagd.'

'Je hebt je handen in elkaar gevouwen en gebeden; dat is genoeg voor mij.'

Ik schonk het brouwsel in het theekopje van Bertine. 'Hier, neem het maar in met wat thee. Dan kun je het makkelijker doorslikken.'

Bertine rook aan het kopje. 'Wauw, Dora. Dat ruikt naar jajem. Wat zit er allemaal in?'

'Dat wil je niet weten. Trouwens, Wijze Marie zou terugkeren van de doden als ik het je zou vertellen. Maar wat ik je wel kan vertellen... het zal ervoor zorgen dat je minstens een maand lang niet zwanger wordt.'

Sadie hield haar kopje naar me toe. 'Kastelein, mag ik er ook zo een?'

Mabel hield eveneens haar kopje omhoog en grijnsde. 'Ik ook.'

Ik vulde hun kopjes en draaide me naar Ginny toe. 'Jij ook wat?'

Ginny liet haar hoofd hangen. 'Ik drink geen alcohol.'

Sadie stootte Ginny aan met haar elleboog. 'Het zal je heus niet bijten... niet erg. Trouwens, je gaat toch niet met een fles rum naar bed, of zo? Het is alleen thee met wanten, zo noemde mijn oma dat altijd, *thee met wanten*. Wil je echt nog een kleintje erbij die je de hele nacht wakker houdt?'

Ginny beet op haar lip en duwde haar kopje naar voren.

Zodra haar kopje gevuld was, schonk ik voor mezelf een kopje van het Maanelixir van Wijze Marie en hield het hoog in de lucht. 'Laten we klinken. Op jullie die er geen willen, en op mij die er een wil.'

'Op thee met wanten!'

'Thee met wanten.'

'Thee met wanten!'

De zaterdag daarna zag ik dr. Thomas bij Newcomb's Grocery in Canning. Hij stond tussen de vaten met zuur en de vleeskist en sloeg een uitnodiging af van een vrouw die er nogal rijk uitzag. 'Het klinkt heel mooi, maar ik ben bang dat we zullen moeten wachten. Ik moet onverwacht naar Scots Bay, en zondag is de enige dag dat ik kan.'

De vrouw siste tussen haar tanden, wees naar een ronde kaas en gebaarde naar mevrouw Newcombe om er voor haar een stuk af te snijden. 'Een half pond, alstublieft. Ja. Dat is goed zo.' Ze wees naar een schijf Bologna. 'Daar ook wat van.' Ze zette haar vinger op haar kin, niet zeker over wat ze verder nog zou nemen. 'Dat is erg jammer. Een andere keer dan maar.' Ze tikte op het glas, en wees nu naar een schaal met stukjes varkensvlees. 'Scots Bay, midden in de winter op een zondag. Wat een pech.'

Dr. Thomas trommelde met zijn vingers op een vat. 'Als ik er onder uit kon komen, zou ik het doen. Op een paar uitzonderingen na, is daarachter niet veel gezond verstand of beschaafdheid te vinden. Te veel huwelijken met te weinig namen, neem ik aan...'

Ze lachten allebei, hun hoofden wiebelden en hun lichamen schudden. De vrouw kon haar naam bijna niet schrijven toen ze de rekening moest ondertekenen. Dr. Thomas nam haar bij de arm en ze draaiden zich om naar de deur.

'Hallo, dr. Thomas.'

'Hallo.' Hij staarde naar me, hij keek me niet in de ogen maar liet zijn blik over mijn hals, mijn borsten en mijn schoenen glijden alsof hij hoopte dat hij kon vergeten dat hij me kende. 'Mevrouw Bigelow, ja, wat leuk om u te zien. Dat is al een tijd geleden – november, of niet? Ik neem aan dat het goed met u gaat?'

'Prima, prima. En uw vrouw en kinderen, gaat het goed met hen?'

'Ja, ja.'

De vrouw trok aan de mouw van de dokter.

'O, sorry, mevrouw Bigelow, dit is mijn buurvrouw, mevrouw Florence Hatfield. Mevrouw Hatfield, dit is mevrouw Dora Bigelow van Scots Bay.'

Mevrouw Hatfield glimlachte en stak haar hand uit. 'Scots Bay? Ach, daar hadden we het net over, hè Gilbert? Is er wind en sneeuw in deze tijd van het jaar? Ik kan me niet voorstellen er een hele winter door te brengen – u bent moediger dan ik. Mooi plekje voor een zomerse picknick, dat wel.'

Dr. Thomas onderbrak het nerveuze gebabbel van mevrouw Hatfield. 'Neem me niet kwalijk, Florence, maar misschien kan ik mijn taak aan mevrouw Bigelow overlaten en toch nog je uitnodiging aannemen.'

'Geweldig! Dan laat ik jullie verder met rust.' Ze zwaaide en liep omstandig de deur uit. De belletjes boven de klink rinkelden. 'Erg leuk om u ontmoet te hebben, mevrouw Bigelow. Tot zondag, Gilbert.'

Dr. Thomas pakte mijn arm en trok me achter de planken met

droogwaar. Hij zei zachtjes: 'Blijf uit de buurt van mevrouw Jessup.'

'Ginny is een vriendin.'

'Mevrouw Jessup is mijn patiënte en het is niet aan u om haar twijfelachtige huismiddeltjes te geven. Vooral niet van het soort waardoor haar man bij mij aan komt kloppen om mijn kop eraf te slaan. Ik geloof dat ik u moet waarschuwen, mevrouw Bigelow, dat elk voorbehoedmiddel illegaal is, alleen al om het te noemen zelfs. U moet echt ophouden om uzelf in moeilijkheden te brengen.'

'Waarom bent u toch zo geïnteresseerd in de vrouwen van de Bay, dr. Thomas?'

'Ik bekommer me om het welzijn van al mijn patiënten, van alle vrouwen. Het is mijn plicht om hun de beste zorg te geven die de moderne geneeskunde te bieden heeft, de zorg die ze verdienen.'

'U bekommert zich zo zeer om hen dat u ze in de steek laat zodra ze meer dan anderhalve kilometer weg zijn van uw spreekkamer? Volgens mij bekommert u zich meer over het vullen van uw zakken met hun geld, en u denkt er helemaal niet over na wat het hun kost om het aan u te geven.'

Dr. Thomas ging rechtop staan. 'Hoe iemand zijn geld verdient, gaat niemand anders iets aan.'

'En de geheimen die een vrouw tussen de lakens wil houden, gaan u niets aan.'

Hij wierp een blik over zijn schouder naar mevrouw Newcomb, die ons vanachter de toonbank aanstaarde. Hij glimlachte en zei tussen zijn tanden: 'Misschien wordt het tijd dat een hysterische, roekeloze vrouw die andere vrouwen stimuleert om hun man te bedotten iedereen aangaat.' Mevrouw Newcomb verdween door de deur van de vleeskast. Dr. Thomas boog zich naar me toe, zijn lippen raakten mijn oor aan terwijl hij sprak. 'Voelt u zich wel goed, mevrouw Bigelow? Ik vraag het alleen maar omdat u er een beetje verhit uitziet.' Hij wreef met zijn hand over mijn wang. 'Het lijkt wel of u koorts heeft. Zorgt meneer Bigelow niet goed voor u? Doet hij niet zijn best om u het kind te geven dat u zo graag wilt? Ik zou het er met hem over kunnen hebben, mevrouw Bigelow. Ik kan hem vertellen wat u nodig heeft. Dat zou ik trouwens aan iedereen kunnen vertellen.'

Hysterische vrouw valt plaatselijke dokter aan

Schrijver dezes hoorde van een jammerlijk voorval dat afgelopen zaterdag even na de middag plaatsvond. Volgens ooggetuigen werd een vrouw die Newcomb's Grocery was binnengegaan om goederen en benodigdheden voor haar gezin te kopen om onverklaarbare redenen plotseling woedend. In een hysterische bui gooide ze een kruik van tien liter met 'Echte Zoete Stroop' leeg over het hoofd van dr. Gilbert Thomas uit Canning.

Er werden geen andere klanten aangevallen tijdens dit incident.

Lila Newcomb, de vrouw van de eigenaar van de zaak, vertelde het volgende: 'Ik kan niet precies zeggen wat er gebeurd is. Ik weet alleen dat ze het ene moment een vriendelijk gesprek leken te voeren en het volgende moment stond dr. Thomas daar te happen naar lucht, en het spul uit zijn neus te poetsen. Hij zag eruit alsof hij teer over zich heen had gekregen.'

Dr. Thomas, een bekende dokter op het gebied van vrouwelijke gezondheidszorg en verloskunde, voegde eraan toe: 'Ik zie geen reden om de autoriteiten hierin te betrekken. Jammer genoeg is dit soort gedrag te verwachten van een vrouw in haar toestand. Zenuwziekten komen steeds vaker voor bij vrouwen. Laat dit een les zijn voor iedereen, dit is wat er kan gebeuren als de emoties van een vrouw niet in bedwang worden gehouden. Ik hoop alleen maar dat ze binnenkort weer bij mij op de stoep staat zodat ik haar kan bijstaan in deze moeilijke periode, voordat er iets vreselijks gebeurt, voordat het te laat is.'

De vrouw, die snel wegrende uit de winkel om terug te keren naar haar huis in Scots Bay, wilde geen commentaar geven. Dr. Thomas betaalde 25 cent voor de stroop. Een aardig en gul gebaar.

The Canning Register
19 februari 1918

30

Op zondag dineerden we bij de Bigelows, Archer, Hart, de weduwe en ik. De weduwe deed alle moeite om duidelijk te maken dat ze het gelukkigst was als allebei haar 'jongens' thuis waren. Zoals gebruikelijk hield ze hof in de voorkamer en liet ze de bediening aan mij over. Toen het alleen om thee en koekjes voor de weduwe en Wijze Marie ging, vond ik dat nooit erg, maar nu ik getrouwd ben met Archer, vind ik het teleurstellend dat mijn schoonmoeder me nog altijd meer als een huishoudster beschouwt dan als een dochter. Ze zal haar kille houding tegenover mij nu wel rechtvaardigen door de roddel die uit Canning gekomen is en mijn naam in verband brengen met de 'doorgedraaide stroopvrouw van Scots Bay'. De meeste dames van de White Rose konden me vanmorgen in de kerk niet meer recht in de ogen kijken, en tante Fran zei alleen: 'Zeg nou 's eerlijk, Dora, hoe kon je dat nou doen?' Bertine daarentegen, stopte een briefje in mijn handen: 'Op dokters vol stroop, en thee met wanten!'

Zonder tegenspraak duldde ik alle wensen van de weduwe, haar stem achtervolgde me de hele avond. 'O, en vergeet de jus niet, lieverd, staat nog in de keuken, lieverd, en in de juiste kom doen, alsjeblieft, de Royal Albert met het gouden randje en de mooie blauwe bloemen, de jus? *S'il vous plait?* Ojé, denk je dat ze me gehoord heeft? Dora?' Ik bracht de jus mee, in de juiste kom, en serveerde haar eerst, nog voor mijn man. Dat was bedoeld om aardig te zijn, ik nam aan dat ik nog iets schuldig was nadat ik haar met zoveel moeite had vermeden tijdens de afwezigheid van Archer. Ze is me nooit komen opzoeken, niet één keer, dus verdient ze het dat ik extra aardig tegen haar ben... de overdreven minzaamheid van de ene vrouw naar de andere als ze een geheim achtergehouden heeft, of de stijve glimlach die vaak wordt uitgewisseld tussen jonge vrouwen en hun lieve schoonmoeders.

Archer maakte het ruimschoots goed voor ons twee, hij aanbad zijn moeder continu en ging maar door over hoe geweldig ze eruitzag, over haar mooie nieuwe jurk, de kwaliteit van het braadstuk dat ze had uitgezocht en hoe heerlijk elk hapje smaakte. (Je zou denken dat hij al maanden geen fatsoenlijke maaltijd had gehad.) Hij is nooit zo attent tijdens onze maaltijden, zelfs niet als hij vastberaden is om die avond zijn zin te krijgen. Ik hoop alleen maar dat er verandering in komt als ik straks zwanger ben, dat hij voorkomend en aardig voor me zal zijn, zorgzaam maar ook bezorgd. Een eerste kleinkind zal de weduwe zeker een reden geven om me te bedienen.

We waren bijna klaar met eten toen de ware reden van Archers vleierij aan het licht kwam. Toen zijn moeder aan hem vroeg wat zijn plannen voor de lente waren, lepelde hij de laatste aardappel van zijn bord en antwoordde: 'Ik ben blij dat je ernaar vraagt. Er is iets waarover ik met je wil praten.'

Hart pakte de lege schaal op en liet zijn duim over de rand glijden om de laatste restjes aardappel die er nog aan kleefden er af te schrapen. 'Hoe ga je de hardwerkende mensen van Kings County dit jaar hun geld ontfutselen, Archie? Ik kan me niet voorstellen dat je iets eerlijkers gevonden hebt dan het venten van het woord van de Heer, tenzij je natuurlijk van plan bent kaartjes naar de andere kant van de paarlen hemelpoort te verkopen... en zorg er in dat geval voor dat je er een voor jezelf overhoudt, want je zult het nodig hebben.'

Archer negeerde Harts opmerkingen en begon de borden op tafel te verschuiven. Het tafelkleed kreukelde op tot zachte, gerimpelde bergen en dalen. 'Zeg dat deze schaal de Bay is, en deze richel hier de berg...' Hij wees naar de ruimte tussen beide. 'De meeste huizen worden hier gebouwd.' Vervolgens liet hij zijn hand over een heuvel van stof glijden die naar de toppen voerde. 'En deze velden hier, die ontbost zijn, waar worden die voor gebruikt, om het vee op te laten grazen, om er hooi van te maken? Je kunt er niets op verbouwen dat de moeite waard is.'

Hart onderbrak hem: 'Laird Jessup heeft er afgelopen jaar kool op verbouwd, en dat ging prima.'

Archer lachte. 'Kool? Hoeveel kool heeft een dorpje nodig? Hoeveel mensen houden eigenlijk van kool? Het stinkt, dat spul. De enigen die het willen eten zijn varkens, en die worden er opgeblazen van. Het enige wat er na al dat werk overblijft zijn een paar centen en een hoop agressieve zwijnen.'

Hart schudde zijn hoofd. 'Er staat daar te veel wind om iets anders te verbouwen.'

Archer knipte met zijn vingers. 'Precies! Wind is het enige waar we genoeg van hebben hier in de Bay, dus waarom zouden we dat niet verbouwen? We kunnen molens bouwen, een heleboel molens. In plaats van te bidden dat de zaagmolen die je naast Ells Brook hebt gebouwd niet wordt weggevaagd door een overstroming, kun je een windmolen hebben. En beter nog, we kunnen de windmolens gebruiken om elektriciteit op te wekken. De stadsmensen van Canning proberen al jaren elektriciteit te krijgen voor hun straatlampen, laat staan voor hun huizen, dus het kan zeker nog wel even duren voordat de *county* elektriciteit de berg op brengt. Waarom zouden we erop wachten? Met hier en daar een paar windmolens, kunnen we genoeg genereren om deze hele kant van North Mountain van elektriciteit te voorzien.' Hij maakte een trots, weids gebaar, alsof er zojuist een regenboog boven zijn hoofd was verschenen. 'Het Bigelow Elektriciteitsbedrijf van Scots Bay... en dan, Halls Harbour, Arlington, Blomidon, Medford, Ross Creek, Delhaven...'

Ik snapte het niet en wees naar zijn tafellandschap. 'Ik weet niet wat je van plan bent, maar zo te zien liggen het kerkhof en ons huis midden op je windboerderij.'

Hij gaf me een klopje op mijn hand. 'Die mensen zijn dood, schatje, ze vinden het vast niet erg.' Met zijn vinger maakte hij een kring rond de juskom. 'We bouwen de windmolens rondom het huis. Het zal net zijn alsof we in een veld met reusachtige ronddraaiende madeliefjes wonen, en jij, mijn lieve vrouw, zult de eerste vrouw zijn die elektriciteit in huis heeft.'

Hart mopperde. 'Waar hebben we nou elektriciteit voor nodig? Een kleine windmolen of een handpomp zorgen voor genoeg water voor een huis, en olielampen geven genoeg licht. Volgens mij kunnen we net zo goed zonder.'

Archer zuchtte en keek met smekende ogen naar zijn moeder. 'Daarom moest ik bij u komen. Hart is niet de enige in de Bay die geen visie heeft. Ik heb met een paar andere mannen over mijn ideeën proberen te praten, en kreeg meestal dezelfde reactie.' Hij pakte haar hand. 'Hennen leggen alleen eieren in de zonnige maanden van het jaar. Als het eenmaal herfst is en de dagen korter worden, houden ze ermee op tot het lente is. Maar als we elektriciteit zouden hebben, zouden we ze het licht kunnen geven waar ze behoefte aan hebben en dan leggen ze de hele winter door.' Hij grijnsde naar zijn moeder. 'Je zegt toch altijd dat de hennen slimmer zijn dan de hanen.'

Daarmee overtuigde Archer de weduwe om hem de rest van zijn erfenis te geven en al het andere dat ze kon missen. Ze beloofde ook dat ze voor Archer zou regelen dat hij een toespraak zou kunnen houden op de voorjaarsvergadering van de White Rose Temperance Society. Hij was door het dolle heen. En ik vraag me wederom af of hij hiermee een belofte doet die hij niet waar kan maken.

26 februari 1918

De boeren maken al eeuwenlang gebruik van windenergie. Magistrale windmolens staan al sinds jaar en dag verspreid over het Europese landschap, en in de afgelopen jaren zijn de prairies van Noord-Amerika vruchtbaar gemaakt door middel van torenhoge windturbines die onophoudelijk water uit de aarde pompen. De wind verandert ons graan in meel en onze bossen in planken, ten behoeve van ons allemaal.

Nu ziet het ernaar uit dat de wind de mensheid opnieuw iets te bieden heeft. In 1892 produceerde de Deense uitvinder, Poul la Cour, voor het eerst elektriciteit met een windmolen. In 1903 richtte hij The Society of Wind Electricians op, en vanaf 1904 publiceerde hij het *Journal of Wind Electricity*. Ondernemend als hij is, bouwde hij vervolgens een testturbine in zijn thuisplaats Askov in Denemarken. Alleen dit jaar al zal La Cour 100 windgeneratoren met succes laten draaien, waarmee hij het platteland van Denemarken van elektriciteit voorziet.

Vaughn's Almanac presenteert een aantal plannen zodat iedereen zijn eigen replica van La Cours fantastische windgenerator kan bouwen. Ze zijn uitsluitend te verkrijgen via Vaughn's door $13,75 naar ons kantoor in Plaistow, New Hampshire, te sturen.

Vandaag kwam er een groot pakket aan voor Archer van *Vaughn's Almanac*. Na de lunch sloot hij zich op in de schuur. Ondanks het koude, vochtige weer, is hij vastbesloten om eraan te werken totdat hij zijn taak heeft volbracht. Tegen etenstijd bracht ik hem een bord eten en tevens een extra trui. Hij gebaarde naar me dat ik het eten op een appelton in de hoek moest neerzetten en ging weer verder met zijn werk, hij draaide kringetjes rond een geïmproviseerde tafel die hij had gemaakt van twee zaagbokken en een paar brede planken. Tegen de stal van Buttercup zaten drie grote vellen blauw papier vastgespijkerd, vol met figuren, diagrammen en cijfers. Bij mijn laatste bezoek aan de schuur om middernacht, was zijn tafel nog steeds leeg.

27 februari 1918

Ging Archer ontbijt brengen en merkte dat de schuurdeuren waren vergrendeld. Zijn stem bromde van binnenuit: 'Laat maar staan, ik pak het zo wel.' Ik zette mijn lippen tegen een kwastgat en zei: 'Niet vergeten de koe te melken.'

Vlak voor lunchtijd hoorde ik het boze geloei van Buttercup, die hard protesteerde. Ik keek uit het raam en zag nog net dat Archer het arme, loeiende beest de wei in zweepte. Hij stampte terug naar de schuur, gooide de melkkruk naar buiten en sloeg de deur dicht.

Ik pakte het dier bij haar touw en trok haar naar de zuidkant van de schuur, waar het dak over de houtvoorraad heen hangt. Ik wreef over haar flanken en melkte haar gezwollen, rode uiers tot ze droog was en liep met haar naar de schuur van weduwe Bigelow om te kijken of Hart misschien plek voor haar had.

Toen ze eenmaal binnen stond, bood Hart aan me naar huis te brengen met zijn rijtuig. Dat wees ik af, maar hij wilde per se met me mee lopen zodat hij eens kon kijken naar het handwerk van Archer. Pepper draafde om ons heen terwijl we verder liepen, snuffelde in de slootjes langs de afrastering. Ze rook het eten dat nog onaangeraakt in het mandje bij de schuurdeur stond, schoot erop af en schrokte het op. Ik mopperde niet op haar. Archers ontbijt was allang koud geworden en niet meer lekker. Ik mopperde echter wel op Hart, omdat hij me plaagde en zei dat hij 'de deur in zou trappen om te kijken of Archer nog wel leefde'. In plaats daarvan slopen we naar de achterkant van de schuur en gluurden door de spleten tussen de planken door.

Archer had in afwachting van de komst van deze grandioze uitvinding zo ongeduldig lopen te ijsberen, dat je zou denken dat het zo groot als een kerk zou worden. Toen Jack Tupper het naar het huis bracht, legde Archer zijn armen om de grote houten kist heen en zijn gezicht kwam er net bovenuit, met ogen die glinsterden alsof het Kerstmis was. Gezien de grootte van de doos, had ik verwacht dat het iets werd dat net zo hoog was als mijn man, iets formidabels, en sterk genoeg om overeind te blijven in de wind die uit de Bay waait. Hart ging maar door met fluisteren en lachen: 'Wat een klein ding. Maar ach, dan kunnen de muizen er mooi een feestje onder vieren.'

Archer boog zich over zijn werkbank heen, hield met een arm het dak van een poppenhuis op zijn plek en timmerde op zijn creatie ter grootte van speelgoed. Hij floot en neuriede, en af en toe praatte hij met het ding, riep uit hoe handig hij was met hamer en spijker, prees de genialiteit van de mens en beloofde dat hij 'iedereen eens iets zou laten zien'.

Nog nooit eerder had ik mijn man met zoveel toewijding voor iets gezien. Ja, ons huwelijk, maar in vergelijking hiermee, is het duidelijk dat zijn inzet en zijn verlangen nooit aan mij hebben toebehoord. Met of zonder baby, ik zal nooit de zoete, hypnotische woorden van Shakespeares geliefden of de innemende glimlach en heerlijke gesprekken van Jane Austens helden oproepen. Ik zal er nooit de oorzaak van zijn dat iemand in de kou staat te rillen of zijn avondmaaltijd laat schieten.

28 februari 1918

Vlak voor zonsopgang kwam hij de deur binnen en riep naar me. 'Dorrie, kom kijken, ze staat!' Hij droeg me van het bed naar de schuur, de dekens hingen tussen mijn benen door naar beneden. 'Ga daar maar zitten.' Hij liet me vallen op een hooistapel en duwde de deur naar de schuur zo ver mogelijk open. 'Hou je ogen op het poppenhuis.' Koude windstoten joegen door de schuur, stuwden rondliggend hooi op, en brachten de bladen van de windmolen ratelend aan het draaien. In de kamers van het kleine huisje flikkerde licht. Een kroonluchter, een lamp op de trap, een lichtje in het raam aan de voorkant. 'En er was licht!' zei hij en hij trok me in zijn armen en draaide me in de rondte, alles tolde, onze adem hing in de lucht van het eerste roze zonlicht.

De Dames van de White Rose Temperance Society
nodigen u uit voor hun lentethee
Zondag 3 maart 1818
Om 2 uur
Seaside Centre
Onze speciale gast is Archer Bigelow
die een lezing zal presenteren
Elektriciteit: de beste vriendin die een vrouw kan hebben

31

We zetten de kleine windmolen op in het Seaside Centre na de mis. Ik leende een tafelkleed van tante Fran en een paar poppen en meubelstukjes van Precious om de presentatie compleet te maken.

Ondanks alle problemen die Archer vorig jaar had met zijn temperament en de drank, is één ding onveranderd gebleven: hij is nog steeds in staat om de aandacht van de vrouwen te trekken voor wat hij ook maar wil. Zelfs met de ramen wagenwijd open klaagden de dames geen moment (zelfs zijn moeder niet). Ze gingen dicht bij elkaar rondom het poppenhuis zitten, hun gezichten gluurden de verlichte kamertjes binnen; hun monden open van verbazing. Toen de ramen eenmaal dicht waren en ze op hun stoelen zaten, vertelde Archer hun over zijn geweldige windboerderij en de superioriteit van hennen over hanen. Het duurde niet lang voordat ze om meer kakelden.

Dit is de tijd van het jaar waarin je de lente al in de lucht kunt voelen. De zon verwarmt de grond, de sneeuwklokjes komen tevoorschijn, maar zodra een stel mensen begint te praten over blauwe luchten en het planten van erwten, begint het te sneeuwen en wordt de aarde weer bedekt met een laag 'armeluismest' van een centimeter of vijf. Toen Archer beweerde dat de winter van dit jaar de langste in de geschiedenis is, knikten alle hoofden eensgezind. 'En ook de koudste, zou ik denken.' Hij liep naar zijn moeder toe en nam haar handen in de zijne. 'Koude handen, warm hart – ze hebben vast aan dames zoals u gedacht toen ze die uitspraak bedachten.' Daar moest zelfs tante Fran van blozen.

Hij opende de Sears catalogus en wees op de grote zwarte letters boven aan de bladzijde:

Apparaten die alle vrouwen waarderen

'Elektriciteit zorgt er niet alleen voor dat uw hennen eieren leggen. Voor de vrouwen van de Bay kan elektriciteit veel meer betekenen...' Hij glimlachte en vroeg aan de vrouwen: 'Hoe vaak wenst u niet dat er meer uren in een dag zaten? Of droomt u ervan om een extra paar handen te hebben?' Hij knipte met zijn vingers. 'Als u elektriciteit zou hebben, zou u waarschijnlijk het gevoel krijgen dat die wensen in vervulling zijn gegaan.' Hij gaf de catalogus door aan mijn moeder en mij. 'Kijkt u eens naar die bladzijde, staat er iets tussen wat uw leven eenvoudiger zou maken?'

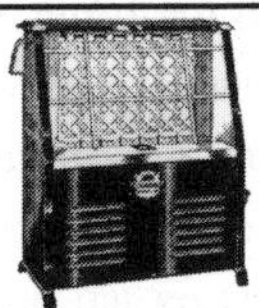

Majestueuze Elektrische Radiator
Fijn voor die koude kamer, dat kleine kantoor.
Erg mooi vanwege het heldere, koperen binnenwerk en geboende vernikkelde staal.

Thuismotor
Deze motor die u hierboven ziet afgebeeld kan een naaimachine aandrijven. Makkelijk te verbinden; maakt naaiwerk tot een genoegen.

De vele hulpstukken (niet afgebeeld) die door deze motor kunnen worden aangedreven zullen het werk in huis verlichten. (Keukenmixer, hulpstukken om te roeren en te mengen, om te kloppen, ventilator hulpstukken, slijp- en poetshulpstukken, alsmede het draagbare vibratorhulpstuk.)

Maak naaien gemakkelijk met een Elektrische naaimachine-motor.
Gemakkelijk te verbinden met uw naaimachine, zonder de machine op enigerlei wijze te beschadigen. Kan snel en langzaam lopen. Snelheid makkelijk te regelen. U kunt veel meer naaien zonder dat u moe wordt van het aanzwengelen van de machine. Kan niet gebruikt worden in huizen zonder elektriciteit, want de motor is niet gemaakt om op accu's te werken.

'Ik beloof u, als u deze onderneming ondersteunt, bezorg ik de elektriciteit bij u allemaal tot aan uw deur voordat de dagen korter en de nachten kouder worden.'

Tegen de ochtend stond de veranda vol met jampotjes, tot de rand toe gevuld met munten. Na het ontbijt pakte Archer voorzichtig zijn miniatuur windboerderij in een oude scheepskist, en zorgde ervoor dat elk stukje bekleed en beschermd was. Hij zei dat hij het geld op de bank in Kentville ging zetten – het geld van zijn moeder en het geld van de dames. Daarna zou hij naar Halifax gaan om investeerders te vinden. 'Ik heb echt geld nodig, geld uit de stad, om dit voor elkaar te krijgen.'

'Moet je vandaag al vertrekken?'

'Ik kan niet langer meer wachten om dit ding op gang te brengen, en ik wil niet dat de mensen denken dat ik mijn lieve vrouwtje niet kan onderhouden. Je wilt toch niet dat vrouwen hierheen komen om in de voorkamer te bevallen en je betalen met kool en bonen omdat ze medelijden met je hebben, of wel?' Hij kuste me en kneep stevig in mijn achterste. 'En trouwens, als ik erop moet wachten tot jij besluit dat ik moet gaan, kom ik hier nooit weg.'

'Hoe lang blijf je weg?'

'Moeilijk te zeggen. Maar als ik nu niet voortmaak...'

Ik voelde de tranen opwellen. 'Ik geloof dat ik misschien...'

Hij negeerde mijn verdriet, glimlachte me breed toe en liep de deur uit. 'Ik hoef me toch niet ongerust over je te maken, of wel, Dora? Dat doen alleen egoïstische meisjes, en ik had nooit gedacht dat jij er zo een zou zijn.'

15 april 1918

Ongesteld vandaag. Alweer geen baby.

Archer is al een maand weg, de oorlog duurt nog voort, en het voelt alsof de duisternis alles overwint. Al het nieuws in maart 1918 had betrekking op de Duitsers. Vele soldaten gevangengenomen, nog meer omgekomen.

Moeder heeft van Albert en Borden gehoord. Het gaat goed met hen. Ik vraag me wel af hoe het met Tom Ketch gaat, waar hij ook moge zijn. Hij heeft nooit iets van zich laten horen nadat ik hem geschreven heb. Het lijkt al zo lang geleden.

Ik heb vandaag wel een pakketje met de post gekregen van Charlie en er is inderdaad (zoals ik vermoedde) een meisje betrokken bij zijn verhuizing naar Boston (een vrouw, moet ik zeggen, zo te zien aan de foto die hij opstuurde). Ze heet Maxine Cabott, en ze is zo mooi en werelds als ik nog nooit heb gezien. Charlie staat naast haar, grijnzend als een kat die een muis heeft gevangen. Hoewel hij beweert dat hij voor haar werkt, ziet het eruit als veel meer dan dat.

Hij heeft me zelfs een gedichtenbundel toegestuurd van Emily Dickinson... zo attent van hem, ik vraag me af of hij verliefd is!

> Ik hoop dat het gedichtenbundeltje dat ik voor je heb meegestuurd, je bevalt. Het was Max' idee. Ik had haar verteld hoe graag je je neus in de boeken steekt, en ze zei: 'Ze houdt waarschijnlijk meer van iets snels, zoals Balzac of Lawrence, maar een postbeambte zou het waarschijnlijk in beslag nemen in de naam van zedelijkheid en deugd, en waar blijven we dan? Zeg maar dat het me spijt. Emily Dickinson zal voor nu goed genoeg moeten zijn.'

32

De roze maan, de maan van april, trekt het groen van de aarde zo aan zijn wortels omhoog. De roze maan, de Lievevrouwemaan, tekent grote zilveren ringen aan de hemel, haar plotselinge heldere gezicht stijgt boven de sparren uit en zingt: *Drie dagen regen, dag en nacht. Drie dagen regen en onverwachte gasten.*

Precious kwam bij me eten. Ik maakte gekookte ham met aardappelen, kool en wortelen. Moest 's nachts de haard in de keuken laten branden, om de kou buiten de deur te houden. Na het eten gingen we aan tafel zitten en doopten zoet brood in dikke room en ahornsiroop. Ze likte haar vingers af als een kind. Precious smeekte me om haar theebladeren te lezen. 'Alsjeblieft, Dora, ik zal het niet aan mama vertellen. Ik zal het aan niemand vertellen.'

Ze is vijftien, en ze zit tussen wal en schip. Op Paasmaandag is Sam Gower naar de oorlog vertrokken. Hij heeft besloten om 'zijn bijdrage te leveren'. Wat betreft haar bijdrage heeft Precious beloofd om te schrijven, om zijn brieven onder haar hoofdkussen te leggen en om zijn moeder gezelschap te houden tot hij weer terug is. Het is echt pijnlijk om te zien dat ze voor het eerst haar hart heeft weggegeven. We houden haar allemaal in de gaten. Tante Fran, oom Irwin, mevrouw Gower, dominee Pineo, iedereen die haar kent en van haar houdt. Iets in haar wachten, in haar trieste geduld, waarschuwt ons: 'Mocht het zo zijn dat het hart van dit meisje breekt, dan zal de hele wereld met haar mee breken.'

'Goed kijken... ik houd het kopje in mijn linkerhand, links is het dichtste bij het hart, snap je? Draai het om en laat de laatste druppels er langs het oortje uitdruppelen.' Precious keek toe en wiebelde op haar stoel van de spanning. 'Draai het kopje weer om en zet het schoteltje erbovenop. Dan draai je het zo snel als je kan ondersteboven zodat het kopje boven komt.'

'Nu, Dora? Kunnen we nu kijken?'

'Sst... Nee, nu wachten we even.' Ik plaatste mijn handen vroom over het kopje en draaide het langzaam rond, net als Wijze Marie het altijd had gedaan. *Een, twee, drie keer met de klok mee.* 'Altijd met je linkerhand optillen, altijd met links.'

Ze hield haar handen voor haar gezicht en gluurde tussen haar vingers door. 'Ik durf niet te kijken, Dora, is het goed?'

'Ik zie... een hand. Iemand die je kent zal je helpende hand nodig hebben. Zorg ervoor dat je hem of haar bijstaat, dan komt het geluk naar je toe.'

Precious zuchtte teleurgesteld. 'Ik help anderen altijd al, dat is makkelijk zat. Zit er niets anders in?'

'Wacht... o ja, een lint en een oor. Iemand die je zeer waardeert, en binnenkort krijg je nieuws van ver.'

Precious glimlachte en sloot haar ogen. Ze fluisterde: 'Sam.'

'Misschien wel.'

'Ik denk dat ik het beste met Sam kan trouwen als hij terugkomt.'

'Ik denk dat je nog te jong bent om aan trouwen te denken.'

'Maar jij was pas achttien toen je met Archer trouwde. Daar zit niet veel verschil tussen.'

'Dat is niet hetzelfde.'

'Waarom niet?'

'Als je uit een gezin komt met zes broers en weinig geld, is een huwelijksaanzoek een geschenk, geen keuze. Wees blij, lief nichtje. Je bent enig kind uit een rijk gezin. Je hebt tijd genoeg om te beslissen met wie je wilt trouwen.'

Precious legde een nieuwe knoop in het lintje onder aan haar vlecht. 'Verlang je er niet naar dat Archer weer thuis komt? Hou je niet zielsveel van hem? Zou je niet willen dat hij er was?'

'Iets willen betekent niet dat je het ook krijgt, hoe hard je het ook probeert. De liefde laat altijd zien dat ze prima voor zichzelf kan zorgen. Kom, laten we de tafel afruimen.'

Ze zette een pruillip op en vouwde haar handen in haar schoot. 'Pas als we ook in jouw kopje gekeken hebben.'

'O, oké.' Ik draaide het kopje om, en verwachtte niet iets belangrijks te ontdekken. *Een, twee, drie keer met de klok mee. En dan met links, altijd met links, dat is het dichtste bij het hart. Zo, snap je?* 'Vliegende merel. Twee handen die elkaar schudden. Een schatkist.'

Voordat ik klaar was hoorden we paarden en stemmen in de voortuin. Te laat voor Hart om langs te komen, te vroeg voor Archer om thuis te komen. Ik probeerde mijn bezorgdheid voor Precious te verbergen toen ik de deur opendeed.

Een man duwde een jong meisje voor zich uit, hun lichamen bewogen eerst als één geheel, daarna afzonderlijk. Het was moeilijk om te beoordelen of het angst of ziekte was waardoor ze zo bedrukt liepen. De man riep: 'Jij bent toch de dochter van Judah Rare? O... mevrouw Archie Bigelow moet ik eigenlijk zeggen...' Het spraakvermogen van Brady Ketch werd verlamd door dronkenschap, zijn kleren en zijn gezicht waren vuil.

'Ja, maar...'

'Ga maar, m'n wilde Iris Rosie... mevrouw Bigelow weet wel wat ze met je aanmoet.' Hij duwde het meisje het trapje op, de deur door, waardoor ze jammerend in mijn armen viel. 'Pak aan.'

'Als ze ziek is moet je haar naar dr. Thomas brengen. Ik kan haar niet helpen.'

'Deze kleine feeks? Ze kost meer dan ze waard is. Voor de problemen die zij veroorzaakt heeft, heb ik niets over.'

De versleten wollen sjaal om haar hoofd viel op haar schouders en onthulde haar kwetsbare gezicht. Boven het oog zat een blauwe plek, en haar mondhoek was opgezwollen van het bloed. Ik legde mijn arm om haar heen om haar op de been te houden. 'Heeft hij je dit aangedaan?'

Hij begon terug te lopen naar zijn gammele wagen op schuivers, getrokken door een ongelijk span paarden. 'Natuurlijk, wat dacht je dan. En of je haar oplapt of vermoordt, kan me geen barst schelen.'

Ik riep hem na, maar hij zat al op de bok en gaf zijn span de zweep. Toen zijn rijtuig de weg op slingerde, veranderde zijn onzinnige gemompel in gezang.

We waren gelukkig, maar vader ging aan de rum
Dat was de dag waarop al ons leed begon...

Het lichaam van het meisje leunde zwaar tegen me aan. Ze huilde en kermde van de pijn. Precious stond achter me, te staren, te wachten. 'Zet de schommelstoel bij het fornuis in de keuken. Even kijken of we haar rechtop kunnen laten zitten.'

Precious kwam snel in actie, haar handen trilden toen ze de zware eiken stoel van Wijze Marie over de vloer sleurde. 'Wat is er mis met haar?'

'Ik weet het nog niet. Kom, help me even om haar uit deze vodden te krijgen.'

Een bonte verzameling lapwerk, stukken jas en oude dekens zaten om haar snikkende, bange lichaam gewikkeld. 'Kun je me vertellen wat er aan de hand is, lieverd?' Ik fluisterde zacht in de hoop dat ik haar ertoe kon verleiden om me te vertellen wat er gebeurd was. Ze boog haar hoofd naar haar borst en klampte haar armen om haar buik heen. Haar gehuil werd een lange, gekwelde weeklacht. Ik schoof mijn hand onder de overgebleven dekens. Haar middel was gespannen, een knoop van verkramping. Precious stond vlakbij en fluisterde in mijn oor. 'Ik ken dit meisje. Iris Rose Ketch. Ze woont op de berg. Moeder zegt dat haar vader haar verhuurt, haar lichaam verkoopt, voor geld.'

Hoe lang was het geleden dat ik haar vermoeide meisjesgezichtje bezorgd had gezien over haar moeder in Deer Glen? Een jaar? Nee, meer dan een jaar. Het was herfst, mijn eerste geboorte met Wijze Marie. Toen had ik diezelfde grote ogen door de spleten van een scheve trap zien kijken, in afwachting van een wonder. Het zou niet lang meer duren voordat dit kind, dat aan de kant was gezet door een moeder die altijd eten, kleren en liefde te kort kwam, zelf moeder zou worden. Ik knielde voor haar voeten. 'Je bent hier veilig, Iris Rose. Ik zal nu voor je zorgen.'

Bang en ademloos bood Precious vlug aan om Tante Fran te gaan halen. 'Alsjeblieft, Dora. Ik breng haar meteen mee terug. Laat me mijn moeder gaan halen.'

In de kring van kaartmeisjes doet een verhaal de ronde over een 'vroedvrouwenvloek', of een heksenteken dat is doorgegeven van

Wijze Marie naar mij. Volgens dit verhaal is de vloek er de schuld van dat mijn man is weggegaan en dat ik kinderloos ben gebleven. Elk ongetrouwd meisje kan 'het krijgen' als ze mijn thee drinkt, bij mij naar binnen loopt, aan mijn keukentafel of naast me in de kerk zit, wol aanraakt dat ik gesponnen heb, iets eet dat ik heb klaargemaakt enzovoort. Precious en ik hebben er vaak genoeg om gelachen en we hadden besloten dat zij niet door de vloek geraakt kon worden omdat ze van me hield. Nu leek het alsof ze de deur uit wilde rennen, alsof de vloek haar alsnog te pakken zou krijgen door het zien van een geboorte met mij in de buurt. *Hoe langer woorden rondwaren, verstrikt raken tussen de breinaalden of spelden, hoe makkelijker het wordt om ze te geloven, zelfs als je weet dat je dat niet moet doen.* 'Ik ga moeder halen. Zij weet wel wat we moeten doen.'

'Nee, Precious. Ik moet hier blijven. Ik maak de deuren naar de slaapkamer naast de keuken wel open zodat het er warm kan worden. Ren jij naar boven en pak een kamerjas uit mijn kleerkast en zoveel lakens als je kunt dragen uit de linnenkast.' Iris Rose zat te trillen in de schommelstoel. Ik pakte haar hand. 'Je zit in het oog van de storm, lieverd; probeer je te ontspannen als dat lukt – straks hebben we veel werk te doen.'

Ik kleedde haar in een schoon, wit nachthemd en hielp haar op het bed. Precious rommelde in de keuken, zette de ketel op het vuur voor thee, scheurde lakens in repen, en voerde een mand met lamswol en flanel. Iris Rose viel in een rusteloze slaap, moe van de weeën die haar lichaam om de paar minuten in zijn greep hadden.

Schaar, naalden, garen, haaknaalden, geschroeid neteldoek. Calendulazalf, peroxide, cayenne, bast van de toverhazelaar, wonderolie, moederkoren, Jayes Fluid, Bloedstopper, Moederthee. Alruinwortel – balsem voor de gekneusde vrouw. Ga met je rug in de wind staan. Trek met een mes drie cirkels rondom de plant met de klok mee. Gooi er Mariawater overheen. Draai je naar het westen om de wortel eruit te trekken. Salve Nos, Stella Maris. *Red ons, Ster van de Zee.*

Iris Rose jammerde luid toen er opnieuw een pijngolf door haar lichaam ging.

'Het is bijna tijd om te gaan persen en je baby op de wereld te zetten. In de volgende rustperiode zal ik je helpen om op je knieën te komen zitten.' Ik trok een stoel onder de keukentafel vandaan en zette hem voor haar neer. 'We zetten deze stoel voor je neer zodat je iets hebt om je aan vast te houden... Precious, schuif die sprei eens onder haar benen, dan is het lekker zacht als ik de baby opvang.'

De klok op de schoorsteenmantel in de voorkamer sloeg twaalf keer toen we begonnen. Om twee uur was ze nog steeds aan het worstelen, bijna bezweken van uitputting. Weldra zouden moeder en kind in gevaar zijn. 'Precious, pak de kraaienvleugel die boven de deur hangt, en de cayennepeper van de tafel.'

Wijze Marie had me over 'vleugelen' verteld, maar ik had het nooit gezien, laat staan beoefend. Ze zei dat ze het had geleerd van de overgebleven Chitimacha-indianen die in de buurt van het Atchafalaya-moeras woonden. *Haar gezicht wordt helemaal rood en heet, en ze zal denken dat haar hoofd in brand staat, maar als ze het loslaat, laat ze ook de baby gaan. Soms is het de enige manier. Porce'pic-veren zijn het beste, maar een kraaien- of zelfs een meeuwenveer doet het ook prima.*

Precious keek toe hoe ik een veer uit de vleugel trok en de veer schoon schraapte. Ik doopte het puntje van de veer in de peper zodat de holte helemaal rood werd. Ik hield de veer dicht bij het gezicht van Iris Rose en streelde haar zacht over haar wang terwijl ik haar uitlegde: 'Niet bewegen; zodra we de volgende golf voelen aankomen, ga ik blazen. Hiermee zou het moeten lukken.'

Ze was te zwak om iets terug te zeggen. Ze begroef haar vingernagels in de rug van de stoel in afwachting van de weeën. Met een korte stoot lucht vloog de peper de veer uit haar neus in. Haar ogen gingen wijd open en haar gezicht werd vuurrood. Ze kreeg een vreselijke niesbui waardoor haar lichaam duwde en trok, haar stem jammerde met tranen en halve woorden. *Huilend alsof ze door de Heer bezeten is, als een berouwvolle, smekende ziel die de Geest uit de hemel naar beneden haalt,* baarde Iris Rose haar baby in mijn wachtende handen.

Geboren om halfdrie 's ochtends.

Een meisje.

33

E*lke geboorte is een les.*

Ik stelde me voor hoe ik Iris Rose en haar baby alle zorg en liefde zou geven. Een aantal dagen rust, heldere soep, gort, zachtgekookte eieren en kreuncake. Dagen waarin een moeder slaapt met haar baby tegen haar borst genesteld. Dagen van praten, zingen en gelukzaligheid. Omdat Archer weg was, was er meer dan genoeg ruimte voor minstens een week van dit soort dagen, negen of tien, nog meer zelfs als ze wilde.

Ze was dertien.

Dit was niet haar schuld, maar de schuld van haar vader, of een van haar broers of een andere man.

De ruwe wind rukt aan de tere meibloemetjes.

Nog voor de narcissen, voor de boterbloempjes, voor de wilde roos, gebroken hartjes en ridderspoor, stierf ze... en ze liet een spoor van stilte achter. De zomer zal haar gezicht niet meer verwarmen.

Het witte katoenen nachthemd en het beddengoed om haar heen waren gedrenkt in bloed. Haar gezicht was bleek geworden. Ik bladerde snel door het Wilgenboek, op zoek naar iets dat ik misschien had gemist. *Salve Nos, Stella Maris. Red ons, Ster van de Zee.*

Als je een vrouw ziet die denkt dat bidden haar geen goed doet, weet je dat haar bloed zal vloeien als een rivier. Ze kan het niet meer vasthouden. De hoop is uit haar weggeslagen. Om de geboorte te vergemakkelijken en de placenta te halen – basilicum, honing, nootmuskaat.

De nageboorte was net zo'n moeilijke bevalling als het kind, en

Iris Rose had er weinig kracht meer voor over. Ze was door en door moe, zelfs al voordat de bevalling begon. Ik had geprobeerd haar zwartebessenwortelthee met Mariatranen en Bloedstopper te laten drinken, maar ze spuugde het weer uit alsof ik haar vergif had gegeven. Ik probeerde haar uit te leggen dat het goed voor haar was, maar ze had haar verstand al overgegeven aan de pijn. De ene minuut duwde ze me weg, en de andere minuut klampte ze zich vast aan mijn nek, hield me vast en huilde: 'Mama, mama, help me, mama.' *De geestelijke toestand van een vrouw maakt een wereld van verschil tijdens een geboorte. Of ze is bij je, of niet. De hemel sta haar bij als ze er niet bij is.*

Precious zorgde voor de pasgeborene, wikkelde haar in flanel, legde haar in een wasmand en zette haar in de warme kring voor de kachel. Ze stond te staren in de deuropening, keek naar de worstelingen van Iris Rose met angstige wijdopen ogen. Ik wist dat ik haar bezig zou moeten houden om haar rustig te houden. 'Precious, kun je voor mij een grote kom halen voor de placenta en een paar schone handdoeken?'

Met de nageboorte kwam het bloed. Eerst langzaam, daarna stuwend en donker. Het stroomde over mijn handen en door mijn vingers. Precious trok aan mijn arm en vroeg met bibberende stem: 'Gaat ze dood?' Ik keek haar streng aan, in de hoop dat ze zou beseffen dat Iris Rose, ondanks dat ze niet reageerde op mijn aanmoedigingen, nog steeds kon horen wat er gezegd werd. Met een vrolijke stem gaf ik haar nog een taak. Het was een eenvoudige opdracht, een oud verhaal van Wijze Marie, maar ik dacht dat ze zich dan tenminste nuttig zou voelen. 'Laten we de nageboorte een passend einde geven. In een situatie als deze moeten we het bloed *wegbranden*.' Ik gaf de schaal, die nu zwaar was van het vlies en het bloed, aan Precious. 'Strooi grof zout over de placenta, doe er krantenpapier omheen en gooi het pakje op het vuur. Dan zal ze minder hard bloeden.'

Terwijl Precious afgeleid was door haar taak, probeerde ik Iris Rose meer thee te laten drinken. Ze moest er niets van hebben. Ik legde mijn hand op haar buik en hoopte dat hij weer aan het samentrekken was, maar het voelde erg drassig aan onder mijn vingers, een teken dat haar baarmoeder zich weigerde af te sluiten. *Tenzij haar lichaam er een eind aan maakt, zal ze bloeden tot ze dood is.* 'Ik moet op je buik duwen om te proberen het bloeden te stelpen. Ga op je rug liggen en ontspan je. Stel je voor dat je binnenste een stevige vuist maakt.' *Je moet het kneden, wegduwen, wegjagen, Moeder Maria, zorg dat het stopt, duw het weg, jaag het weg...*

Ze deed haar ogen dicht, haar hartslag was langzaam en zwak, en toen stil. Ik schudde haar en riep haar naam. *Het enige wat je kunt doen is zorgen dat ze veilig is totdat haar engel komt.* Ik bad tot God, tot Jezus, tot Maria, tot Wijze Marie, maakte vele kruistekens over haar hele lichaam, over mijzelf, maar Iris Rose had de strijd allang opgegeven... al voor de eerste ademteug van haar baby, al voordat ze voor mijn deur werd afgezet, al voordat de weeën haar aan het huilen hadden gemaakt. Ze had al pijn vanaf de tijd dat ze voor het eerst door haar boze vader geslagen werd, al vanaf de tijd dat ze geleerd had om te doen alsof ze nog onschuldig was. Iris Rose was in het leven gestapt met een ziel die wilde sterven.

Ik pakte het potje naalden uit de porseleinkast. Ik hield een handvol naalden naar het licht en koos de helderste. Ik ging boven haar lichaam hangen, biddend dat ze nog in leven was, en hoopte vurig dat ik niet zou hoeven doen wat nu moest gebeuren. Precious kwam naast me staan voor dit morbide ritueel. 'Ik heb de dodennaald nog nooit gezien,' fluisterde ze plechtig. 'Je zult het wel moeten doen om zeker te zijn. Oma Jeffers zei ooit dat je de slaapziekte kon krijgen, en dat ze je levend zouden kunnen begraven als ze je niet testen met de naald. Soms is het de enige manier om erachter te komen.'

Ik knikte. Ik wist zeker dat Iris Rose overleden was, maar de naald zou het makkelijker maken. Als het verhaal van haar dood de ronde zou doen, zouden de mensen vragen gaan stellen. Als ik het niet zeker wist, zouden we ter verantwoording worden geroepen. 'Als hij aangeslagen is, leeft ze; als hij schoon is, is ze dood.' Ik duwde de naald in het zachte deel van haar arm, en trok hem er weer uit. Daar, in de palm van mijn bloedbesmeurde handen, glinsterde hij, zilverwit.

34

Zodra het licht was stuurde ik Precious naar huis met strenge instructies. 'Ga naar Bertine Tupper en zeg tegen haar dat ik haar en de andere Vrijblijvende Breisters bij mij thuis nodig heb. En je moet niets aan je moeder vertellen van wat hier gebeurd is.'

Binnen een uur waren alle leden van de VBV er. Toen ik het trieste verhaal van de dood van Iris Rose verteld had, begonnen we de details uit te werken. Sadie en Ginny hadden nog steeds melk en waren graag bereid om het kleine meisje om de beurt de borst te geven. Telkens als ik haar tegen me aan houd, voelen mijn borsten huilerig aan, en ik had zelfs geprobeerd om haar aan te leggen toen ik op hulp zat te wachten, maar er was niets voor haar om haar lang tevreden te stellen. Sadie trok haar bloes omhoog, hield het kind tegen zich aan en plaagde: 'De melkmeisjes van Scots Bay, tot je dienst, lieverd.' Ze heeft er geen flauw benul van hoe opgelucht ik was om het kind te zien drinken, haar gezicht werd roze van tevredenheid.

Niet lang daarna kwam Precious terug met een grote mand aan de arm. 'Ik heb tegen mam gezegd dat je je niet lekker voelde en gezelschap nodig had.' Ze knipoogde sluw naar me. 'Geen zorgen, ik heb haar wijsgemaakt dat je een beetje verkouden was en dat ik het vermoeden had dat je eigenlijk meer Archer miste dan dat je medische zorg nodig had.'

Bij de deur probeerde ik haar weer terug te sturen. 'Misschien kun je het beste weer naar huis gaan. Het is zo'n lange nacht geweest, je bent vast doodmoe.'

Ze duwde me aan de kant en liep naar binnen. 'Alsjeblieft, Dora, mag ik hier blijven? Ik moet de hele tijd denken aan alles wat er gebeurd is. Kan ik niet iets doen om te helpen? Ik kan de baby vasthouden, voor haar zingen, thee en koekjes maken. Zelfs al zou ik naar huis gaan en direct naar mijn kamer doorlopen en in slaap vallen, wat ik toch niet zou kunnen, dan zou ik waarschijnlijk in mijn slaap gaan praten en alles verklappen. Je weet toch dat ik de neiging heb om geheimen te verklappen als ik zenuwachtig ben?' Ze gaf me de mand, knoopte een schort rond haar middel en begon eieren te breken voor zoetbrood. 'Kijk maar eens wat ik mee heb gebracht.'

Ik ging op een stoel zitten en spreidde de inhoud van de mand uit op de keukentafel. Verstopt onder een laag *Ladies' Rural Companion* lag een pakje met vloeipapier eromheen. Ik trok het open en vond een prachtige jurk van lavendelzijde en kant. Het was de nieuwe paasjurk van Precious, die helemaal vanuit Eaton's in Toronto was verscheept. Ze had hem nog maar één keer aangehad, sinds ze hem had gekregen. Ze was ermee langs de kerkbankjes gegleden, diepbedroefd maar mooi, toen ze afscheid nam van Sam Gower. Precious kwam dichterbij, speelde met het witte lint dat ooit strak om haar middel had gezeten. 'Ik wil dit aan Iris Rose geven. Ze moet een fatsoenlijke jurk hebben.' Ik draaide mijn hoofd om en huilde terwijl Ginny hem omhooghield, zodat iedereen hem kon bewonderen. 'Hij is perfect. Gewoon perfect.'

We trokken de lakens van het bed, het bebloede nachthemd van haar lichaam en sneden ze in stukken om te verbranden. Toen legden we haar af. Ik waste haar, veegde het bloed van haar huid en zag het water steeds roder worden als ik het doekje schoonspoelde in de wasbak. Precious hielp haar aankleden en ging aan de rand van het bed zitten en borstelde haar haar met lange, rustige slagen. 'Ziet ze er niet prachtig uit, Dora? Ze is net een prinses die naar een groots bal gaat, of een bruid die nog een nachtje moet slapen voordat ze gaat trouwen.' Mabel plukte zoveel bloemen als ze kon vinden en maakte een boeket voor de zachte, eerbiedige handen van Iris Rose. Paarse krokussen en vogelmelk, een paar vroege tulpen, takken van de forsythia en wilgenkatjes. 'Het is zo'n kleine moeite haar schoonheid te geven in de dood.' We zwoeren als zusters dit geheim te houden, een gebed dat aan ons hart werd vastgebonden met halfbloedknopen. Als de baby huilde, huilden we allemaal. We zongen huilerige slaapliedjes voor moeder en kind. Niet omdat we in ons leven nog nooit te maken hadden gehad met de dood, maar omdat we er allemaal al genoeg van hadden.

Bertine was zo moedig om te vragen: 'Wat kunnen we met haar doen?'

Mabel deed een voorstel. 'Wat dachten jullie van de begraafplaats van de familie Ells. Daar komt nooit iemand meer. Het is waarschijnlijk niet erg overgroeid in deze tijd van het jaar.'

Bertine schudde haar hoofd. 'Daar kunnen we niet komen zonder gezien te worden, en ook al zou dat kunnen, het is een lange, koude winter geweest, en de grond is nog steeds behoorlijk hard. Het zou een erg ondiep graf moeten worden.'

Ginny zei zacht: 'Mijn oma is afgelopen voorjaar gestorven, en toen heeft vader een stapel sprokkelhout in brand gestoken en laten branden tot de grond helemaal zacht was.'

Sadie onderbrak haar. 'Komt dan niet iedereen aanrennen als ze een kampvuur zien?'

'O,' antwoordde Ginny.

Ik maakte een eind aan hun gekibbel. 'Ik weet een plek. Maar we kunnen er pas heen als het donker is, en ik heb hulp nodig om haar daarheen te krijgen.'

Precious en Ginny bleven thuis om op de baby te passen. Bertine, Sadie en ik wikkelden Iris Rose in een deken, bonden met een touw een zeil om haar heen en sleepten haar naar de bossen.

'Doe je schoenen uit.'

Sadie lachte. 'Voel je je wel goed, Dora?'

De buitenwereld mag de grond van Maria niet aanraken.

'Hier, leg haar maar onder die boom. Daar is ruimte genoeg voor haar lichaam.'

'Jezus, Maria en Jozef, dat is diep.'

'Volgens mij is ze niet de eerste die daarin verdwijnt.'

'Wat is dit voor een plek?'

'Niets meer zeggen nu. Doe gewoon wat ik zeg.'

In Le jardin des morts, *de tuin der doden, de tuin der verdwaalde zie-*

len, zullen zij rust vinden. Zachte, heilige rust. Een thuiskomst. Een ontmoeting met de engelen.

'Heilige Moeder, Ster van de Zee, neem deze ziel met u mee. *Salve Nos, Stella Maris.* Red ons, Maria. Red haar, Darcy. Kom en red haar. Kom en neem je zuster mee naar huis.'

Drie dagen na de dood van Iris Rose, kleedde ik het baby'tje warm aan en nam haar mee naar Deer Glen. Vast van plan het juiste te doen, ging ik ernaartoe met de gedachte dat ik haar zou moeten afgeven. Ik had geoefend wat ik zou zeggen: *Het spijt me zo. Er was niets meer aan te doen. Een deel van Iris Rose is tenminste nog bij ons.* Wat betreft het begraven van Iris Rose in de bossen... er zat niets anders op. Het was meer omwille van respect dan heimelijkheid, aangezien de familie Ketch geen fatsoenlijke grafsteen zou kunnen betalen, en de kerk heeft regels over wie wel of niet achtenswaardig genoeg is om weg te rotten in heilige grond. *Ik kan u naar de plek brengen waar we haar hebben begraven, als u dat wilt, dan kunt u afscheid nemen.* Niets van wat ik me had voorgenomen, werd echt uitgesproken. Toen ik bij de losse, gammele deur aankwam, zat Bradie Ketch te wachten, en keek me aan met zijn harde, wrede ogen.

'Wat moet je?'

'Ik kwam mevrouw Ketch opzoeken.'

'Waarvoor?'

'Het gaat over Iris Rose.'

'Die naam heb ik nog nooit gehoord.'

'Maar ik heb haar baby hier en...'

'Dat is jouw zaak nu, nietwaar?' Hij begon te schreeuwen en zijn gezicht liep rood aan. 'Scheer je weg hier. Maak dat je van mijn land afkomt, anders schiet ik je dood!'

Ik nam het kind mee naar huis en onderweg verzon ik een sprookje, een sprookje over de volle maan, een eenzame vrouw en een baby die in de steek was gelaten.

Bij volle maan in april, toen Precious en ik samen theedronken en zoet brood aten, hoorde ik een zacht gehuil voor de deur. Ik liep de veranda op met een kommetje room voor de katten. In plaats daarvan vond ik een klein, lief baby'tje. Ze was ingepakt in een wollen deken en in een gammele oude kreeftenval gestopt. Ik nam haar natuurlijk mee naar binnen, zorgde dat ze opwarmde en bekeek haar van top tot teen, bang dat ze misschien ziek was geworden door de vochtige koude lenteavond. Een perfect kind. Met appelwangetjes en een rozenmondje en een bos rode krullen op haar hoofd. Ik weet niet waar ze vandaan kwam of van wie ze is. Het was alsof de elfjes haar uit het bos hadden gehaald en voor mijn deur hadden gelegd, mijn kleine mosbaby. Sinds ze er is, kwaken en zingen de kikkers elke avond, en zij zingt met hen mee, als een vogel, met open mond in de vorm van een ronde, hongerige O. Ik heb haar Wrennie genoemd.

De zusters van de VBV zijn het er allemaal over eens dat het een mooi verhaaltje is. Ze vertellen het steeds weer, met groot genoegen, op zondag na de mis, tijdens een bijeenkomst van de dames van de White Rose Society en vooral tegen iedereen van buitenaf die op bezoek komt. Met allerlei gebaren en geluiden maken ze een hele show van de weinige details.

Nou, Dora was zo geschrokken van wat ze had gevonden dat ze de room over haar jurk en haar schoenen morste!

Ze riep vanuit de voortuin, keek de straat af in beide richtingen. Niks te zien of te horen. Eerlijk waar.

Het is zo'n fijne, lieve baby.

Een echte, levende mosbaby.

Eerlijk waar.

We zorgen ervoor dat we het verhaal niet veranderen, houden alle gebeurtenissen eenvoudig, maar net zoals alle andere mysteries uit de Bay, groeit het verhaal steeds verder uit, totdat het als een verwilderde els, *ik heb het anders gehoord*, dichtgegroeid is.

Ik heb gehoord dat Archie Bigelow het kind naar huis heeft gestuurd, als postpakket.

Ik heb gehoord dat ze het gestolen heeft van een vrouw in Delhaven.

Ik heb gehoord dat de geest van Marie Babineau met de mist over het water gekropen is om het haar te brengen. Een spookbaby, een mosbaby. Op een dag wordt ze 's ochtends wakker en is het verdwenen.

35

Archer kwam zondagmorgen bij de kerk aan. Toen de laatste hymne gezongen was, zag ik hem plotseling achterin staan. Grace Hutner hing aan zijn arm. Ze zagen eruit als een plaatje, van het soort dat ik wel eens in tante Frans bladen heb gezien of op ansichtkaarten in de Newcomb's Grocery. Zo'n glimlachend, hooghartig paar dat door de straten van de stad paradeert, en doet alsof alles in de wereld speciaal voor hen is bedoeld.

De kerkgangers liepen de kerkbankjes uit. De dames fluisterden, de mannen keken verward, en verschillende meisjes stonden stil voor Grace om de opzichtige, dure jurk te bewonderen. Bertines dochter Lucy liet haar hand langs de heup van Grace glijden. Het meisje zuchtte, alsof niets dat ze ooit had aangeraakt, niet eens de luchtige donsveren van een pasgeboren kuikentje of de wangetjes van Wrennie, zo zacht was.

Archer kwam naar me toe en grijnsde. 'Kijk eens wat ik onder een steen in de haven van Halifax gevonden heb.'

Ik knikte beleefd. 'Dag, Grace.'

Ze liet Archers arm los alsof ze niet had verwacht me te zien. 'Dag, Dora.'

Wrennie lag te woelen in mijn armen, dus ik hield haar stevig tegen me aan en trok het dekentje uit haar gezicht.

Grace staarde naar Wrennie. 'Wat een mooie baby. Je vangt ze nog steeds voor iedereen op, zie ik. Van wie is deze?'

Ik glimlachte naar haar. 'Ze is van mij.'

Archer wierp Grace een smekende blik toe, zijn gezicht liep rood aan. 'Dat wist ik niet. Ik wist niet dat ik zo lang weg was gebleven. Waarom heb je in godsnaam niks gezegd toen ik wegging, Dorrie?' Hij draaide zich naar me toe en greep mijn arm. 'Waarom heb je me geen bericht gestuurd?'

Ik trok me los en liep naar de deur. 'Je bent niet makkelijk te vinden.'

Archer volgde me de hele weg naar huis op de voet, krabde over zijn hoofd en vloekte. Toen ik uitlegde dat Wrennie niet echt van ons afstamde, dat ze voor onze deur was neergelegd, begon hij te vloeken en te tieren en zei dat het wreed van me was om hem en Grace met zoiets te plagen.

'En het was zeker niet wreed van jou om zo de kerk binnen te walsen, dezelfde kerk waar wij getrouwd zijn, met Grace Hutner aan je arm alsof je een prijs gewonnen had?'

Hij ging aan de keukentafel zitten met zijn hoofd naar beneden en peuterde aan zijn vingernagels. Met aarzelende stem probeerde hij terug te komen op zijn woorden. 'Het spijt me van Grace, maar ze had een lift naar huis nodig, en ik...'

'Laat maar zitten.'

'Vergeef je me dan?'

'Nee.'

'Waarom niet?'

Ik praatte zachtjes zodat ik Wrennie niet wakker zou maken. 'Hoe durf je hier te komen, waar mensen bijna niets hebben, waar families hun zonen hebben verloren door de oorlog en hun leven door het harde werk, en dan te doen alsof je beter bent dan anderen.' Ik pakte zijn nieuwe hoed op van de tafel en drukte hem plat.

Hij griste de hoed uit mijn handen, duwde en trok eraan om hem weer in de originele vorm te krijgen. 'Ik wilde alleen aan iedereen laten zien dat het goed met me gaat.'

'Je wilde alleen opscheppen.'

'Ik wilde de mensen laten weten dat ik iets goeds heb gedaan met hun geld.'

'Geef ze dan iets tastbaars, geef ze wat je beloofd hebt, niet zo'n halfbakken kermisshow met jou en Grace Hutner in de hoofdrol.'

'Ik heb een man ontmoet in Halifax, uit Delaware, of was het New

Jersey? Doet er niet toe, hij zei dat hij me alles zou bezorgen wat ik nodig had en het rechtstreeks naar Scots Bay zou verschepen. Het verbaast me dat de benodigdheden voor de windmachines niet al eerder zijn aangekomen. Ik heb een vrachtbrief...'

Ik liep langzaam weg.

'Godsamme, Dorrie... kom terug en luister naar me.'

'Ik moet even naar de baby gaan kijken.'

'Ik dacht dat jij slimmer was dan de rest van de halvegaren in dit dorp.'

'Tja, maar wat jou betreft, ben ik dat niet.'

De steun voor Archers windboerderij was bij iedereen snel vervlogen. Ze telden de dagen, en toen ze zagen dat er niets terechtkwam van zijn plannen, beschuldigden ze hem ervan dat hij zich had ingelaten met 'kermisklanten en charlatans', dat hij een kat in de zak had gekocht met hun geld. Hij zegt dat hij niet zeker weet wat er gebeurd is, waarom er niets gekomen is. *Het kan elk moment komen. Ik weet zeker dat het gauw komt.* Ik kan alleen maar zeggen dat mijn man, of het komt of niet, nooit iemand zal zijn die tevreden is met wat hij heeft. Hij wil altijd meer. Hij heeft het er continu over hoe hij de wereld naar de Bay wil brengen... elektriciteit, spoorwegen, telefoondraden, ballonvluchten. Vanwege de zorg voor Wrennie heb ik weinig geduld meer voor zijn praatjes. We zijn nog geen jaar getrouwd en de woorden die hij zegt en de dingen die hij doet klinken nu al niet meer eerlijk. Hij slaapt nu boven. Ik heb tegen hem gezegd dat dat beter voor hem is, omdat Wrennie 's nachts nog steeds wakker wordt. Maar eigenlijk is het zo dat ik de rustige, gelijktijdige ademhaling waar zij en ik in vallen als we samen in bed liggen nog niet wil opgeven. Ik maak zijn eten klaar, ruim op wat hij laat slingeren, was zijn kleren en heb altijd het gevoel dat hij een ongewenste gast is. Hoe kan het toch dat moeder nog steeds glimlacht om de jongensachtige dingen die vader doet? Als hij net als mijn broers vergeet zijn modderige laarzen buiten uit te trekken, als hij achter de schuur vandaan sluipt en haar zo laat schrikken dat de was haar om de oren vliegt. Eerst gilt en schreeuwt ze en daarna begint ze altijd te lachen en laat ze zich door hem in zijn armen trekken.

Voor Archer en mij zijn de speelse momenten (de paar die we hadden) voorbij. Zelfs Grace Hutner heeft hem blijkbaar laten zitten. Het gerucht gaat dat ze weer naar Halifax verdwenen is, ze heeft mijn huwelijk net te laat met rust gelaten. Nu zijn de enige glimlachjes, de enige blosjes die hij nog tevoorschijn kan toveren afkomstig van de jonge meisjes die achter in de kerk zitten, de meisjes die beginnen te wiebelen en te giechelen als hij met de rand van zijn hoed langs hun oren strijkt, meisjes van nog geen zeventien.

Vader en Hart lopen elke ochtend bij zonsopgang stampend door het huis. Ze sleuren Archer naar beneden, half aangekleed en met een wazige blik, net als die ochtend waarop hij thuis was gekomen.

'Ik ben zo moe vandaag... misschien is het beter als ik thuis ga zitten wachten tot de vracht voor de windmolens aankomt.' Hij trok zijn broek op en vulde de pot om koffie te zetten. 'Kan nu elk moment komen, weet je, met karren vol zal het de berg opkomen, of komt er een schip aan in de haven... wat dacht je van een bakkie voordat jullie ervandoor gaan?'

Vader legde zijn hand op Archers schouder en bekeek mijn bleke man van top tot teen. 'Dat is goed nieuws, jongen, maar ik heb momenteel wat werk dat gedaan moet worden en jij gaat me daarbij helpen.'

Archer smeekte: 'Kan dat niet morgen? Een man moet toch een dag rust kunnen hebben.'

Vader kauwde op de binnenkant van zijn wang en bromde: 'Daar zijn zondagen voor... ik kom drie jongens te kort voor een driemaster die zich niet vanzelf laat bouwen. Trouwens, dan kan je werken om mijn deel van het geld af te betalen dat je hebt uitgegeven aan dat spiksplinternieuwe pak van je.'

Hart pakte Archers laarzen en gooide ze de deur uit. Vader duwde Archer erachteraan. 'Kom op, dan maken we een eerlijke jongen van je.' Hij draaide zich naar me toe en lachte: 'Ik breng hem voor het eten weer thuis, Dorrie.'

Na een poosje voerde ik zelfs geen gesprekken meer met hem. Ik gaf hem zijn eten en verder weinig anders. *Nog wat aardappelen? Het eten is klaar. Vader heeft vanmorgen hulp nodig met de paarden.*

Hij is weer aan de drank, alleen doet hij het deze keer niet thuis. De meeste avonden komt hij laat thuis en doet alsof hij beledigd is als ik vraag waar hij geweest is. De achterkant van mijn arm zit vol blauwe plekken waar hij zijn teleurstelling heeft uitgeleefd. Als hij er hard in geknepen heeft, geeft hij er een kus op alsof hij wil zeggen dat hij het zo erg niet bedoeld had. Maar hij zegt nooit dat het hem spijt. Ik weet hoe dat gaat als jongens spelen, dat ze niet altijd weten wat ze hebben gedaan... ik heb littekens op mijn schenen van alle val- en duwpartijen die mijn broers niet zo hadden bedoeld. Ik begrijp zijn zwakte, dat hij teleurgesteld is in mij, maar de arme Wrennie heeft een vader nodig. Als ik hem wijs op haar onhandige pogingen om te lachen of op haar eerste hapjes pap, negeert hij me en loopt haar voorbij.

Hij gooide de lappenpop die ik voor haar aan het naaien was op de grond. Het tedere, lege gezichtje werd vuil door zijn onachtzaamheid. Toen ik hem erop aansprak, sloeg hij me in het gezicht: 'Hou je mond dicht.' Hij begroef zijn vingers onder de band van mijn rok en sloeg me opnieuw, trok me terug toen ik me los probeerde te maken. 'Heb je gehoord wat ik zei? Je moet je mond houden.' Ik kan niet zeggen hoe lang hij doorgegaan zou zijn als zijn broer niet binnen was komen lopen om te vragen of Archer kon komen helpen op de werf.

Hart stond in de deuropening van de keuken te wachten. 'Hé, mevrouw Bigelow. Hoe gaat het met dat nichtje van me? Hoe gaat het met het mooiste kindje uit de Bay?'

Ik deed alsof ik iets aan het zoeken was in de porseleinkast. 'Heel lief, zoals altijd. Je kent onze Wrennie toch.' Ik kon in het glas van de deur zien dat Archers hand een paar felle strepen had achtergelaten. Ik trok mijn haar los uit mijn staart en liet het over mijn gezicht vallen.

'Heb je nog ergens een stuk van die helm van je, Dorrie? Je zou het aan Archer moeten geven; hij is bang voor water en hij kan er niet goed tegen.'

Archer stampte zijn rubberlaarzen aan. 'Hou je smoel.'

'Zie je wel, Dora? Geef maar gauw. Hoogmoed komt voor de val.'

Ik pakte het medaillon dat weduwe Bigelow me op onze trouwdag had gegeven, hing het om zijn nek en stopte het onder zijn boord. 'Op de goede afloop.' Hij gaf me een kus op mijn wang op de gloeiende plek die nog steeds erg pijnlijk was.

'Goeie God, Archie, hou nou eens op met dat gekus, we gaan beginnen.' Hart zwaaide vrolijk gedag alsof hij niets gemerkt had. 'Geef Wrennie een knuffel van mij.'

'Zal ik doen.'

36

Volle maan, heldere hemel. Het zeewiertij. Overdag varen de mannen uit naar de Split om zeewier te vangen, de rode slierten hangen over hun bootjes. Als ze worden uitgespreid op de rotsen of op de daken van de vissershutjes, verkreukelen ze en drogen ze op. *Brengt zout in je aderen, houdt het bloed weer een heel jaar sterk.* 's Avonds gaan ze haring fakkelen in de Bay. De bootjes dansen over het water, de fakkels die aan de boeg zijn vastgemaakt gloeien vurig, netten glinsteren alsof het gesponnen zilver is. Moeder zei altijd dat het licht van de zeewiermaan, samen met de vis, de zeemeerminnen naar boven lokte. 'Goed opletten, Dora. Als je heel goed kijkt, zie je ze zo uit het water springen voor een kus.' Dit is het getijde van het hooien, van wilde bramen en gebakken mosselen in Lady's Cove. Het getijde van mijn huwelijk. Het getijde van geluk. Het geluid van de golven komt door het keukenraam naar binnen, het tij dat opmarcheert en weer terugzakt, opmarcheert en weer terugzakt. De stem van de maan. Het zeewiertij.

Als je eenmaal moeder bent, moet je geduldig wachten. Pas als het eten koud is geworden, de baby slaapt en de lantaarn in het raam is aangestoken, mag de bezorgdheid bij je binnen kruipen. Ik had ongerust moeten zijn, had moeten ijsberen en me afvragen waar hij was, maar het was niet bij me opgekomen. Ik dacht ook niets bij de honden die de nacht in blaften, klagend over de zuidenwind in hun bek. Niets bij het gerammel aan de deur, zo hard dat ik Archers naam riep. Drie keer. *Het komt drie keer in de nacht, schudt de ziel zo het li-*

chaam uit. Een schaduwman, een voorbode.

'Archer? Ben jij dat?'

De zijdeur was opengegaan. Normaal gesproken zou ik hem vergrendeld hebben, maar ik wilde niet dat Archer in de kou zou worden buitengesloten als ik in slaap viel.

'Archer?'

Een lange schaduw verscheen in de deuropening. Zijn kleren hingen zwaar en nat om hem heen, zout water druppelde in een grote plas rondom hem, in zijn laarzen zat zeewier.

'Archer? Nee, Hart? Mijn God, je bent doorweekt tot op het bot. Hier, kom binnen, ga zitten.' Ik ging bij zijn voeten zitten en wurmde zijn laarzen uit en trok lagen nat krantenpapier en wollen sokken uit. 'Duurt het nog lang voordat Archer komt? Zijn jullie niet samen gekomen?'

'Dora, ik...'

'Ik raad het al. Hij is er niet in gevallen, maar jij wel. Is hij bij Jack Tupper binnengewipt voor een slok bier? Hij had met je mee moeten lopen. Ach ja, je kent Archer. Het gesprek komt voor de vrouw, vooral als het eenmaal donker is.'

Dora...'

Drie keer. *Een voorbode.* De deur had drie keer gerammeld. Ik bekeek hem goed. 'Het ziet eruit alsof je een flinke klap op je oog hebt gehad. Je moet echt die natte overall uittrekken. Ik heb hier vast nog wel iets van Archer liggen dat je past. De pijpen zullen wel te kort zijn, maar...'

Hij greep mijn handen en hield ze stil. 'Archer is dood, Dora. Hij zat te prutsen aan de fakkel, zijn kleren vatten vlam en hij sprong het water in, hij heeft waarschijnlijk zijn hoofd gestoten aan de kiel van de boot.'

'Kon je hem niet redden?'

'Ik probeerde hem te grijpen. Een paar keer had ik zijn hand te pakken, maar hij glipte weg. Je weet hoe het is in de Bay 's nachts. Het is pikzwart als je erin kijkt. Ik ben hem kwijtgeraakt. Hij is gewoon verdwenen.'

Man verdrinkt in Scots Bay

We betreuren ten zeerste u te moeten melden dat Archer Bigelow van Scots Bay verdwenen is. Hij verliet zijn huis op de avond van 24 juni om haring te gaan fakkelen met zijn broer, Hart Bigelow. Hij viel overboord en kon niet worden gered. Elke dag trekken reddingsteams eropuit om het lichaam te zoeken aan de kust en in de Bay, maar ze hebben nog geen spoor gevonden. De overledene laat een vrouw en een dochter achter, aan wie het hele dorp zijn medeleven betuigt in deze schokkende catastrofe.

The Canning Register
30 juni 1918

Ik beëindigde de zoektocht.

Na bijna een week kon ik niet nog meer verlangen van mijn familie, mijn vrienden of de goede mensen van deze gemeenschap. Archer had nooit iets voor hen gedaan, praatte altijd achter hun rug om en zei dat ze gek waren omdat ze glimlachten en zo tevreden waren met hun 'hopeloos kleine leventjes'. Uiteindelijk was het aan mij de beslissing te nemen, te overwegen wat zijn leven waard was, te zeggen dat we genoeg hadden gedaan.

Moeder bracht bijna elke maaltijd naar mijn huis. Tante Althea kwam elke dag langs met verse eieren en zoet brood. De andere tantes maakten koekjes en taarten (zelfs tante Fran), en Precious was erg behulpzaam met Wrennie. Mijn lieve zusters van de VBV kookten en poetsten en hielden me dag en nacht gezelschap. Ze gingen volledig op in het werk van degenen die achterblijven maar niet treuren. Het maakt deel uit van de vrouwelijke natuur – te weten hoe ze zichzelf moet bezighouden rondom een sterfgeval dat haar hart niet raakt.

Alle mannen in de Bay gingen zoeken, roeiden met hun bootjes de baaien in en uit de kust af, bang voor wat ze zouden vinden. En ieder van hen vroeg zich af of men zijn leven ook de moeite waard zou vinden om te redden. Een voor een kwamen ze terug naar de kust, schreven zijn naam op een paar stenen met stukjes houtskool en legden ze op een hoop, *een zeemansgraf.*

Zijn lichaam werd als 'niet gevonden' geregistreerd. Geen morbide, onder water gelopen herinnering hoefde te worden uitgelegd. God vergeef me dat ik het zeg, maar ik ben toch wel opgelucht. Zijn dood was een heengaan dat ik al geoefend had. Elke keer als hij me alleen liet, speelde ik de weduwe, ging aan zijn kant van het bed slapen, deed zijn kleren in de onderste la, zette zijn schoenen in de kelder en bloemen bij de grafsteen in mijn hoofd. *Archer Fales Bigelow, geliefde echtgenoot.* Nu is hij weer weg, deze keer voorgoed.

37

Weduwe op mijn negentiende.

Ik ben het nu al zat om zwart te moeten dragen naar de kerk en naar de stad. Het geeft me het gevoel dat ik nutteloos en oud ben. Tante Fran herinnert me er voortdurend aan dat Archers moeder nog veel meer verloren heeft. 'Ze klaagt nooit – moge God haar zegenen – Simone Bigelow verloor twee echtgenoten en nu haar jongste kind. Die arme vrouw zal de rest van haar leven, dag en nacht, weer of geen weer, zwart moeten dragen.' Hoewel ik geen autoriteit ben op modegebied, denk ik dat de Wereldoorlog degenen die de etiquette koste wat kost willen vasthouden toch zal dwingen om hun eisen te veranderen. Er kan nooit genoeg zwarte stof zijn om alle deuren van de huizen die door de dood zijn geraakt te bedekken, voor de jurken van treurende vrouwen en moeders die zijn achtergebleven. De wereld is al donker en vermoeid genoeg. En het wordt er niet beter van dat ik hier rondloop als een lijken etende geest.

Voor deze ene keer is moeder het eens met tante Fran. Ze begon me uit te foeteren toen ik haar hulp vroeg bij het naaien van een nieuwe zondagse jurk. 'Het is te vroeg. Als je je rouwjurk inruilt voor iets nieuws, verlies je de steun van de Bay. De mensen zouden gaan roddelen. Je moet minstens een jaar en een dag in de rouw zijn, niet minder. Daarna kun je een nieuwe man gaan zoeken. Misschien krijg je dan kinderen van jezelf.'

Wrennie ís mijn eigen kind. Het doet er niet toe hoe ik haar gekregen heb. Mijn mosbaby. *Een blauwemaankind,* zoals Wijze Marie dat zou zeggen. *Blauwemaanbaby's huilen niet, vinden niets erg. Ze worden door Maria zelf naar arme mama's gestuurd die geen plek in hun hart hebben voor nog meer verdriet. Ik herken ze zodra ze geboren zijn, het is alsof ze de hemel nog met één vinger aanraken als ze eruit komen.* Als ze ouder is, als ze aan het leren is om alleen op haar benen te staan, als ze zich vasthoudt aan mijn benen, haar kiekeboegezichtje in mijn rokken verstopt, wil ik dat ze zichzelf omgeven voelt door de kleur van zonneschijn, het blauw van korenbloemen. Ik wil dat ze ziet dat haar moeder niet bang is om te lachen, dat ze nergens bang voor is. Zo leer je een kind om gelukkig te zijn, om het meisje te zijn waar iedereen van houdt.

Moeder en de meeste andere vrouwen behandelen me alsof ik op instorten sta, spreken me sussend toe en geven me klopjes op mijn knie, vervolgens brengen ze me nog een kopje warme melk. Bertine begrijpt het, zij wist van Archers uitbarsting afgelopen herfst. Sadie en Mabel en zelfs Ginny zouden misschien luisteren, maar voor elke vrouw die een man heeft, tart je het lot als je kwaadspreekt over een dode man.

Hart is de enige aan wie ik mijn echte gevoelens heb toevertrouwd sinds Archer gestorven is. Hij komt naar het huis, voert de paarden, mest de stal uit, stapelt brandhout op in de kelder voor de komende winter, net als toen Archer weg was. Wrennie is dol op hem. Hij vouwt zijn lange armen om haar heen en schommelt haar heen en weer, en zingt: 'Je bent het mooiste meisje van allemaal,' en vervolgens valt ze met haar gezicht begraven onder zijn kin in slaap. Als ze naar bed is, drinken we samen thee en soms eten we een late maaltijd. Het is zo'n opluchting om te kunnen genieten van de schoonheid van een zonsondergang, of om te vloeken over een koppige paarse frambozenvlek onder mijn vingernagels, zonder me schuldig te voelen dat ik leef.

'Ik heb hem niet mijn helm gegeven.'

'Je hebt hem je medaillon gegeven. Ik weet nog dat je hem om zijn nek deed.'

'Er zat niets in.' Ik voelde me schuldig, mijn handen trilden. 'Misschien als ik... geloof je in dat soort dingen?'

'Archie kreeg altijd meer dan hij verdiende, Dorrie. Vooral van jou.'

'Het is het enige wat ik heb dat me iets waard is. Tenminste dat dacht ik toen hij naar de werf ging. Ik dacht dat ik de helm misschien nodig had. Meer dan dat ik hém nodig had.'

'En sommigen zouden zeggen dat je gelijk had. Of ze zouden het in elk geval denken.'

'Maar dat is een afschuwelijke gedachte. Alsof ik hem dood wilde en toen gebeurde het.'

'Dat is niet wat er gebeurd is.' Hij keek me aan. 'Ik heb hem laten gaan. Ik had hem na kunnen springen. Ik had hem kunnen redden...'

'Of jullie hadden allebei kunnen verdrinken.'

'Ik zag wat hij met je had gedaan, Dora. En ik moest er steeds aan denken. De laatste keer dat hij naar mijn hand greep, de laatste keer dat hij naar lucht hapte... dacht ik aan jou. Ik liet hem gaan.'

Deel drie

38

Het was 1 augustus toen mevrouw Ketch me kwam opzoeken. Ze stond voor mijn deur en ik hield mijn adem in. Was ze, meer dan drie maanden na de geboorte van Wrennie, gekomen om te zeggen dat ze de baby wilde hebben, om haar op te voeden als haar eigen kind? Zelfs al zou ze er het geld voor hebben (en ik weet zeker dat ze geen cent heeft), haar man is bezeten door de duivel. Hij slaat hen ongetwijfeld allemaal, tot en met de allerkleinste.

Ze stond op de veranda, op haar gezicht waren de overblijfselen van de meest recente uitbarsting van Ketch te zien, één oog zat dicht, haar oren waren gezwollen en haar neus stond scheef. Ze had alle kenmerken van een door rum gestuurde linker vuistslag. Als ze Wrennie wilde hebben, zou ze mij eerst moeten vermoorden.

'Mevrouw Bigelow?'

'Kom binnen, en noem me alsjeblieft Dora.'

'Dank je, Dora...'

Haar stem klonk zacht en vlak. Ze zat rechtop tegen de rug van de keukenstoel, haar handen op haar schoot geklemd. Ik keek naar haar bange, waterige ogen, knipperend achter haar slordige bruine pony.

'Kopje thee? De pot staat op het vuur en het water is al heet. Ben je helemaal te voet gekomen?'

'Ja, ik wilde niet... ik bedoel, ja, ik ben te voet.'

'Nogal een eind, zo laat op de dag.'

'Ja.'

Ze hield het theekopje in beide handen, haar smalle vingers vol kloven werden rood. Ze hield het kopje vlak voor haar gezicht en ademde de zoete damp van frambozenblaadjes en rozenbottel in tussen haar droge, vervelde lippen.

Ik zette het gesprek voort in de hoop het misselijke gevoel in mijn maag en het schuldgevoel dat ik iets van haar gestolen had kwijt te raken. 'Hoe gaat het met je familie? Hoe gaat het met Tom? Heb je iets van hem gehoord?'

'Tom is dood.'

'O. Ik...'

'Aan flarden geschoten in de loopgraven. Niets van hem over. Ze hebben zijn soldij en zijn tweede paar schoenen opgestuurd... en een paar brieven die in zijn kastje lagen... was er eentje van jou bij, geloof ik.'

'Ja, ik hem een keer geschreven. Wat erg. Dat wist ik niet.'

Ik praatte verder, wist niet zeker wat ik aanmoest met de stilte.

'Wil je de baby zien? Ze ligt nu te slapen, maar ik kan...'

'Nee, laat maar. Ik kom eigenlijk voor jou.' Ze dronk haar thee op met snelle, nerveuze slokken. Toen ze hem op had, veegde ze haar mondhoeken af met de gerafelde boord van haar mouw en staarde naar haar lege kopje. 'We krijgen er weer een bij.'

'O.' Om iets te doen te hebben schonk ik nog wat thee in haar kopje, en probeerde een manier te bedenken om eronderuit te komen om haar te helpen. Dat ik haar en haar gezin kende had nog nooit iets positiefs opgeleverd. Behalve Wrennie dan. 'Je kunt beter naar dr. Thomas gaan. Ik weet zeker dat Ketch dat liever zou hebben. Bovendien ben ik niet echt een vroedvrouw meer.'

'Brady weet van niets. Ik heb al een paar dingen geprobeerd – al die dingen waarvan oma's zeggen dat ze niet goed zijn voor een vrouw die zwanger is. De handen boven mijn hoofd houden, te lang aan het spinnewiel zitten. Een paar dagen geleden ben ik zelfs met opzet van de veranda gevallen, maar niets werkt. Ik heb genoeg kinderen om te eten te geven en voor te zorgen, en je weet dat Brady erg kwaad kan worden, dat hij een opvliegend karakter heeft. Ik weet dat de meeste mensen zouden zeggen dat ik dankbaar zou moeten zijn, dat ik haar Iris Rose zou kunnen noemen als het een meisje is, en Tom als het een jongetje is, dat het goed is, dat God mijn verlies weer goed probeert te maken.

Mijn moeder had drie meisjes die ze Experience noemde – Experience Ruth, Experience Esther en Experience Hope. Experience Hope, dat ben ik; ik ben de enige die gebleven is... ze zei dat het kwam door het woordje *Hope*. Maar goed, hoe dan ook, het doet er nu niet meer toe. Ik heb mijn handen vol.' Ze keek me aan met vermoeide, smekende ogen. 'Jij kunt toch zorgen dat het weggaat, hè?'

Mevrouw Ketch had al meer dan genoeg kinderen gehad. *Die vrouw heeft meer baby's dan ze op haar vingers kan tellen; ze heeft zoveel baby's dat ze haar tenen nodig heeft.* Ik kon het haar niet kwalijk nemen dat ze niet nog een kind wilde, en ik had wel medelijden met haar, maar het liefst wilde ik tegen haar zeggen dat ik niets voor haar kon doen en haar gewoon wegsturen.

'Zoals ik al zei, ik ben geen...'

'Met of zonder jouw hulp, dit kind wil ik in elk geval niet hebben.'

Zonder mijn hulp zou ze zichzelf van de keldertrap gooien of vergiftigen met thee van taxusbast. En als moeder en kind het zouden overleven, wat dan? Nog een mond die gevoed moet worden, nog een lichaam dat verwarmd moet worden, nog een Darcy, of een Iris Rose, of een Tom... nog een voor de vuist van Brady Ketch. *Alleen het hart weet wat het te verliezen heeft, wat je ook kiest. Ik ben er om de pijn van vrouwen ter verlichten. Zo simpel ligt het.*

Ik haalde diep adem, de kralen van Wijze Marie om mijn nek voelden zwaar aan. 'Nou, dan moeten we eens kijken hoe ver je al heen bent. Ga maar op bed liggen, dan kan ik even naar je kijken.'

Gehoorzaam liep ze achter me aan de slaapkamer in en ging met haar rug tegen de ijzeren stang van het bed zitten, haar benen uit elkaar, handen over haar borst gevouwen. Ik begon met mijn vingers haar buik af te tasten, probeerde de rand van haar baarmoeder te vinden. Ze zakte terug op de sprei, haar blauw geslagen, bleke huid hing los om haar nerveuze lichaam, haar borsten hingen naar beneden door de voortdurende spanning van het voeden en de angst.

'Wanneer ben je voor het laatst ongesteld geweest?'

'Even kijken... het is nu augustus. Dus, eind april, denk ik... ja, april, de viooltjes waren net uitgekomen in de bossen achter het huis.'

Ze was al verder heen dan ik had gehoopt. Heel anders als toen tante Fran naar Wijze Marie was gekomen om het zaakje gewoon een beetje vooruit te helpen. Ik ging het Wilgenboek halen en zocht de bladzijde waarop wordt uitgelegd hoe je de engel te vroeg kan laten afdalen.

Het stond er heel duidelijk.

> Een maan voorbij – ze krijgt de Mariakaars
> en Springvloedthee.
> Twee manen voorbij – ze krijgt de Mariakaars
> en Engelenwater.
> Drie manen voorbij – ze is te laat.

Ze was bijna drie manen over tijd, maar zo wanhopig dat ik geen nee kon zeggen. Ik liep de aanwijzingen van Wijze Marie door, smeerde de lange, smalle kaars in met gladde iepenolie en duwde hem langzaam bij mevrouw Ketch naar binnen. Ze vertrok van de pijn, maar klaagde niet. Toen ik haar probeerde uit te leggen dat ze bij de kaars moest bidden en hem drie nachten moest laten branden, schudde ze haar hoofd en fronste haar voorhoofd. 'Laat die hekserij maar zitten. Ik wil alleen dat het werkt. Is dat alles?'

Ik dacht aan de lijst ingrediënten die naast het Engelenwater van Wijze Marie stond. Polei, venushaarvaren, een snufje borax... 'Ik kan je wel iets geven, maar het is behoorlijk sterk. Je zult vannacht hier moeten blijven, zodat ik je in de gaten kan houden.'

Ze ging overeind zitten, haar benen bungelden over de rand van het bed. 'Ik kan de kleintjes niet met Brady alleen laten. Vooral 's nachts niet. 's Avonds is hij meestal het ergste. Ze zouden niets te eten krijgen, en als ze klagen, geeft hij ze de zweep tot er geen tranen meer over zijn. Maak het maar klaar, en dan ga ik weer.'

'Laat me dan in elk geval aan Hart Bigelow vragen of hij je naar huis brengt. Hij komt zo om de paarden te voeren. Hij kan je aan het begin van de weg naar Deer Glen afzetten als je wilt.' Ik volgde het recept van Wijze Marie, schonk het mengsel in een bruin flesje en gaf het aan mevrouw Ketch. 'Je kunt het in je thee doen. Om de vier uur een eetlepel. Helemaal opmaken, tot de laatste druppel. Je zult af en toe hevig bloeden en kramp hebben. Laat het me weten als het niet ophoudt of je je niet goed voelt.'

Ze knikte, ze zag er nog steeds nerveus uit. 'Zul je aan niemand vertellen dat ik hier was?'

'Als iemand ernaar vraagt, zeggen we dat je kwam vragen of ik nog wat van Wijze Marie's hoestsiroop had voor de kinderen.'

Toen ik tien was kreeg mijn hond, Daisy, haar eerste worp puppies. Vijf collies met dikke buikjes en het scherpe geblaf van Laird Jessups beste jachthond. Vader hield er twee, Nip en Tuck, om op fazanten te jagen en de koeien binnen te halen. De andere kwamen bij drie broers van vader te wonen, oom John, oom Homer en oom Web. De tweede worp van Daisy was de dag na mijn elfde verjaardag. Ik had gezien hoe ze haar ronde, wankele lichaam door een gat in het rooster onder de veranda wurmde. Ik probeerde achter haar aan te kruipen, maar ze gromde en hapte naar me, en liet me weten dat ik niet dichter bij moest komen. Ik ging de hele dag door kijken of het goed ging met haar. Zachtjes jankend baarde ze zes scheel kijkende kleintjes, hun roze neusjes en lichaampjes wriemelden door elkaar om bij Daisy's melk te komen.

Toen moeder me riep om te komen eten, lag ik nog steeds plat op de grond onder de veranda te turen. Vader kwam net binnen van de scheepswerf, heet, stoffig en moe. Hij schudde zijn hoofd toen hij dichterbij kwam, hij wist waar ik naar aan het kijken was. 'Niet gaan zeuren of we de pups kunnen houden, Dorrie.' Tijdens het eten deed ik mijn best mijn zaak te bepleiten en beloofde ik dat ik in de kerk zou aankondigen dat er bij ons zes prachtige pups af te halen waren zodra ze gespeend waren... elke zondag tot ze allemaal weg waren. Maar vader wilde het niet horen. Hij zei dat het, als hij zich goed herinnerde, Charlies schuld was dat we te veel puppies hadden, dat het Charlie was geweest die Daisy los had laten lopen toen ze loops was, en dat Charlie 'voor een oplossing moest zorgen'. Charlie knikte plechtig. Moeder zei dat ze erop zou toezien dat hij zijn taak de volgende ochtend zou volbrengen. We wisten allemaal wat dat betekende.

Die nacht huilde ik in mijn kussen, maar ik wist dat ik er beter niets meer over kon zeggen. 's Morgens na het ontbijt lokte moeder Daisy onder de veranda vandaan met een dampende kom stoofvlees dat nog aan het bot hing. Charlie kroop door het gat met een lege aardappelzak in de hand. Moeder sloot Daisy op in de schuur, en Charlie kroop weer onder de veranda uit met de zak, die zwaar naar beneden hing en kronkelde met gedempt gepiep. 'Dora, ga maar naar binnen. Charlie en ik zijn zo weer thuis.' Ik wachtte, staarde naar buiten, totdat ik zag dat ze halverwege het pad naar Jess Brook waren. Toen kroop ik de elzen door en volgde hen.

Moeder keek toe hoe Charlie neerknielde bij het diepste gedeelte van de beek. Ze griste de zak uit zijn handen voordat hij hem in het water kon onderdompelen. Ik kon de tranen in haar stem horen toen ze tegen hem zei: 'Ga weg, Charlie, ga maar naar huis.' Ze draaide zich niet om om te kijken of hij wegrende. Ze bleef gewoon zitten en wachtte tot ze zijn voetstappen niet meer kon horen, toen deed ze haar ogen dicht en duwde de zak in het water dat tot haar ellebogen kwam en hield hem onder met een mengeling van verdriet en plichtsbesef.

Ik heb nooit begrepen waarom ze vond dat ze dat moest doen, waarom ze vader gelijk gaf dat de pups dood moesten. Sinds die dag zag ik mijn moeder anders dan voorheen, haar gezicht was minder mooi, en haar armen gaven minder warmte dan eerst.

Ik vraag me af of Wrennie de kilte in mij kan voelen die opkomt als ik aan mevrouw Ketch denk, de rilling die door me heen gaat, van mijn vingers tot mijn tenen. *Het maakt niet uit waar je voor kiest, ik ben God niet. Alleen de vrouw weet of ze genoeg liefde in zich heeft voor een leven.* Hoeveel oude spreien van Wijze Marie ik ook om me heen wikkel, ik krijg het maar niet warm.

Gezin rouwt om Verlies van Moeder

Mevrouw Experience Hope Ketch is op dinsdag 2 augustus thuis overleden. Ze laat haar man, De heer Brady Ketch, en veel geliefde kinderen achter. Haar oudste zoon, soldaat Thomas H. Ketch, was al eerder gestorven in de slag bij Cambrai. Mevrouw Ketch is begraven op het kerkhof van de Union Church in Scots Bay. De kerkdienst werd bijgestaan door de Dames van de White Rose Temperance Society, en gevolgd door een rouwbijeenkomst in het Seaside Centre. Kleren en andere geschenken voor de familie Ketch werden aldaar dankbaar aangenomen.

The Canning Register
6 augustus 1918

39

Ik ging niet naar de begrafenis. Wel liet ik Wrennie bij moeder zodat ik de keuken van het Seaside Centre kon binnensluipen om eten en een paar kleine dingen neer te leggen voor de kinderen van Ketch. Ik had het beste helemaal weg kunnen blijven, maar ik kon het niet laten, ik wilde zo veel mogelijk achterhalen over de dood van mevrouw Ketch.

'Ik ken niemand die zijn vrouw zo snel begraven heeft.' Trude Hutner stond in de receptieruimte met tante Fran een stapel oude jurken van Grace op te vouwen om op de tafel bij de rest van de geschenken te leggen. 'Geen lijkschouwing, geen bezoek. Beetje vreemd. Ik vraag me af of ze misschien is weggerend. Misschien hebben we vandaag wel een lege kist begraven.'

Tante Fran zette een stapel borden neer voor degenen die straks wat wilden eten. 'O, ik twijfel er niet aan dat ze dood is, maar hóé het gebeurd is is een ander verhaal.'

Mevrouw Hutner praatte wat zachter. 'Denk je dat híj het heeft gedaan?'

'Best mogelijk. Ik weet alleen dat Irwin in Canning was en terugkwam met het verhaal dat agent McKinnon onderweg was naar het huis van Ketch om met Brady te práten.'

'Hij gedraagt zich in elk geval niet alsof hij zich ergens schuldig over voelt. Heb je dat gezien? Hij heeft zijn wagen achter staan, deelt biertjes uit aan zijn vrienden en neven, brengt toosten uit op zijn lieve vrouw en wordt ladderzat terwijl wij dames zijn kinderen aankleden en te eten geven.'

Mevrouw Newcomb was ook gekomen en had dozen levensmiddelen uit de winkel in Canning meegenomen. 'Ik denk dat ze gewoon op was. Hoeveel kinderen had ze? Vijftien? Zestien? Dat eist z'n tol na een tijdje. Met zo'n leven kan een vrouw zichzelf ombrengen.'

Tante Fran knikte. 'Je hebt waarschijnlijk gelijk. Het arme mens... ze heeft het nu in elk geval beter.'

Mevrouw Hutner streek over het haar van een oude porseleinen pop van Grace. 'God zegene haar.'

Sinds ze mijn huis had verlaten, had ik steeds aan Experience Ketch moeten denken en gehoopt dat ze eraan zou denken om mijn instructies te volgen en dat het makkelijk voor haar was geweest. Ik twijfelde niet aan de notities van Wijze Marie, en ook niet over het feit dat ik haar geholpen had, maar toen ik hoorde dat ze dood was, voelde ik me toch schuldig. Ik huilde stille tranen achter de keukendeur, dankbaar dat mijn naam deze keer niet voorkwam in de roddels van de vrouwen.

Voordat ik kon gaan, kwam Bertine de keuken binnen stommelen met twee grote manden voedsel. De deur stootte tegen mijn teen en ik probeerde een kreun te onderdrukken. Ze keek om en zag me. 'Dora Bigelow, aan het verstoppertje spelen, op jouw leeftijd! Kom daar eens achter vandaan en help me even. Die arme kleine Ketchkinderen staan in de rij en ze hebben iets meer nodig dan de droge theebiscuitjes van je tante.'

'Ik moet gaan. Ik ben alleen langsgekomen om wat spullen af te geven. Wrennie is bij mijn moeder... ze heeft al genoeg te doen zonder de zorg voor een baby, ik...'

Ze gaf me de theedoek aan die over het eten in een van de manden had gelegen. 'Jammer voor die arme kleintjes. Hier, droog je tranen en dan gaan we ervoor zorgen dat ze iets in hun maag krijgen.'

Ik ging tussen de andere dames staan. We gaven de borden aan elkaar door en schepten ze vol met ons medeleven, samen met knollenpuree en sneetjes zoet brood. Het duurde niet lang voordat Brady en de rest van de mannelijke familieleden binnenkwamen, wankelend van te veel bier. Toen hij bij mijn plek in de rij aankwam begon hij te praten en hield niet meer op.

'Dat hoef ik niet. En ik denk dat beter niemand iets aanneemt van dit meisje – je weet nooit of het vergif is.'

Ik probeerde hem te kalmeren. 'Meneer Ketch, ik vind het heel erg van uw vrouw, wij allemaal. Ik weet dat u niet meent wat u zegt. Het is een moeilijke tijd...'

'Alles wat ze aanraakt gaat dood. Zij is de reden dat ik geen vrouw meer heb – en dat heb ik ook tegen de agent gezegd. Nu weet hij de waarheid.'

Laird Jessup, die een neef is van de gebroeders Ketch en die ook meer dan genoeg bier ophad, stond vlak achter hem. 'Het wordt tijd dat iemand iets aan haar doet. In mijn huis heeft ze niets dan ellende veroorzaakt. Al toen ze een klein meisje was, sloop ze rond mijn huis en behekste mijn vee. Door haar heb ik een prima kalf verloren, heb ik de koe ook af moeten maken. Na zoiets kon ik haar niet meer laten dekken. Dan zou ik de duivel hebben afgeroepen.'

Verder in de rij begonnen de vrouwen te fluisteren. Sommigen vroegen zich af of iemand mijn vader moest gaan halen of een van de andere mannen op de werf. Anderen vroegen zich af of Brady Ketch misschien gelijk had en of ze er iets aan zouden moeten doen.

Mevrouw Hutner draaide zich naar de vrouwen toe. 'Haar eigen familie weet niet wat ze met haar aan moeten. Meer dan eens was ik het luisterende oor voor haar arme tante.' Ze sperde haar ogen open alsof ze halfgek was. 'De dokter heeft vastgesteld dat ze hysterie heeft, weet je.'

'Hysterie? Echt?'

'Ze was altijd al zo'n raar meisje.'

'En dat haar moeder haar bij die heks heeft laten wonen, heeft het alleen maar erger gemaakt.'

'Hij heeft gelijk, weet je – alles wat ze aanraakt.'

'Lijkt er wel op.'

Laird ging door met zijn tirade en hield de rij op. 'En ze brengt mijn Ginny altijd op rare ideeën. Denk je dat ik niet weet wat je gedaan hebt? En ik heb die goede man nog wel de schuld gegeven. Ik had toch moeten weten dat dr. Thomas mijn vrouw nog geen druppel water zou geven zonder mij eerst op de hoogte te brengen. Heeft haar bijna onvruchtbaar gemaakt, net als zichzelf, met een of ander tovermiddeltje van haar. Vraag maar aan Ginny. Toe dan, vertel 't maar, Ginny, deze mensen moeten het ook horen.' Ginny liet haar hoofd hangen en keek naar haar voeten.

Ketch leunde over de tafel en snauwde: 'Als ik jou was zou ik mijn koffers pakken en dag zeggen tegen iedereen. Het zal niet lang meer duren voordat ze je komen halen.' Hij zette zijn handen in zijn hals en kneep er zo hard in dat hij rood aanliep. 'Voordat ze je mooie koppie de strop omdoen.'

Vanaf het moment dat Brady zijn mond open had gedaan, stond Bertine met haar voet op de grond te tikken. Nu schopte ze zowat de tafel om en schreeuwde naar hem. 'Je mag blij zijn dat ik jou niet met je voeten aan mijn rijtuig vastbind en jóú de Bay door en de berg af sleur.' Ze trok de kanten boord van haar jurk recht en zette haar handen in haar zij. 'Dat doet een goede christelijke vrouw als ik natuurlijk niet op de dag dat je vrouw onder de zoden is komen te liggen. God hebbe haar ziel. Maar vanaf morgen kun je maar beter uitkijken, Brady Ketch.'

Tante Fran kwam naast me staan en zei dringend: 'Je moet gaan. Voor je eigen bestwil.' Ze trok aan mijn arm en leidde me naar de deur, de woorden van Brady Ketch volgden snel. 'Ja, ga maar, maar ze zullen je komen halen. Straks staan ze voor je deur, met de strop.'

Ik wilde me omdraaien in de deuropening om tegen Brady en alle anderen te zeggen dat hij een vieze dronkenlap was die er geen moeite mee had om zijn dochter te verkopen of zijn vrouw dood te slaan, maar tante Fran hield me tegen. Ze zag de woede in mijn gezicht en bracht haar lippen dicht naar mijn oor toe. 'Dat kun je nu beter niet doen. Als je naar huis gaat en rust neemt, ziet alles er straks veel beter uit.' Ze gaf me een kus op mijn wang en deed de deur dicht.

40

De vreselijkste vloek die je op een vrouw kunt leggen is om haar op haar wang te kussen en te zeggen dat het allemaal wel mee zal vallen. Zodra je dat zegt, wordt het alleen maar erger.

Ik rende de hele weg naar Spider Hill en trof er dr. Thomas aan. Hij zat aan mijn keukentafel en het Wilgenboek lag open voor hem. Aan weerszijden stonden verschillende flesjes met de middeltjes van Wijze Marie bij elkaar. 'Mevrouw Bigelow, u ziet er niet goed uit. Voelt u zich niet lekker?'

'Ga mijn huis uit.'

'Ik ben bang dat ik een paar dingen met u te bespreken heb. Ze zijn nogal dringend.'

'Ga, alstublieft.'

'Als het mijn zaak was geweest had ik nog wel een dag kunnen wachten, maar agent McKinnon heeft me gevraagd... kom, gaat u zitten.'

'Ik sta liever, dank u.'

'Ook goed.' Hij liet zijn vingers over de tekst in het boek glijden. 'Interessant om te lezen. Is dit uw handschrift?' Hij pakte een flesje van de hoestsiroop van Wijze Marie op en hield het tegen het licht. 'U heeft een mooie collectie kruiden en andere artikelen. Een apotheker zou er jaloers op zijn.' Hij zette het flesje terug op de tafel. 'Aan de hand van wat de agent me heeft verteld over de dood van mevrouw Ketch begrijp ik dat u zichzelf behoorlijk in de nesten hebt gewerkt. U staat op het punt alles te verliezen... dit huis, de goede naam van uw familie, uw kind.'

Ik dacht aan Wijze Marie en de manier waarop zij met dr. Thomas om was gegaan toen hij na de dood van Darcy naar haar huisje was gekomen. Toen ik haar vroeg waarom ze tegen hem gelogen had, door te zeggen dat ze er niets van wist dat mevrouw Ketch bevallen was, zei ze: 'Soms kun je tegenover een man het beste de domme gans uithangen... totdat je erachter komt wat hij wil.'

'Ik heb geen idee waar u het over heeft. Ik heb niets verkeerd gedaan.'

'Na alles wat ik hier heb gezien, denk ik dat u dat duidelijk wel gedaan hebt. Maar ik kan u helpen... als u bereid bent om toe te geven dat u de hand heeft gehad in de dood van mevrouw Ketch, dan zou ik, als uw dokter, kunnen zeggen dat u zeer gespannen was, dat uw ondeskundige gebruik van "huismiddeltjes" samen met uw achtergrond van hysterie, de oorzaak was van deze trieste, onherroepelijke vergissing. Zie het niet alleen als een manier om u van uw schuld te bevrijden, maar als een manier om vele vrouwen een plezier te doen – door de problemen van de praktijk van het vroedvrouw zijn aan de kant te zetten, en alles weer goed te maken. U moet natuurlijk een poosje ter observatie en rehabilitatie opgenomen worden. Er is een prachtig vrouwensanatorium in Saint John, New Brunswick. Ze zullen u verwennen, gezond eten geven en u helpen om uw geest tot rust te brengen. U zult uiteindelijk een beter mens worden, naar huis terugkeren als een betere vrouw, een betere moeder. Eigenlijk hebt u geen keus.'

Ik vroeg me af of het waar was wat hij zei. *Alles is de waarheid zolang er genoeg mensen zijn die het geloven.* Ik zou alles hebben opgegeven, alle geheimen van Wijze Marie – zou alles wat ik van haar geleerd had een leugen noemen – als ik Wrennie maar kon houden. 'Ik zou mijn dochter mee kunnen nemen?'

'Nou, nee. U zou het kind bij een van uw familieleden moeten laten.' Hij fronste zijn voorhoofd. 'Ojé, maar dat veroorzaakt een ander probleem, niet waar? Ze is niet oorspronkelijk van u, of wel soms?' Zijn mondhoeken trilden, alsof hij zijn best deed om niet te glimlachen. 'En volgens de ongelooflijke verhalen die ik gehoord heb over hoe ze bij u terecht is gekomen, hebt u geen idee wie haar échte familie is. Het weeshuis in Kentville is een heel geschikte instelling. Zonder papieren om te bewijzen dat ze van u is, veronderstel ik dat u haar daar zult moeten laten totdat de situatie verder kan worden uitgezocht.'

'Hoe lang zou ik daar moeten blijven?'

'Minstens een maand, of misschien wel een jaar. Soms duurt het langer. Het is moeilijk te zeggen... zo lang als het duurt om u helemaal gezond te verklaren.'

Met dat soort hulp zou ik net zo goed dood kunnen zijn. 'Ik red me wel alleen.'

'Denk erom wat u zegt, mevrouw Bigelow.'

'Nee, dank u, mijn besluit staat vast.'

Hij zette zijn hoed op en liep naar de deur. 'U denkt misschien dat u hier vrienden heeft, mensen die om u geven, maar ik kan u verzekeren dat er elke dag meer mensen zullen zijn die hun hoofd wegdraaien als u hun naam roept en doen alsof ze u nooit gekend hebben.'

'Dag, dr. Thomas.'

Wat moeder te zeggen had

'Fran heeft me verteld wat er in het Seaside Centre is voorgevallen tussen jou en Brady Ketch. Ik zou me er niet druk over maken als ik jou was. De helft van de tijd is hij dronken en hij was altijd afschuwelijk tegen zijn vrouw. Dat weet iedereen. Je bent een goede meid, en je hebt niets verkeerd gedaan. God ziet wat je doet. Hij zou je die lieve Wrennie niet gegeven hebben als je geen goede meid was, of geen goede moeder. Ze is de hele middag zo lief geweest. Wil je vannacht hier blijven slapen? Nee? Weet je het zeker? Misschien heb je wel gelijk. Beter om haar in haar eigen wiegje naast mama's bed te leggen. Ik kom morgen wel even langs. Slaap lekker, meisjes.'

Wat Hart te zeggen had

'Ik geloof er geen woord van, maar je weet net zo goed als ik dat mensen van buiten de Bay nooit veel respect voor ons hebben gehad als we de dingen op onze eigen manier willen doen. Ik heb de indruk dat die dokter van alles in zijn hoofd heeft wat er niet thuishoort, maar hij is vastbesloten dat jij degene bent die moet boeten. Je kunt beter even op vakantie gaan om Charlie op te zoeken, totdat dit weer is rechtgezet. We moeten je hier weg zien te krijgen. Ik roei je wel naar de *Bluebird* toe. Zodra het tij keert, vertrekt ze naar Boston.'

Wat Bertine te zeggen had

'Natuurlijk zorg ik voor Wrennie, en ik zorg ook voor de situatie met Brady Ketch, dat rum zuipende varken. Maak je maar niet druk, niemand zal haar met een vinger aanraken. Ik zal elk geluid en elke grijns die ze maakt opschrijven.'

'Ik had haar best naar mama willen brengen, ik weet zeker dat ze ja zou zeggen, maar ze heeft het zo druk met de jongens.'

'Ik zal ervoor zorgen dat ze Wrennie zo vaak kan zien als ze wil. Moet ik nog iets anders doen?'

'Ik heb je nog nooit voor een ruzie zien terugdeinzen, Bertine. Wees gewoon jezelf, dan weet ik zeker dat het goed met haar zal gaan.'

'Goeie vaart, Dora. Goeie vaart.'

41

De reis van Scots Bay naar Boston was niet erg spannend, want ik bleef grotendeels benedendeks, ineengedoken op de rand van het onderste bed met mijn hoofd tussen mijn knieën en een emmer tussen mijn voeten. Vader zou me uitgelachen hebben als hij me in deze toestand had gezien, en ongetwijfeld hebben opgemerkt dat ik (wederom) bewezen had dat vrouwen geen zeebenen hebben.

De eerste matroos was bekend in North End, en hoewel hij me niet kon begeleiden naar mijn bestemming, was hij zo vriendelijk om me aanwijzingen te geven hoe ik Charlies woning op Charter Street 23 kon bereiken. 'Fleet Street oversteken via North naar Hanover. Ten noorden van Hanover richting Charter. Op Charter richting westen naar nr. 23.'

Het was avond toen ik op weg ging vanuit het dok, moe en eenzaam, een oude reistas van Wijze Marie tegen me aangedrukt. Het Wilgenboek lag zwaar op de bodem, samen met een paar andere dingen die ik had meegenomen – een tweede rok en bloes, mijn zondagse jurk, een dekentje uit de wieg van Wrennie (in de hoop dat het nog steeds naar haar en haar lavendelzeep zou ruiken) en een portemonnee vol munten die Hart me gegeven had voordat hij me naar het schip bracht. Ik keek voor me uit naar de verwarrende straten en de gezichten die voorbij stroomden, en moest me bijna vastgrijpen aan de dichtstbijzijnde lantaarnpaal. Nu ik oog in oog stond met Boston leken mijn jeugdige dromen over wegrennen naar de stad erg ondoordacht, en ik vroeg me af hoe ik ooit de weg zou moeten vinden. Ik ademde in, in de hoop dezelfde zoute zeelucht te proeven die ik gewend was in de Bay, maar de lucht was vochtig en veel heter dan thuis, zelfs voor augustus. Mijn kleren en de vlecht op mijn rug voelden vies en zwaar aan, en plakten nat aan mijn lichaam.

De zonsondergang kleurde de hemel bijna tot boven aan toe, het oranjerode licht deelde zijn glorie met de eindeloze verzameling scheepsmasten en de ene rij huizen, gebouwen en kerktorens na de andere. De keienstraten gingen alle richtingen op en waren nooit stil – bestelwagens toeterden en sputterden als ze mensen op fietsen voorbij reden, kinderen speelden met een bal, paarden trokken met moeite karren vol met groenten en fruit voort.

Verder weg van de haven werden de straten smal en donker. Ik begon harder te lopen en probeerde er net zo druk uit te zien als alle anderen om niet op te vallen, en wilde niets liever dan aankomen bij Charlie. De zware, bakstenen gebouwen die schouder aan schouder stonden, straalden nog steeds de hitte van de dag uit, en de stank van de werf, van stront, van werk, zweet, de nacht, en de geur van honderden moeders die kookten met uien en knoflook. Hier en daar hingen straatlampen aan de muren en schenen hun gele licht over de trottoirs. In elk portiek en op elke straathoek kwamen groepjes kinderen bij elkaar die schopten tegen opgepropte kranten en blikjes die op de stoep waren gegooid. Ik zag meer lieve, vuile gezichtjes bij elkaar dan ik ooit had gezien; de meisjes waren aan het touwtje springen of tikkertje spelen, de jongens renden achter elkaar aan of zaten naast elkaar op de stoep te lachen en elkaar te plagen terwijl ze op dropveters kauwden. Hoewel ze er arm uitzagen, met hun versleten schoenen, hun smerige kleren en hun geruzie over een half opgegeten appel, voelde ik me in vergelijking met hen simpel en naïef. Zelfs de kleinsten keken me nieuwsgierig en vol zelfvertrouwen aan, alsof het onbeleefd van me zou zijn als ik medelijden met hen zou hebben. Boven de straat riepen de moeders naar elkaar vanuit de ramen van hun huurwoningen, meestal in het Italiaans (voor zover ik dat kon beoordelen aan de hand van wat ik me kon herinneren van tante Frans grammofoonplaat *The Languages of Europe*). Ondanks de melodieuze o's en a's die doorklinken in hun gesprekken, lijken ze erg veel op mama en alle andere moeders die ik ooit gekend heb. Het ritme waarmee ze spreken en hun slaapliedjes zingen zijn bijna hetzelfde, maar als ze hun was ophangen, bungelt het tussen de gebouwen, boven het trottoir en de goot. Maar als ze hun kinderen roepen of met een buurvrouw roddelen, kan ik er geen touw aan vastknopen.

Voor het eerst in mijn leven ben ik ergens waar mijn moeder nog nooit is geweest. Ze is een keer naar Halifax gegaan, toen ze jong was, om tante Fran te helpen met het uitzoeken van een trouwjurk, maar verder was ze nooit geweest. Hoe langer ik liep, hoe meer ik ernaar verlangde om moeders gezicht aan te raken of haar te horen zingen voor Wrennie. Het was net alsof ik weer een kind was geworden, ik voelde de kilte die over je heen komt als je te ver uit de buurt van je moeder bent, te ver om haar te horen roepen, zo ver weg dat je het gevoel krijgt dat je verdwenen bent.

Tegen de tijd dat ik op de hoek van Fleet Street en North aankwam, wist ik niet meer of de eerste matroos 'via North naar Hanover' of 'ten noorden van Hanover' had gezegd. Hoe het ook zij, er kwam zoveel lawaai van North Street af, dat ik besloot erop af te gaan. De geluiden van de stad verdronken in trompetgeschal en trommels die midden op straat een mars aankondigden. Dampen stegen op van rijen karren die worst verkochten. Uit vrijwel alle ramen en deuren hingen rood-wit-groen gestreepte vlaggen. Erboven hingen slingers met lichtjes en zilverfolie. Honderden mensen stonden bij elkaar. Te moe en te verward om er veel bij te denken, liet ik me door hen meesleuren in het geduw en getrek om zo dicht mogelijk in de buurt te komen van het object van hun adoratie en viering – een beeld van de Gezegende Maagd Maria.

Ze was schitterend versierd, mooier dan de beeldjes van Wijze Marie, en bijna zo groot als Sadie Loomer. Het beeld had donker haar en was omhuld met een wit met gouden mantel. Ze zat op een protserige, glinsterende troon met een verhemelte van verguld houtsnijwerk. Meters wit en blauw lint hingen om haar heen en ze werd op de schouders gedragen van minstens twintig mannen die langzaam maar gestaag voortliepen. De kalmte van haar geschilderde gelaat, de vriendelijkheid in haar ogen, gaven me een veilig gevoel en maakten ons allemaal gelijk.

Het duurde niet lang voordat de menigte de bestemming van Maria leek te hebben bereikt. Ze stonden stil en wachtten voor de trap van een groot gebouw. Iedereen zweeg toen twee meisjes gekleed als engelen naar voren kwamen, op de trap gingen staan en gebeden en *Ave Maria's* voor de Heilige Maagd zongen. Toen ze klaar waren, keek iedereen omhoog. Moeders hielden hun hand op hun hart, en vaders met kleine kinderen op hun schouders wezen naar een raam op de derde verdieping van het gebouw.

Op de vensterbank stond nog een jong meisje, op haar hoofd een kroon van kaarsen, haar engelenkleed van wit satijn wapperde in de wind. Zonder waarschuwing strekte ze haar armen uit en sprong, haar lichaam fladderde naar beneden om het beeld te groeten, terwijl twee grote mannen op het dak stonden en de touwen en katrollen die aan haar vastzaten in bedwang hielden. Ze zweefde boven de menigte, zong Maria zegeningen toe en werd vervolgens weer naar haar hoge plekje opgehesen. Op dat moment begonnen de trompetten weer te spelen, de menigte juichte en om me heen regende het confetti.

Omringd door zoveel onbekende stemmen en lichamen, begon ik me zwak en duizelig te voelen. Na de bootreis en lange tijd zonder eten, voelde ik me bang, verbaasd en ademloos op zo'n vreemde, drukke plek en ik begon te trillen. Ik was bang dat ik zou vallen en onder de voet gelopen zou worden. Ik stak mijn hand uit naar de persoon die het dichtst bij me was, een jongen met donkere ogen van een jaar of dertien, misschien veertien. Hij hield me overeind en sprak me eerst aan in het Italiaans, maar toen hij zag dat ik hem niet begreep, zei hij: 'Alleen Engels?' Ik knikte. Vervolgens leidde hij me naar de trap van een winkelpui vlakbij. 'Jij verdwaald?' Ik knikte opnieuw en trok een ansichtkaart uit mijn tas en wees naar Charlies adres. Hij glimlachte en nam mijn hand. 'Ik breng je heen.' Even dacht ik dat het misschien niet verstandig was om deze vreemdeling te volgen, maar iets in zijn gezicht deed me denken aan mijn broers en aan thuis. Eerlijkheid. Goedheid. Lachen.

We liepen door Hanover Street. De gebouwen hadden luifels en uithangborden met grote letters, de etalages waren gevuld met manden en vaten... vis, brood, kaas, augurken, dikke rijpe tomaten en perziken, lange dunne pastareepjes die op rekjes hingen te drogen. Mijn gids wees op een bord boven een grote winkel: Pastene's. Hij wees naar zichzelf, zijn veel te grote broek hing los aan zijn bretels, het donzige zweem dat op een dag een snor zou worden krulde omhoog en hij grijnsde: 'Lorenzo Pastene.' Op weg naar Charter Street legde hij uit (in weloverwogen Engels) dat ik op het vissersfeest van de *Madonna del Soccorso,* Onze-Lieve-Vrouw van de Hulp, terecht was gekomen. Wijze Marie zou dol op haar zijn geweest. Ze wordt niet alleen aanbeden door de vissers van Sciacca, Sicilië, maar ze draagt ook een grote houten knuppel in haar rechterhand, symbool voor het moment waarop ze een duivel wegsloeg toen hij een jongetje probeerde te stelen van zijn moeder. De Madonna verborg de jongen onder haar mantel, en samen gingen ze boven op het beest staan totdat hij dood was.

Charter Street 23 was een soort puzzel: een groots, ruim huis overdekt met klimop, met glas-in-loodramen in de deur en drie dakkapellen; niet de plek die je zou verwachten voor een vissersjongen die net in Boston aankomt, zoals Charlie. Op zijn manier leek het huis ook niet op zijn plek. Het was netjes, het zag eruit alsof het pas geschilderd was, en leek helemaal niet op de huizen die ik onderweg had gezien. Een elegante, goed geklede schoonheid tussen de hoge, vervallen huurpanden en winkelpuien.

De vrouw van Charlies foto, Maxine Cabott, deed de deur open. Ze ziet er prachtig en brutaal uit, nog opvallender dan op de foto's van Charlie. Ze had een mooi vest aan en een op maat gemaakte herenbroek, en haar sluike kastanjebruine haar was kortgeknipt en achter haar oren gestopt. Ze is veel ouder dan Charlie – minstens dertig, schat ik – en met uitzondering van Wrennie, heeft ze de mooiste ogen die ik ooit heb gezien. Soms zijn ze grijs, soms blauw, maar altijd op zoek naar iets, alsof ze door je heen probeert te kijken. Ze kuste de jongen op beide wangen. 'Aha, Lorenzo! Wat heb je me nu bezorgd?' Ze lachte en liet plagerig haar vinger over zijn bovenlip glijden. 'Wat, alleen daar perziken?' Hij bloosde, zette zijn pet af en zei: 'Dit is Dora, voor Charlie. Ik heb haar weg gewezen.' Maxine stopte een handvol muntjes in het borstzakje van zijn bloes. '*Grazie*, Lorenzo. Zeg je moeder gedag van mij.' Hij zwaaide en sprong de treden af met zijn andere hand op zijn borstzakje zodat zijn geld er niet uit zou vallen. '*Grazie*, Maxine. *Ciao, bella!*'

Maxine nam me mee door een grote, open foyer naar de voorkamer. Ze pakte mijn handen en kuste me op beide wangen. 'Welkom in ons bescheiden huis. Zo fijn dat je hier bent, Dora.'

Er zat een jonge vrouw op een sofa te lezen. Haar huid was bruin, maar niet donker, een beetje zoals de *café au lait* van Wijze Marie. Haar gevlochten zwarte haar zat boven op haar hoofd, haar handen zo sierlijk en eerbiedig bij het bestuderen van haar open boek dat ze eruitzag als een koningin, of de beeltenis van Nefertiti op het handvat van een van de zilveren lepels van tante Fran. Maxine stelde ons aan elkaar voor. 'Judith, liefste, dit is Dora van Charlie.' Judith keek net lang genoeg op van haar boek om 'hallo' te zeggen. Haar mond vormde het woord heel beleefd, maar haar stem was zo zacht en verlegen dat ik erbij moest fantaseren hoe het klonk. De stemmen van andere vrouwen echoden door het huis, lachend, zingend, van de ene kamer naar de andere roepend. Maxine gebaarde dat ik naast haar moest komen zitten op een groene fluwelen canapé. 'We hebben gisteren een telegram ontvangen – van een zekere Hart Bigelow – waarin je komst werd aangekondigd. Charlie wil je zo graag zien. Er gaat geen dag voorbij zonder dat hij je naam noemt.'

Ik keek de kamer rond op zoek naar sporen die mijn broer had achtergelaten. 'Komt hij zo meteen?' De wanden van de voorkamer waren bedekt met boekenkasten en schilderijen, rondom de ramen hingen de mooiste stoffen en kant. Er zat geen enkel vlekje op het tapijt en ook niet op de tegels in de hal. Niets van wat ik tot nu toe gezien had deed vermoeden dat Charlie, of een andere man, op Charter Street 23 woonde. 'Ik weet dat hij voor je werkt, maar woont hij hier ook, bij jou?'

Ze gooide haar hoofd in haar nek en lachte. 'Je hoeft niet zo verbaasd te kijken. Charlie is een echte heer en heel behulpzaam. Hij is de man des huizes. Vind je ook niet, Judith?'

Judith keek weer op uit haar boek. 'Hmm?'

Maxine gaf haar een langzame knipoog van verstandhouding. 'Charles Rare is hier wel degelijk de man des huizes.'

Judith bracht haar boek weer voor haar gezicht. 'Ja, Max. Ja, dat isie.'

Maxine zoog aan het uiteinde van een sigarettenhouder, en blies vervolgens drie rookkringen boven haar hoofd. 'Wil je iets drinken?

Ik geloof dat we wat limonade in de ijskast hebben, of iets stérkers als je dat nodig hebt.' Deze keer knipoogde ze naar mij. 'En wie zou je dat kunnen ontzeggen... je hebt een lange reis achter de rug van Nova Scotia, meid.'

Maxine en de andere vrouwen uit het huis waren allemaal in de weer om me te bedienen. Een lange, slungelige jonge vrouw met een overall vol verfspatten zette een bord met koud vlees en een kom perziken met dikke room voor me neer. Ze veegde haar hand af aan de rand van het tafellaken. 'Rachael. Ik schilder.' Ze stak haar hand naar me uit. 'Judith, Charlie en ik wonen fulltime bij Max. De anderen komen en gaan zoals het ze uitkomt.'

Maxine corrigeerde haar. 'Zoals het hún uitkomt. En de theedoek bij de wastafel is voor je handen, meid.' Maxine pakte de handdoek van het rekje en legde hem op tafel. 'Ik zie het huis het liefst als een kunstenaarsgemeenschap. Hier komen schrijvers, schilders, fotografen, muzikanten, zelfs een of twee actrices om hun kunst tot uitdrukking te laten komen.'

'O, maar ik ben helemaal geen kunstenares. Ik wil niemand in de weg zitten... ik blijf wel in de kamer van Charlie.'

'Er is hier ruimte genoeg voor jou om je eigen kamer te hebben. Blijf zo lang als je wilt. Ik sta erop. Elke vrouw heeft een toevluchtsoord nodig.'

Mijn kamer is op de derde verdieping in een hoek aan de achterkant van het huis. Langs een lattenframe klimmen rozen omhoog tot aan mijn raam, en hun zware, zoete geur komt zo de kamer binnen, zelfs 's nachts. Als het gebouw naast ons, Malloy's Playhouse, er niet geweest was, zou ik bijna vergeten dat ik in de stad ben. Rachael noemt het 'de Val'. 'Overdag is het rustig, maar zodra de straatlampen branden, rolt de muziek de ramen uit en dreunt door de vloer. Het is best amusant als je er eenmaal aan gewend bent.' Ik trok de hoek van de jaloezie voor het raam dat uitkijkt op de steeg opzij. De gebouwen zijn zo dichtbij dat ik tijdens het eten de handen van de klanten zou kunnen schudden.

'Niet het rolgordijn aan de zijde van de Val opendoen, want dan krijg je wat te zien.'

Ik liet de papieren jaloezie tegen het kozijn vallen. 'Hoezo?'

Rachael plopte met haar vinger tegen de binnenkant van haar wang en floot. 'De kamers boven zijn gereserveerd voor stoute Zaterdagavondmeisjes. Die schatjes doen alles, tegen betaling. Die ouwe Paddy Malloy vleit ze zo lang tot ze zijn koormeisjes worden. Elke week een paar extra trips naar de achterkamertjes, en dan hebben ze het gemaakt, denken ze. Het verdient sneller dan wanneer je met oorlogsweduwen om een schenking moet vechten.' Met een uitdagende flair liet Rachael haar handen langs haar zij glijden en onder haar borsten. 'Waarom zou je leren potten bakken of je fatsoenlijk gedragen als je *handelswaar* gewoon in je zit?'

Er hing een ingelijst krantenartikel aan de wand. De kop schreeuwde: 'Vrouw gaat uit de kleren voor kiesrecht!' Er hing een foto naast. Maxine stond naakt voor een groot gebouw met niets anders aan dan een sjerp met 'Kiesrecht voor Vrouwen' erop.

'Max brengt de mensen graag aan het praten. Dat was vorige maand pas, bij het statengebouw. Je zou nooit raden dat haar familie een stel snobistische rijkelui zijn.'

Ik lachte en vroeg me af met wat voor vrouw Charlie zich precies had ingelaten.

'Max is soms misschien een beetje maf, maar ze is heel aardig, weet je. Judith en ik zouden misschien daar zijn geweest, bij de Val, als zij er niet was geweest. Op een dag kwam ze naar het Baldwin Place Weeshuis en zei: 'Ik zou graag uw twee oudste meisjes meenemen. En vlug een beetje, want straks is het tijd om ze op straat los te laten.' Niemand sprak haar tegen, ze gaven ons gewoon aan haar, zonder afscheid of iets, ze schopten ons gewoon de deur uit en zwaaiden even. We wisten niet wie ze was of wat ze met ons zou gaan doen, maar we hadden al zo lang niets meer, dat het ons niets kon schelen. De hemel zij dank voor Max.'

Dora Bigelow
Charter Street 23
North End, Boston,
Massachusetts
USA

11 augustus 1918

Bertine Tupper
Scots Bay, Nova Scotia
Canada

Lieve Bertine,
Ik weet dat je mijn lieve kleine Wrennie zonder morren en zonder enige twijfel in huis hebt genomen. Bedankt daarvoor.
Ik mis thuis. Ik mis het om Wrennie op mijn heup te dragen, de geur van talk in de vouw van haar nek, hoe ze mijn vinger vastgrijpt met haar kleine handje.
De meeste moeders zouden je een lijst toesturen met de dingen die haar baby nodig heeft en de dingen die je moet doen. Maar ik kan mezelf er niet toe brengen dat soort eisen te stellen. Je bent een goede vriendin, je bent een goede moeder. Je zult haar alles geven wat ze nodig heeft en meer dan dat.
Dit zijn de dingen die je níét moet doen:
– Neem haar nooit mee naar buiten op de veranda om haar de mist op haar gezichtje te laten voelen.
– Bind nooit lavendel boven haar bedje.
– Dans en zing nooit 'And the Band Played On' met haar.
–Kus haar nooit op haar wang als ze slaapt en zeg: 'Lekker slapen lief meisje.'
– Zeg nooit tegen haar: 'Mammie komt naar huis.'
Ik weet niet of ik lang genoeg voor haar heb gezorgd om te kunnen zeggen dat ik een goede moeder was, of zelfs de juiste moeder voor haar, en ik weet niet of ik ooit nog naar huis kom. Maar als je deze dingen achterwege laat, hoop ik dat ze over een paar dagen of hoe lang het ook duurt, zal leren me niet meer te zoeken. Als je genoeg van haar houdt, zal ze iets leren doen wat ik niet kan – vergeten dat ik haar moeder was.

Als Wijze Marie hier zou zijn, zou ze me het verwijt maken dat dit niet de tijd is om medelijden te hebben met mezelf. Ze zou tegen me zeggen dat het tijd was om te knielen en te bidden. De enige manier om de hemel te zien is door de grond te kussen. Maar ik ben zo ver van huis en alles wat ik ken dat zelfs mijn gebeden zondig klinken.
Zorg goed voor Wrennie.
Ik weet dat je dat al doet.

Liefs,
Dora

Augustus 1918

Midden in de nacht ging ik naar Charlies kamer en ging naast hem liggen, net als toen we kinderen waren. Ik raakte zijn zweterige, jongensachtige haar aan, telde de sproeten op zijn neus en wachtte tot hij wakker werd. In zijn slaap zag hij eruit als de lieve kleine jongen die altijd mijn maatje, mijn vriendje was geweest.

Charlie zei altijd tegen me dat we tweelingen waren, alleen moest moeder mij een jaar langer dragen dan hem, omdat ik langer gebakken moest worden om zoet te worden. Ik ben dankbaar dat hij niet verder dan Boston is weggerend en dat hij de gedachte om naar de oorlog te gaan niet langer heeft nagejaagd. Dan zou hij nu dood zijn, dat weet ik zeker. Zijn hart is te groot, zijn glimlach te stralend om zoiets te overleven.

'Dorrie?'

'Ik kan niet slapen. Elke keer als ik mijn ogen dichtdoe, zie ik dingen... de gezichten van de doden in Halifax, Archers lichaam dat in het donkere water wegzinkt, bloedsporen van Iris Rose op mijn armen, mijn lakens, mijn bed. Ze zoeken me, Charlie. Brady Ketch, Laird Jessup, Trude Hutner, dr. Thomas... ze zeggen allemaal dat ik mevrouw Ketch vermoord heb...

Het ergste van alles is dat ik niet weet of ik het gedaan heb. Ik heb ze geen van allen kunnen redden, haar baby niet, Iris Rose niet, haar niet. Ik heb alles nog eens aan me voorbij laten gaan, deed mijn ogen dicht en zag mezelf het Wilgenboek van Wijze Marie lezen, de tinctuur inkoken, mevrouw Ketch vragen om bij me te blijven tot ze weer beter was. Ik had nooit gedacht dat ze er dood aan zou gaan. Het was niet mijn bedoeling om...'

Hij legde zijn arm om me heen. 'Is dat wat je hart je zegt? Dat je haar hebt vermoord?'

'Ik weet het niet.'

'Toen mevrouw Ketch bij je thuis was en om hulp smeekte, heb je precies gedaan wat je van Wijze Marie hebt geleerd, toch?'

'Ja, dat wel, maar...'

'Voelde dat goed?'

'Ja, alleen niet dat ik haar liet gaan. Ik had haar nooit terug moeten laten gaan naar Deer Glen.'

'Wat er daarna gebeurd is, is niet jouw schuld. Je hebt geprobeerd haar ervan te overtuigen om bij jou te blijven. Het was niet jouw schuld. Dat moet je geloven.'

Ik wou dat ik half zoveel zelfvertrouwen had als Max. Ze heeft duidelijk geen twijfel over wie ze is. Je ziet het aan de manier waarop ze zich kleedt, op de manier waarop ze haar woorden uitspreekt. Ze draagt de stad binnen in zich, en de stad, op haar beurt, draagt haar. Misschien geeft Boston mij ook een beetje meer zwier. Tot nu toe hoef ik alleen nog maar het hoofd boven water te houden.

Bertine Tupper
Scots Bay, Nova Scotia
Canada

18 augustus 1918

Dora Bigelow
Charter Street 23
North End, Boston
Massachusetts
USA

Lieve Dora,
Hopelijk is alles goed en wel met je als je deze brief krijgt.

Natuurlijk balen we dat je niet bij ons bent.
Natuurlijk balen we van de roddels die rond zijn gegaan.
Natuurlijk vinden we een manier om je weer thuis te krijgen, en die maffe dr. Thomas om zijn oren te slaan.

Zo, nu volgt wat we tot nu toe hebben weten te achterhalen uit de roddels en verslagen die onze kant op zijn komen waaien.
Het schijnt dat Experience Ketch van de trap was gevallen en dat Ketch een van de jongens naar Canning had gestuurd om de dokter te halen. Toen dr. Thomas aankwam was de arme mevrouw Ketch al dood.
Brady Ketch (die dronken klootzak) beweert dat je zijn vrouw een of ander 'mengsel of brouwsel' had gegeven dat haar 'dol en duizelig' maakte. Hij zei dat ze wel moest vallen. Blijkbaar heeft hij aan iedereen een lege fles laten zien. (Niets ongebruikelijks voor hem.)
Dr. Thomas werd geciteerd in de Canning Register: *'Het is een tragisch verlies voor onze gemeenschap en heel het vrouwelijke geslacht. We moeten de schuldige partij voor het gerecht brengen voordat ze talloze andere vrouwen en kinderen beschadigt. Dit soort trieste, onvergeeflijke tragedies zijn het gevolg van het afwijzen van wetenschappelijke theorieën en vasthouden aan de onwetendheid van het verleden.'*
Ginny heeft zich bereid verklaard om naar het spreekuur van dr. Thomas te gaan, onder het mom van de zorg voor haar ongeboren kind. Ja, inderdaad, ze is weer zwanger. Blijkbaar heeft ze haar zonden voor niets aan Laird opgebiecht. Ze had haar kopje thee met wanten maar half opgedronken en spuugde de rest in haar servet. Sadie heeft tegen haar gezegd dat ze alle moeilijkheden die ze heeft veroorzaakt weer goed moet maken door iets te verzinnen waarmee jij geholpen zou zijn.
Wrennie is vreselijk lief als altijd. Maak je geen zorgen over haar.
Vertel ons wat we nog meer kunnen doen. We zien uit naar je antwoord.

Bertine en je zusters van de VBV

Dora Bigelow
Charter Street 23
North End, Boston
Massachusetts
USA

28 augustus 1918

Bertine Tupper
Scots Bay, Nova Scotia
Canada

Lieve Bertine en rechtschapen leden van de VBV
Bedankt voor jullie brief.
Ik weet niet wat ik van het verhaal van Ketch moet maken. De waarheid zit zo: ik heb Experience Ketch inderdaad een flesje tinctuur gegeven. Een aftreksel van kruiden dat ervoor zou zorgen dat ze haar baby zou verliezen die ze niet wilde. Ik heb haar geadviseerd dat ze bij mij moest blijven zodat ik ervoor kon zorgen dat het gewenste effect werd bereikt, maar ze wilde per se diezelfde dag naar huis. Wat me verwart is dat ik me niet kan voorstellen dat ze zo duizelig zou worden van de tinctuur dat ze een dodelijke val kon maken. Ze zou eerder doodbloeden dan van de trap vallen. Een vluchtig onderzoek tussen haar benen had kunnen bewijzen of ik de schuldige ben, maar daar is het te laat voor.
Dit is alles wat ik kan zeggen. Mijn woorden klinken nogal schuldig zoals ze hier staan, dus ik denk dat het nog wel even duurt voor ik thuis ben. Breng je naam of je gezin niet in gevaar omwille van mij. Als er iemand op je deur klopt, is het misschien beter om te 'vergeten' dat ik een vriendin was.
Geef Wrennie een kus van mij.

Liefs, Dora

42

De dag na mijn aankomst kondigde Maxine aan dat ik mijn eigen 'Onafhankelijkheidsdag' moest krijgen: 'De dag waarop Dora met Boston kennismaakte.' Eerst werd ik verwend met een uitgebreid bad in de meest luxe badkuip die ik ooit had gezien. Het is een gladde creatie van wit porselein, hij strekt zich verder uit dan mijn tenen en staat bovenop vier gouden zeeschelpen. Stromend water uit de kraan. Schuimende Franse zeep met de geur van lavendel en roos. Door die dingen kon ik even mijn wereldse zorgen vergeten. Rachael knipte mijn haar kort tot net onder mijn oren. Judith leende me een moderne stijlvolle jurk, een dun bloemetjesding. De rok is recht met aan beide kanten een lange split. Maxine zegt dat het een dansjurk is. 'Je kan nooit weten wanneer je de Turkey Trot wilt doen!' Ze zette een fleurige nieuwe hoed op mijn hoofd en verfde mijn lippen rood, en we gingen met z'n allen 'de stad in' met Charlie.

Mijn broer reageerde precies zoals ik verwacht had op al die commotie, grappend en plagend als altijd: 'Nou Dorrie, je ziet eruit als een *echte dame.* Ik had je bijna niet herkend.'

Maxine antwoordde op haar manier, heel ad rem. 'Daar gaat het ook om, lieve Charles. Vandaag kan je zus precies zijn wie ze wil.' Ze hield haar hand onder mijn kin en bekeek me van top tot teen. 'Alles behalve Bigelow, alsjeblieft, je hebt een veel te nieuwsgierig gezicht voor zo'n weduwenaam. Vind je ook niet, Judith?'

Judith was het met haar eens. Maxine knipoogde naar mij. 'Misschien wil je de traditie van Boston volgen en je voortaan bij je meisjesnaam noemen? Ik vind dat de naam Rare perfect bij je past.' En dus werd ik voorgesteld als Dora Rare in de straten van Boston. Van de trappen van Christ's Church tot St. Stephens Church, van de ene kant van Hanover Street helemaal terug naar de andere kant. Maxine heeft mijn vale jurk en zwarte kousen bij het afval gegooid. Ik vraag me af wat moeder zou zeggen.

Dat is nu een paar weken geleden, en hoe vaker ik mijn naam hoor, hoe meer ik me afvraag of hij nog wel bij me hoort. Behalve het Wilgenboek onder mijn bed en Charlie een paar deuren verder, is alles wat ooit van mij was verdwenen (of zo ver weg dat het zo lijkt). Tijdens mijn eerste nachten hier, lag ik in bed met het raam open te luisteren. Een keer dacht ik dat ik het getijde kon horen, de vriendelijke, bekende stem van de maan, maar het was slechts de constante dreun die tussen de gebouwen door weerklinkt en de mechanische brul van de trein over de spoorbrug.

Deze middag gingen we met z'n allen naar Copps Hill om te picknicken. Het is een mooie plek, vol met bomen en een netjes verzorgd gazon, een van de oudste begraafplaatsen van Boston. De schoonheid ervan is anders dan thuis, waar het groen (het gras, de bossen, het mos op de rotsen) alles overheerst. Zelfs de velden die in de Bay geploegd worden zijn allesbehalve rechthoekig. We planten rondom de bomen en laten de beekjes de vrije loop. Huizen worden zo gebouwd dat ze kunnen meebuigen in de wind, de vrouwen dansen met de maan. Hier staan er muren rondom de haven en de gebouwen groeien sneller dan de bomen. Mensen rennen van hot naar her, altijd druk, altijd levendig. Zij zijn het getijde.

Eerst vond ik het raar om onze lunch te nuttigen tussen de grafschriften en stenen engelen, maar Maxine legde uit dat het een oude traditie was. 'Het brengt geluk om de doden te bezoeken, als je maar genoeg vrolijkheid en plengoffers meeneemt.' Demonstratief trok ze een grote zilverkleurige fles uit de picknickmand, schonk een paar druppels op de grond en klonk ermee tegen een verbleekte, scheefstaande grafsteen. 'Op de kleine Thomas Copp, dat hij in vrede moge rusten.'

THOMAS
Zoon van David Copp & zijn vrouw Obedience
2 jaar en 3 kwart oud
Gestorven op 25 juli
1678

Ze nam nog een teug uit de fles en gaf hem door aan Rachael. 'Tussen de geheelonthouders en de Watch and Ward Society is de arme Beantown bijna alle spanning kwijtgeraakt. *Gott im Himmel*, ik had nooit gedacht dat ik de dag zou meemaken waarop je geen fatsoenlijke fles bier meer kon krijgen in deze stad.' Ze gebaarde naar een groot gebouw in de verte. 'Op de Burkardt Brouwerij... gesloten in naam van het patriottisme.'

Ze draaide zich naar mij toe. 'Heeft Charlie je verteld hoe hij voor mij kwam te werken?'

Ik schudde mijn hoofd. 'Nee, maar ik vroeg het me wel af.'

Maxine grijnsde. 'Zie je, ik wíst wel dat ze een nieuwsgierig gezicht had.' Ze draaide zich naar Charlie toe. 'Vertel jij het Charlie, of zal ik het doen?'

Charlie had zijn mond vol brood. 'Doe jij het maar.'

Maxine ging tussen Charlie en mij in zitten, ze legde een hand op Charlies knie en met de andere hield ze mijn hand vast. 'Het was februari en ik werd uitgenodigd door mijn goede vriendin Helen Ruth, die wist dat ik al veel te lang nergens anders was geweest dan in de besneeuwde straten van de stad, om een weekend in de bossen door te brengen. Net toen we contact hadden gemaakt met de geesten van Emerson en Thoreau, kwamen Helens man, Babe, en een stuk of vijf van zijn kameraden uit de kroeg ook naar de blokhut naast Willis Pond.'

Max knipoogde naar Charlie. 'Charles kwam korte tijd daarna om een geheime doos Red Sox Beer van Burkhardt te bezorgen. Ruth, altijd de hoffelijke gastheer, nodigde Charlie uit om te blijven. De avond vorderde, de flessen werden geleegd, en toen werd ik gevraagd om het feest op te luisteren met een of twee liedjes.

Tot mijn grote verrassing pakte Babe me op, plofte me boven op de pianola en zette het ding in werking. Op het moment dat ik "Somebody Stole My Gal" begon te zingen, begonnen vier van zijn maten het ding naar buiten te rollen en duwden me tot in het midden van de bevroren vijver.' Maxine sloot haar ogen en wiegde heen en weer. 'Dat was zo'n mooie nacht. Mijn stem was helder, en ik weet nog hoe het witte licht van de volle maan door de bomen scheen. Een paar gasten gleden rond de pianola om te dansen terwijl ik "Goodbye Broadway, Hello France" zong.'

Charlie onderbrak Maxines verhaal en grijnsde. 'Het was "Take Me Out to the Ball Game" en ik zou het geen zingen durven noemen.'

Rachael lachte, de whisky spatte in het rond. Judith sloeg haar op haar arm en Rachael gaf haar een elleboog. 'Nou, hij heeft gelijk, ze kan niet zingen.'

Maxine rolde met haar ogen en ging verder op een theatrale toon. 'Net toen we bij het refrein waren, schreeuwde Charlie: "Iédereen van het ijs af, we gaan er doorheen!" Het was een gekkenhuis – mensen holden en gleden naar de kant van de vijver, terwijl ik boven op de piano was gestrand.'

Charlie fluisterde in mijn richting. 'Ze had het niet eens in de gaten – ze zong gewoon door.'

Maxine schraapte haar keel en ging verder. 'Die lieve broer Charles van je kwam me redden, nam me in zijn armen en schaatste met me weg, glijdend op zijn laarzen alsof hij Hans Brinker was. De piano had echter een minder gelukkig einde en zonk naar de modderige bodem van Willis Pond.' Ze gaf Charlie een stevige kus op zijn lippen. 'Dankzij hem leef ik nog. Het minste wat ik kon doen was hem een baan geven en een plek om te wonen. Hij is mijn geluksster.'

Toen we naar huis gingen, wees Maxine op drie kinderen die rond een wenssteen dansten in de hoek van de begraafplaats. We keken toe hoe ze vrolijk huppelden en een wensliedje zongen. Toen ze klaar waren, gingen ze om beurten op de steen zitten, met de ogen dicht en één vinger naar de hemel en één vinger op het graniet.

Maxine stond erop dat we dat ook deden. 'Negen keer tegen de klok in en dan op de steen gaan zitten en een wens doen.'

Charlie wenste nog een kus van Maxine.

Maxine wenste een kus van Rudolph Valentino, maar ze kreeg er een van Charlie.

Rachael wenste dat Ruth en de Red Sox de World Series zouden winnen.

Judith wenste meer dagen zoals vandaag.
En ik wenste dat Wrennie altijd gelukkig zou zijn.

Bertine Tupper
Scots Bay, Nova Scotia
Canada

5 september 1918

Dora Bigelow
Charter Street 23
North End, Boston,
Massachusetts
USA

Lieve Dora,
We zijn maar al te graag bereid om mevrouw Ketch op te graven als dat de enige manier is om te bewijzen dat je onschuldig bent. We houden onze oren aan de grond, om te horen of we nog iets anders kunnen opsteken. Voor jou alles, lieve zus.
Ginny kwam terug uit Canning met een vreemd verhaal, ik geef de pen aan haar om het te vertellen.

Hallo Dora,
Hoe staat het leven in het ouwe dampende Boston? Ik mis je verschrikkelijk en hoop vurig dat je op tijd thuis bent voordat mijn nieuwe baby komt. Ik ben erachter gekomen dat dr. Thomas meer vertrouwt op boeken en grafieken dan op zijn hart. Vorige week liep ik bij hem binnen om hem te vertellen dat ik voortdurend last had van zwangerschapsmisselijkheid. (Het was zelfs zo erg dat ik bijna helemaal geen eten binnen kon houden.) Hij zei dat hij me makkelijk beter kon maken door 'het nieuwste in de theorie van de verloskunde' te gebruiken. Hij noemde het de suggestieve methode.
Hij kwam naar mijn huis en gebood iedereen om naar buiten te gaan, zelfs Laird. Toen deed hij zoiets vreemds... hij pakte

de soepterrine van mijn grootmoeders porseleinen servies (het enige waardevolle voorwerp dat ik mee had genomen toen ik trouwde en naar de Bay verhuisde) en zette hem midden op het bed. Hij zei tegen me dat ik hem als overgeefemmer moest gebruiken. Nou, ik was zeker niet van plan om het porselein van mijn oma onder te kotsen. Je kunt je wel voorstellen wat dat met het verguldsel zou doen. Ik draaide me om op het bed en kotste in plaats daarvan op zijn schoenen!
Hij zegt dat zwangerschapsmisselijkheid iets neurotisch is, een manier van de zwangere vrouw om aandacht te krijgen van een echtgenoot die zich ongemakkelijk voelt bij de toestand van zijn vrouw. 'Komt heel veel voor. Niets om ongerust over te zijn.'
Laird zei tegen hem dat 'een zwangere vrouw niets is vergeleken met een zwangere koe'. Ik weet niet zeker wat hij daarmee bedoelde. Hoe dan ook, geen zorgen, ik voel me veel beter. Mijn enige klachten zijn gezwollen enkels en handen, en af en toe wat hoofdpijn. 'Komt veel voor. Niets om ongerust over te zijn. Meer brood en minder vlees eten,' aldus dr. Thomas.
Trouwens, zelfs als de dokter gelijk blijkt te hebben op medisch gebied, ben ik nog lang niet zo dom dat ik niet doorheb dat hij en Brady Ketch de beste vriendjes zijn. Laird zei een tijdje geleden dat Brady dr. Thomas mee op jacht heeft genomen, maar ik had er verder niets bij gedacht. Dat deed ik pas toen ik de afgelopen keer in Canning was en mevrouw Thomas me uitnodigde op de thee bij hun thuis. Ik was geschokt en verdrietig tegelijk toen ik het hoofd van het geliefde witte ree van Wijze Marie opgezet aan de wand zag hangen. Het staarde me aan van boven de schoorsteenmantel in de voorkamer. We vragen ons af wat Brady ervoor gekregen heeft.

Heel veel liefs,
Je zusters in de misdaad, Ginny en Bertine

12 september 1918

Bij het nieuws over het witte ree sprongen de tranen in mijn ogen. Ik geloof dat dr. Thomas niet gelukkig is voordat hij alles wat ooit iets voor Wijze Marie betekende te pakken heeft. Mijn hart doet pijn vanavond, alsof ik haar weer helemaal opnieuw verloren heb.

Ginny's opmerkingen over de zorg van de dokter verontrusten me ook. Ik zie niet hoe zijn advies zou helpen. Sterker nog, ik denk dat het de dingen alleen maar erger kan maken. Maar toch, ze maakt zich snel druk en als ik haar vertel wat ik denk, slaat ze misschien door. Ik zal haar wat opgewekte dingen vertellen met een beetje advies van Wijze Marie, en daar laat ik het even bij.

Dora Rare
Charter Street 23
North End, Boston
Massachusetts
USA

14 september 1918

Bertine Tupper
Scots Bay, Nova Scotia
Canada

Lieve Bertine en zusters van de VBV,
Bedankt voor jullie laatste brief en dat jullie me bijstaan tijdens mijn ballingschap. Vooral veel dank voor Ginny en haar verslag van de 'suggestieve methode' van dr. Thomas. Ik moest al glimlachen bij de gedachte aan hoe verbaasd de goede dokter moet zijn geweest bij Ginny's 'reactie' op zijn behandeling. Ik vermoed dat hij er niet veel meer van zal snappen als de resultaten anders zijn dan hij verwacht had. Laten we hopen dat dit ongelukje hem aan het denken zet. Nieuwsgierigheid is essentieel in de medische wetenschap (en in het leven)... het pakt op nobele wijze de draad op waar doctrine hem laat vallen. Thee en rust, Ginny, en met je voeten omhoog.
Het leven in Boston barst van de activiteit. De andere vrouwen

in dit huis gaan nogal wild met het leven om (en met hun taal), vooral de vrouw die het hier runt, Maxine Cabott. Ze heeft een rijke familie achter zich en geeft de rest van ons meer dan wat we nodig zouden kunnen hebben, ze vult het huis met geurige boeketten, en onze buiken met eten, onze handen en hoofden met literatuur. Hoe Charlie ertoe gekomen is haar loopjongen te worden is een heel verhaal, dat kan ik jullie alleen in levenden lijve goed vertellen. Ik kan niet precies zeggen wat ze doet, maar ik kan jullie wel vertellen dat ze minstens één keer in haar leven haar hart heeft gebroken, dat ze een aantrekkelijke, peinzende schoonheid heeft en dat ze altijd wel ergens mee bezig is, 'in de pot roert' zoals Wijze Marie zou zeggen.
Vanavond houdt Maxine een vergadering voor vrouwenkiesrecht. We zijn honderden kaarten aan het maken om naar senatoren te sturen die nog steeds tegen het kiesrecht van vrouwen zijn. Ik geef toe, ik ben er trots op te weten dat vrouwen nu al gewichtige personen zijn in Nova Scotia. Maar triest genoeg, zie ik nu dat ik er nooit genoeg voor heb gedaan om met de eer van onze overwinning te kunnen strijken. Ik heb zo vaak bij mezelf gedacht hoe onrechtvaardig het leven voor vrouwen is, of voor de mannen die in de loopgraven van de oorlog moeten gaan vechten. Maar waarom ben ik niet sterk of moedig genoeg geweest om ertegen in opstand te komen? Er zijn vrouwen gevangengenomen, gestorven voor deze rechten, terwijl ik thuis zelfvoldaan en tevreden zat te breien.
We kunnen altijd meer doen, zelfs met kinderen op onze arm.
Geef Wrennie een kus van mij,

Jullie zus, Dora

PS Misschien is het jullie opgevallen dat ik besloten heb om mijn naam in zijn vorige staat te herstellen, Dora Rare.

43

Een groep vrouwen, inclusief Rachael en Judith, las voor uit het Griekse toneelstuk *Lysistrata* op een 'Avond voor de Letteren op Charter Street 23'. Maxine las gedichten voor uit Walt Whitmans *Leaves of Grass*, en ik koos voor Judiths exemplaar van *Tess of the D'Urbervilles*. Het is vreselijk om te bedenken dat we deze boeken moeten verstoppen en onze gesprekken erover moeten beperken tot een intieme, geheime kring vrienden. Ze zijn 'verbannen in Boston' door de Watch and Ward Society, en degenen die deze werken in bezit hebben en gepakt worden, kunnen een boete krijgen of zelfs een gevangenisstraf. Maxine probeert zo veel mogelijk boeken, toneelstukken en kunst te redden. De selectie van vanavond was het resultaat van een strooptocht op het landgoed van haar moeder, waar zij en Charlie verschillende dozen literatuur terugvonden die waren verzameld voor een boekverbranding. 'We bedankten moeder voor een fijne avond, slopen naar de rijtuigenstalling, laadden de goederen in en scheurden weg in mijn vertrouwde Hupmobile coupé. Ik vond dat die vrouw me dat wel schuldig was nadat ik had moeten luisteren naar haar geraaskal over de slechte invloed van moderne muziek. Ze denkt dat iedereen die een beetje plezier wil hebben, rechtstreeks naar de hel gaat. Geen wonder dat papa zijn ontspanning in de duisternis van de biljartruimte zoekt (samen met meer dan een paar neuten rum). Ik wou dat ik een klein vogeltje was, dan kon ik vanaf haar schouder meekijken als ze erachter komt dat de brandstof voor haar kampvuur verdwenen is.'

De meeste avonden ga ik uitgebreid op mijn bed liggen om brieven te schrijven, of notities te maken in mijn dagboek. Gisteravond blies een natte wind de jaloezieën op en neer alsof hij tegen het raamkozijn ademde. De schaduw aan de kant van de Val gloeide rood op. Zoals Rachael geadviseerd had, laat ik de jaloezieën aan die kant van de kamer altijd dicht, vooral omdat de spijlen aan het hoofd van mijn bed tegen dat raam leunen. Maxine plaagt me er graag mee. Ze sluipt 's avonds vaak mijn kamer binnen en probeert me te verleiden om het hoekje van de jaloezie op te tillen en te gluren. Ik zeg altijd nee. Voor mij is het genoeg om op de bedsprei te liggen terwijl de mist van de regen binnenkomt en vleugjes parfum, muziek en Miss Honey met zich meebrengt.

Sinds ik hier ben heeft Miss Honey het erg druk gehad. Ze heeft veruit de meeste bezoekers in Paddy Malloy's Playhouse, en zo te horen is het bijna elke avond een andere man. De gast van gisteravond had een diepe, bewonderende klank in zijn stem. 'Honey, jij weet altijd precies wat ik nodig heb...'

Ze antwoordde op haar opgewekte, uitdagende manier: 'Dat klopt, en vergeet niet wie er hier de leiding heeft... zeg jij maar Míss Honey.'

'Dat is zo, baby, dat is zo.'

Het zwoele gesprek van Miss Honey verdronk in de echo's van de rest van Paddy's Zaterdagavondmeiden, hun hielen knarsten en stampten op de bühne beneden, de pingelende piano praatte terug met de zware stappen van de blues.

A good man is hard to find
You always get the other kind
Just when you think he's your pal
You look for him and find him foolin' 'round some other gal
Then you rave, you even crave,
To see him laying in his grave

De wind tilde de jaloezie op en onthulde dat Miss Honey het licht had aangelaten. Haar schaduw danste boven het lichaam van meneer met zware zoete parfum. Hij tilde haar heupen op en trok aan haar kanten jarretels.

'Mmmmm, Miss Honey, zo is het goed, zo is het goed.'

So if your man is nice, take my advice
And hug him in the morning, kiss him every night
Give him plenty of lovin', treat him right
Cause a good man nowadays is hard to find.

Voor haar zijn de meeste avonden zo, zíj overheerst hém, ze neemt de tijd, en samen met haar slingeren de glazen kralen aan de onderkant van de lamp op haar nachtkastje zachtjes heen en weer. Nu ik de afgelopen weken geluisterd heb hoe ze haar zaken afhandelt (met veel meer kennis en beter dan alle andere meisjes), vraag ik me af of het wel zo vreselijk is om in haar positie te zijn. Ze lijkt zo tevreden, zo trots op zichzelf, en voor zover ik weet, doet ze het allemaal zonder berouw. Misschien zijn het de vrouwen die zo vroeg zijn gaan trouwen, om getrouwd te zijn, voor de naam, een leven of zelfs een huis... misschien zijn wij het die onszelf te goedkoop hebben verkocht.

Iets anders wat betreft liefde en het schone geslacht: ik heb onlangs ontdekt dat Judith en Rachael een paar zijn. Ik liep onverwacht de badkamer in toen zij elkaar aan het wassen waren. Ze hadden meer plezier met elkaar dan twee lachende zussen. Ik zag hen kussen en elkaar met zoveel tederheid aanraken dat ik bleef kijken door de spleet in de deur, met ingehouden adem, totdat Max me wegtrok. 'Laat hen van hun "Bostonhuwelijk" genieten, zeg ik. Zelfs de moeder van de Temperance, Frances Willard, had een trouwe metgezel, haar geliefde vriendin Anna. De ritjes op die fiets waar ze het altijd over had waren blijkbaar niet genoeg voor haar.' Het geluid van spattend water en gelach stroomde de hal in. Max trok haar wenkbrauwen op en grijnsde. 'In welke vorm dan ook, liefde is altijd prachtig, vind je ook niet, Dora Rare?' Ik glimlachte en knikte, en wou dat ik mezelf niet verpest had met Archer. Hoewel mijn hart het nog steeds wil, heb ik weinig hoop dat ik ooit weer liefde of zelfs ware genegenheid zal vinden nu de dagen van onschuld voor mij voorbij zijn.

Dora Rare
Charter Street 23
North End, Boston
Massachusetts
USA

16 september 1918

Bertine Tupper
Scots Bay, Nova Scotia
Canada

Lieve Bertine,
Zoals je misschien al weet, verspreidt de influenza zich momenteel door Boston en andere plaatsen van Amerika. Ik neem aan dat het ook Nova Scotia zal bereiken, als dat niet al gebeurd is. Ik maak me zorgen, vooral voor de kinderen van de Bay, voor Wrennie. Zodra je hoort dat het in de buurt is, neem dan het volgende advies in acht:
– Sluit de weg naar de Bay af.
– Laat geen bezoekers van buitenaf binnen.
– Maak maskers van gaas of neteldoek voor de mannen om op de werf te dragen en voor iedereen die naar Canning moet.
– Zorg ervoor dat de mannen hun kleren uittrekken voor ze het huis inkomen.
– Handen wassen met heet water en zeep.
Dit lijken misschien idiote maatregelen, maar als je kon zien hoeveel afgedekte lichamen hier elke dag de huizen uit worden gedragen, zou je het wel begrijpen. Als iemand er toch mee geïnfecteerd raakt in de Bay, gebruik dan mijn huis als ziekenhuis. Het heeft geen zin om een heel gezin te laten lijden onder deze vreselijke ziekte.

Liefs,
Dora

44

Ooit kwam ik bij Wijze Marie terecht omdat ik influenza had. De koorts was zo hardnekkig dat zelfs moeder niet wist wat ze ermee aan moest. Ze probeerde van alles om me aan het zweten te brengen en de koorts te breken, inclusief vaders suggestie om zoute haring om mijn nek te hangen (een traditie die hij had overgenomen van een zeeman met een houten been uit Inverness County). Toen de haring geen verandering teweegbracht en de koorts hoger dreigde te worden, wikkelde moeder me in dekens en gaf me over aan de zorg van Wijze Marie.

'Eerst moet ze een ijskoud bad nemen om de koorts te laten schrikken, dan een dosis uiensiroop en flink insmeren met wonderolie.' Wijze Marie stuurde mijn moeder weg en zei haar dat ze de volgende ochtend terug moest komen. 'Aan de zorgen van een moeder hebben we niks. Ze weet dat je van haar houdt, meer heeft ze niet nodig. Ga naar huis.' Handenwringend gaf ze een kus op mijn gloeiende voorhoofd en ging weg. Wijze Marie sleepte een grote tobbe naar binnen vanuit de voortuin en zette hem voor de houtkachel. Met slaperige ogen keek ik hoe ze er de ene emmer water na de andere in gooide, haar schouders gespannen en gebogen door de jaren, de grip van haar vingers krom maar vastberaden. 'Zo'n ziekte heb je nog nooit meegemaakt.' Ze glimlachte en strooide epsomzout in het water. 'Je bent deze lente veertien geworden, hè?' Ze roerde het zout door het water totdat het was opgelost en schudde druppels water van haar handen af die terechtkwamen op het melkachtige oppervlak.

Ik knikte en antwoordde: 'Ja, mijn verjaardag was op...'

'1 mei,' maakte ze de zin voor me af. 'Ik weet het nog... ik was meidauw aan het verzamelen op de dag dat jij geboren werd. Je had een helm over je ogen toen je eruit kwam. Je was zo'n mooie baby! Donker haar, roze huid, niet gerimpeld en lelijk zoals de meesten. Er was geen twijfel over mogelijk, jij werd met iets gezegend die dag...' Ze gebaarde dat ik in de tobbe moest gaan zitten. 'Een koorts is een soort geschenk dat je op de schouder klopt. Het wordt pas levensgevaarlijk als je er geen aandacht aan schenkt.'

Ik liet mezelf in het bad zakken, mijn lichaam beefde, mijn huid helemaal onder het kippenvel. Ze goot kommen water over mijn hoofd en gezicht totdat ik begon te sputteren en naar adem begon te snakken. Mijn hart voelde pijnlijk en koud aan, ik voelde het open en dicht gaan, en steeds kleiner worden, totdat het een stijf samengeknepen bevroren vuist was. Ogen wijd, mond open, hijgde ik de laatste restjes warmte die nog in me zaten naar buiten. Ze kantelde mijn hoofd naar achteren en goot twee grote lepels uiensiroop in mijn keel. Het smaakte afschuwelijk, maar ik was te zwak om het dikke, donkere mengsel van melasse, uien en knoflook uit te spugen. Ze pakte mijn hand en bracht me naar het bed, en terwijl ze zachtjes zong, masseerde ze de warme olie in mijn klamme vlees.

Mijn handen zijn Zijn handen,
Mijn handen zijn Zijn handen,
Palma Christi,
Palma Christi,
De handen van Christus.

Toen ze klaar was, spuugde ze op haar vinger en maakte een kruisteken op mijn borst. Ze voerde me koffie van bruine bloem en wikkelde me in een dikke donkere sprei gemaakt van versleten stukjes wol en fluweel, waarvan de hoeken en gaten aan elkaar waren genaaid met haar ganzenvoetsteken. Het was bedekt met de vloeiende patronen van rozen, duiven en handen die met hun wijze vingers naar God wezen, alsof het een routebeschrijving naar de hemel was.

19 september 1918

Boston ligt op zijn gat vanwege de Spaanse griep. Elke dag zijn er meer deuren met het waarschuwingsteken erop, of een hopeloos, triest gordijn van zwarte stof. Net als bij de explosie in Halifax, geven de mensen al snel de schuld aan de Duitsers, en het gerucht verspreidt zich dat geheim agenten de stad doorgaan en griepbacillen loslaten in theaters en danszalen. Ze zijn op zoek naar de bron van hun angst en verdriet, iemand om de vinger naar te wijzen. De waarheid is veel erger dan hun fantasie – het is niemands schuld, het is niet tegen te houden en onmogelijk om te zeggen wie het volgende slachtoffer zal zijn. Elke dag staan er officiële berichten in de krant. 'Vermijd mensenmassa's, vooral bioscopen, danszalen en kroegen. Vermijd iedereen die verkouden is of hoest. Vermijd geestelijke en lichamelijke vermoeidheid. Vermijd strakke kleren en schoenen. Dans niet. Bedek het gezicht bij het niezen of hoesten en spuug niet in het openbaar. Voedsel goed kauwen.'

Het heeft zich ook verspreid onder de meisjes in de Val. Drie dagen geleden werd er een bordje op de deur gespijkerd:

INFLUENZA

WAARSCHUWING!

Deze kaart mag niet onbevoegd verwijderd worden.

Melkboeren mogen geen melkflessen bezorgen.

Vandaag hoorde ik Miss Honey hoesten door haar open raam. Ik tilde de jaloezie op om naar haar te kijken en zag dat er blauwe rook onder de horren uitkwam. Bang dat er brand was ontstaan, riep ik naar haar: 'Heb je hulp nodig?'

Ze opende het raam en er kwam nog meer rook naar buiten. 'Ja, stuur maar iemand hierheen om me dood te schieten.'

'Waar komt al die rook vandaan, is er brand?'

'Neu, het is die ouwe Paddy maar. Hij heeft gehoord dat je de griep weg kan jagen door sulfer en suiker in de asemmer te doen als de kolen nog heet zijn. Ik weet niet of het werkt, maar hij kan het proberen. De helft van ons is toch al bijna dood, en de dokter weigert te komen.'

'Wil niemand jullie helpen?'

'We hebben twee of drie verschillende dokters gevraagd, en ze zeiden allemaal hetzelfde: "Dát soort plaatsen met dát soort meisjes zijn de ergste verspreiders ervan." Het kan toch niemand schelen of een hoer als ik een plek onder de zoden krijgt.'

Ik zei dat ze tegen Malloy moest zeggen te stoppen met zijn rookbehandeling en frisse lucht binnen moest laten. Aan de hand van de overlijdensberichten die aldoor in de krant staan, kan ik afleiden dat de influenza niet de doodsoorzaak is, maar de longontsteking die daarna in hun longen gaat vastzitten. Vanmiddag heb ik een pan kippensoep gemaakt en aan Miss Honey gegeven via het raam. Het is de enige veilige manier die ik kan bedenken om hulp te kunnen bieden op dit moment, want ik moet voorkomen om eraan blootgesteld te worden. Ik zal advies blijven geven en hun zoveel sturen als ik kan in de hoop dat ze allemaal sterk genoeg zijn om erdoorheen te komen.

23 september 1918

Maxine ligt op bed. Twee dagen geleden kreeg ze de griep, nadat ze de avond had doorgebracht op een vergadering voor vrouwenkiesrecht in de Back Bay. Ik stond erop dat ik de enige was die haar zou verzorgen, omdat zowel Judith als Rachael geen ervaring heeft in ziekenzorg. Charlie is degene die gaat halen wat we van buiten nodig hebben, en moet altijd mijn regels volgen, zoals het dragen van een masker, nooit handen schudden en zijn kleren uitdoen bij de achterdeur en kloppen voor een emmer heet water met zeep voordat hij het huis binnenkomt.

De dames van de Val zijn aan het opknappen. Eén meisje is gestorven; haar hart was min of meer opengesprongen in haar borst toen de koorts voorbij was. Ik ben blij te kunnen melden dat Miss Honey beter is. Ze kwam vandaag langs, met een klein boeketje asters en rudbeckia's. Ik kon haar niet binnenlaten, maar ze ging onder Maxines raam staan en zong het ene lied na het andere. 'Sugar Blues' was de favoriet van Max, en ondanks dat ze zich zwak en koortsachtig voelde, lukte het haar om te fluiten en te klappen voor de prestaties van Miss Honey. Charlie komt elke avond thuis met een nieuw medicijn van de drogist. Ze zijn nutteloos, bestaan vooral uit sodawater en boorzuur.

Ik houd me bij het advies van Wijze Marie: *Aspirine als de koorts zo hoog wordt dat ze beginnen te stuiptrekken. Je kunt het altijd zien aankomen... hun huid wordt heet en droog, en zo dun als papier. Als dat niet werkt, dompel ze dan onder in koud water.* Tot nu toe gaat het nog met Max. Ze gaat heen en weer tussen koorts en rillingen, en ze kan alleen thee en bouillon binnenhouden. Ze zegt dat haar hele lichaam pijn doet 'alsof de trein van 6.15 uur over me heen is gereden'. Ik vroeg haar of ze liever had dat de dokter kwam, maar dat wilde ze niet. 'Charlie zegt dat je al een genezeres bent vanaf je geboorte; dat vind ik goed genoeg.' Ik heb hem naar Pastene's gestuurd om een kan wonderolie te halen. *Het moet van een gelovige komen. En nergens anders vandaan.* 'Zeg tegen mevrouw Pastene dat je koudgeperste wonderolie moet hebben, *Palma Christi*, niet dat spul waarvan je een lepel in je mond moet nemen.'

25 september 1918

Vandaag heeft ze het moeilijk. Toen we eenmaal door de ergste koorts heen waren, begon ze te hoesten, happend naar lucht, haar borst ging heftig op en neer. Ik heb mosterdzalf op haar keel en borst gesmeerd, oliepakkingen op haar lichaam, en nu zing ik zelfs oude liedjes en gebeden van Wijze Marie. Charlie ziet er zo wanhopig uit als hij vraagt hoe het met haar is. Ik geloof dat hij meer van Maxine houdt dan zij beseft. Ik mag haar niet kwijtraken.

Bertine Tupper
Scots Bay, Nova Scotia
Canada

21 september 1918

Dora Rare
Charter Street 23
North End, Boston,
Massachusetts
USA

Lieve Dora,
Kom naar huis! Kom naar Wrennie! Kom naar ons! Vanavond gaan we de klokken luiden in de kerk ter viering van jouw onschuld. Hart kwam vandaag van de brandweerkazerne in Canning naar de Bay met goed nieuws.
Het schijnt dat Brady Ketch na al die tijd dat hij zonder vrouw voor zijn kroost heeft proberen te zorgen, krankzinnig geworden is. Hij verzamelde de kinderen (zoveel hij er kon vinden), nam ze mee naar het plein in Canning en probeerde ze te verkopen. Hij vroeg $25 voor de kinderen die zwaar werk konden doen en $10 voor de kleintjes. Dit veroorzaakte nogal een drama, en algauw stonden er allerlei mensen om hem heen. Hart, die de berg af was gekomen om vaten gerookte haring af te leveren, stond ook tussen de menigte. Nou, toen hij doorhad wat er aan de hand was, ging hij snel de politie halen, dezelfde agent McKinnon die jou gezocht heeft. Het lukte de twee mannen om Brady met handen en voeten vast te binden en ze hebben hem naar de brandweerkazerne gebracht om te ontnuchteren. Toen de kinderen eenmaal iets warms in hun buik hadden en zagen dat hun vader niet in staat was om hen om de oren te slaan, zeiden ze waar het op stond. Ze vertelden aan de agent en aan iedereen die de waarheid wilde horen wat er met hun moeder was gebeurd. (Ik heb een krantenknipsel van de Canning Register *toegevoegd, dan kun je het zelf lezen.)*

Nog een bericht van Ginny:
Dora, ik hoop dat je thuis bent als mijn baby komt. De nicht van Sarah Deft, die in Hall's Harbour woont, heeft vorige week baby nummer drie onder de zorg van dr. Thomas gekregen in de Canning Geboortekliniek. Hij zei dat haar weeën te lang duurden, en dus heeft hij haar opengesneden en ether gegeven! Ze had behoorlijk veel hechtingen nodig en ze was misselijk van de ether. Met de baby gaat het prima, een jongen, een stevige zelfs, maar ze zegt dat ze haar baby liever thuis had gekregen. Ze moeten nu hun beste melkkoe verkopen om de rekening te betalen. (Komt je bekend voor?) Mijn figuur verandert met de dag, en de kleine laat weten dat hij er is, soms is hij flink aan het schoppen, vooral midden in de nacht. Ik zeg 'hij' want toen Hardy de paarden kwam beslaan zei hij dat het volgens hem een jongen was. Hij zei: 'Hij is al behoorlijk afgezakt.' Je weet net zo goed als ik dat een smid er nooit naast zit over wat het wordt.
Ik geef toe dat ik me een beetje raar voel. Meer gezwollen, zelfs in mijn gezicht. Hoofdpijn en een paar lichtflitsen als ik te snel opsta, maar dr. Thomas zegt dat dat normaal is. 'Meer bewegen, niet zo veel lezen.' Kan ik nog iets anders doen?
Tot nu toe hebben we nog geen gevallen van influenza in de Bay te melden, hoewel de broer van Jack Tupper in Kentville er gisteren aan is overleden. We hebben je raad aangenomen en zijn erg voorzichtig. Laat weten wanneer je thuiskomt, dan kunnen we schone lakens op je bed doen en bloemen voor de deur zetten.

Kom snel naar huis! Bertine en Ginny

Kinderen Bevrijd van Moordende Vader

Schrijver dezes heeft zojuist schokkend nieuws uit Canning gehoord. Tien kinderen, die meer dan een maand gevangen zijn gehouden in het huis van hun vader, hebben hun hartverscheurende ervaringen aan autoriteiten verteld. De vader, de heer Brady Ketch van Deer Glen, wordt aangeklaagd wegens moord op zijn vrouw, Experience Ketch.

Op 2 augustus keken die lieve kleintjes toe hoe hun vader hun moeder met bruut geweld in elkaar sloeg en van de trap af duwde. De heer Ketch had eerder aangegeven dat de vroege dood van zijn vrouw het gevolg was van vergiftiging door een besmet huismiddeltje dat de vroedvrouw, een zekere mevrouw Dora Bigelow uit Scots Bay had toegediend.

De kinderen zijn momenteel ondergebracht in het Methodistenweeshuis in Kentville. De schrijver verheugt zich echter te kunnen melden dat dominee en mevrouw Joseph Pineo een aanvraag voor adoptie hebben gedaan. Ze zouden graag alle tien kinderen in hun huis opnemen zodra alle regelingen zijn getroffen.

The Canning Register
22 september 1918

Dora Rare
Charter Street 23
North End, Boston,
Massachussets
USA

29 september 1918

Bertine Tupper
Scots Bay, Nova Scotia
Canada

Lieve Bertine,
Wat een geweldig nieuws uit de Bay! Het is triest dat de Ketchkinderen zolang hebben moeten lijden, maar ik ben blij dat ze een nieuwe familie en een nieuw leven zullen krijgen zonder de mishandeling van hun vader.
Ik moet nu nog in Boston blijven, hoe graag ik ook naar huis

zou komen. Maxine houdt vol, maar ik kan niet gaan zolang ze nog in bed moet blijven.
Zeg tegen mijn moeder dat ze zich geen zorgen moet maken. Met Charlie gaat het prima, en ik ben op de een of andere manier immuun voor dingen. Zeg tegen Wrennie dat ik haar vreselijk mis en dat haar mama naar huis komt!

Schrijf je binnenkort,
Dora

29 september 1918

Ik heb bakstenen onder de poten aan het hoofd van het bed gelegd en Maxine ligt nu met wat kussens half overeind. Ze heeft nog steeds moeite met ademhalen, en alleen als ik haar afleid met verhalen uit de Bay stopt ze met hoesten en krijgt ze een beetje rust. Ze smeekt me elke dag om meer te vertellen over hoe het was om op te groeien in een huis vol met jongens, over mijn 'listige dode man', en de wijze raad van Wijze Marie. Vandaag was het verhaal van de stroop die ik over dr. Thomas had gegooid aan de beurt, gevolgd door de dood van Experience Ketch. Haar ogen stonden wijd open van bezorgdheid toen ik uitverteld was, net als een kind dat wil weten hoe het verhaaltje afloopt. 'Je moet teruggaan, om voor je plek te vechten – voor je huis, en voor Wrennie.'

Ik trok de strikjes van haar nachthemd open en wreef mosterdzalf over haar rug. 'Ik moet hier blijven om voor jou te zorgen.'

Door het hoesten kon ze er niet veel meer uitbrengen om me tegen te spreken dan: 'En de vrouwen in de Bay dan? Wat moeten die zonder jou doen?'

'Die zorgden ook al voor zichzelf voordat ik er was, dus kunnen ze nu ook voor zichzelf zorgen.' Ik klopte haar kussens op en zette haar ertegenaan. 'Trouwens, wie moet dan alle postzegels likken voor de suffragisten als ik wegga?'

Maxine trok aan mijn mouw toen ik de lakens instopte. 'Laat je nooit iets afpakken waar je recht op hebt. Je kunt alles geven in je leven, maar je moet het niet opgeven.'

Ik glimlachte naar haar en kuste haar op haar voorhoofd. 'Dat zal ik niet doen. En jij moet ook niet opgeven.'

30 september 1918

Vanmorgen spuugde Maxine bloed op in de handdoek die ze gebruikt om haar mond af te dekken. Toen ik mijn oor tegen haar rug aanlegde kon ik het geratel van de longontsteking in haar ademhaling horen. *Pas op dat de doodsratel niet binnensluipt.*

In de laatste weken voordat ze dood ging, vertelde Wijze Marie hoe ze een man genaamd Xander Lightfoot teruggetrokken had uit de doodsratel. Ze gaf hem een *bain de oignon et orge,* een bad van uien en gerst. Drie dagen lang hield ze hem begraven in rauwe uien en gefermenteerde gerst en voerde hem zware doses uiensiroop.

Charlie is weer naar mevrouw Pastene gegaan om zoveel zakken uien te halen als ze kwijt wil. Gerst is moeilijk te krijgen, dus is hij naar Burkhardt's gegaan om te kijken of hij een paar flessen bier wil afstaan. Toen ik aan Maxine vertelde wat haar te wachten stond, kneep ze in mijn hand en zei: 'Mag ik de siroop wegspoelen met het bier?'

3 oktober 1918

We zijn al drie dagen lang aan het huilen, en elke dag ademt Maxine iets makkelijker. Ik kan zien dat ze zich beter voelt, want ze begon te klagen. 'Dit huis zal nog maanden als een worstkraam ruiken. Het enige dat ontbreekt is de zuurkool.' Ze lachte en balde haar vuist in de lucht. 'Die verdomde cajunhekserij van jou, Marie Babineau!' Ze vertelde me dat Wijze Marie vannacht in haar droom was verschenen. 'Ze stond onder een wilgenboom, met theekopjes die aan de takken bungelden. Ze zei steeds weer hetzelfde: *Wil je niet weten wat er nu komt?* Ik wist niet zeker of de boodschap voor jou of voor mij was, Dora, of wat ze er precies mee bedoelde. Ik weet alleen dat ik zin heb om op het dak te klimmen en de hoelahoep te dansen.'

10 oktober 1918

Het amendement dat vrouwen kiesrecht zou geven in de VS is opnieuw afgewezen. 'Misschien moet ik Miss Honey en de andere Zaterdagavondmeiden van Paddy meenemen naar DC en een dansje doen voor de jongens in de senaat. Ik durf te wedden dat ze dan hun ogen wel opendoen voor vrouwenrechten.' Maxine is weer helemaal beter, de tierende suffragiste van weleer. Ze heeft van 's morgens vroeg tot 's avonds laat brieven geschreven aan alle congresleden en leden van de Senaat.

Ik heb het huis van boven tot beneden gepoetst. Ik geef toe, het is veel makkelijker om het huishouden te doen als je water en elektriciteit hebt. Zoals Maxine zegt: 'Hoe kon je in vredesnaam overleven zonder elektriciteit, schone kunsten, schoenen met lage hakken en de blues?' Ik kan best zonder die schoenen en, eerlijk gezegd, hoewel ik het voortdurende gepingel van de muziek uit Paddy's Playhouse best opwindend vond, hecht ik veel meer waarde aan een plekje achter in de St. Stephenskerk om te luisteren naar de koorrepetities. In de afgelopen weken hebben de meeste kerken en tempels hun deuren gesloten. De autoriteiten zijn bang dat openbare bijeenkomsten de verspreiding van influenza zouden bevorderen. Ondanks dat de zondagsmis in St. Stephens is afgelast, is het koor gewoon doorgegaan. Ze komen op donderdagavond om halfacht op het koorbalkon bij elkaar en laten hun liederen boven de bijna lege bankjes galmen. Het is alsof ze het niet kunnen laten, om hun stemmen en hun hoop de lucht in te sturen.

Afgelopen avond viel ik in slaap toen ik in St. Stephens zat. In een droom fluisterde de stad me toe, en vertelde me dat ik een nieuw leven moest beginnen. De stem van Boston klonk verleidelijk en zelfverzekerd, overtuigd dat ik ervoor zou kiezen om te blijven, en geloofde me nauwelijks toen ik zei dat dat niet ging en dat het haar eigen schuld was door me sterk genoeg te maken om voor mezelf te denken. Toen droomde ik van de Bay, moeders glimlach, Bertines lach, Spider Hill, de stem van de maan.

Ik maak me zorgen over Ginny, en ik mis mijn lieve Wrennie. Het is tijd om naar huis te gaan.

45

Hart had het huis geopend en klaargemaakt voor mijn thuiskomst. Bertine, Sadie en Mabel wachtten me op met schone lakens en eten. Wrennie scheen blij te zijn om me weer thuis te hebben. Ze ligt tevreden in een mand of kruipt rond mijn voeten in de keuken. Ze laat graag haar glimlach zien en giechelt tegen iedereen die ze ziet. Gisteravond viel ze in slaap terwijl moeder haar wiegde voor het fornuis, en natuurlijk moest moeder huilen van opluchting dat 'haar meisje weer thuis was'. Ik had gedacht dat ik ook een beetje spijt zou hebben dat ik Boston verlaten had, maar die twee werelden liggen zo ver uiteen. Nu ik hier ben, kan ik me de stad maar met moeite herinneren, zelfs als ik mijn ogen dichtdoe. Er is veel voor me te doen...

Meteen toen ik haar zag, wist ik dat het niet goed ging met Ginny. Ze is helemaal opgezwollen, heeft last van verlammende hoofdpijn en wordt bijna blind als ze probeert op te staan. Ze heeft geen koorts, dus ik weet zeker dat het iets anders is dan influenza. Haar gezicht is opgezet, haar gelaatstrekken zijn grof geworden. Ik geloof dat Wijze Marie dit *face d'étranger* noemde, het gezicht van de vreemdeling. *Als je de vrouw niet meer herkent als je haar ziet, dan draagt ze het masker van de dood... daarna is er niet veel meer dat haar kan redden.* De gevorderde toestand van Ginny's gesteldheid baart me zorgen. Ik zal alles doen wat ik kan, maar haar symptomen hadden al weken geleden behandeld moeten worden.

Gezicht van de vreemdeling: Ik heb het gezien bij een vrouw in de buurt van Blomidon. Tegen de tijd dat ik bij haar kwam, was ze gek geworden van de stuiptrekkingen. Ik moest haar baby eruit snijden, de moeder verliezen om het kind te redden. De baby stierf toch nog. Was te vroeg en had niet genoeg kracht om te overleven.

Het onregelmatige handschrift van Wijze Marie spreidt zich uit over de bladzijdes van het Wilgenboek, haar verbeteringen en resultaten staan op hun kant, als rijmpjes in de marge.

Schedeldaktinctuur – goed voor alle soorten angst.
Aardappelschillen en bieten helpen haar weer overeind
Frambozen en brandnetels, zoet alle twee
Perfect voor een moederthee

Ginny blijft op Spider Hill totdat de baby geboren is. Moeder, Precious en de rest van de Vrijblijvende Breisters helpen me om voor Wrennie te zorgen. Als ik Ginny's zwellingen maar kan verminderen en haar de komende dagen op krachten kan houden, dan moet het mogelijk zijn om de baby er zonder problemen uit te krijgen. (Hoewel het misschien drie of vier weken te vroeg zal zijn.) We kunnen niet langer wachten.

17 oktober 1918

Ik kan Laird maar met moeite bij Ginny en mijn huis vandaan houden. Hij maakt zich zorgen over haar, en heeft al een paar keer gezegd dat hij dr. Thomas wil halen. Het is net of hij me nog steeds niet vertrouwt, ondanks dat hij de waarheid weet over de dood van mevrouw Ketch en het feit dat ik de geboorte van zijn laatste kind heb verzorgd. Ik heb mijn best gedaan om hem tot bedaren te brengen en hem vervolgens weer weg te sturen. Het is duidelijk dat het zwaar verdiende geld dat Laird voor de verloskundige theorie van dr. Thomas heeft betaald Ginny geen goed heeft gedaan. *Begrijp me goed, mevrouw Jessup: de meeste zwangere vrouwen zijn neurotisch, zoals u.* De laatste keer dat de dokter haar zag, zei hij tegen haar dat als de zwellingen in haar enkels en handen niet minder werden, hij zou moeten gaan aderlaten. Als hij zijn gezicht hier durft te laten zien, staat hem een andere aderlating te wachten. Ik weet dat het soms moeilijk is om duidelijke antwoorden van Ginny te krijgen, maar er is geen vrouw, geen persoon, die zulke achteloze zorg verdient. *Meer beweging, minder vlees.* Geen wonder dat haar bloed is verzwakt. Gelukkig was ze verstandig genoeg om op bed te gaan liggen.

18 oktober 1918

Een lange dag.

In eerste instantie was ik bang dat niets werkte. De zwellingen werden niet minder en Ginny begon zich behoorlijk opgelaten te voelen, maar gelukkig kwam ze na het eten wat bij. Vanavond ziet ze er beter uit en ze rust goed.

Twee epsombaden, een 's morgens, een voor het slapen gaan.

Werkzame thee:
Sap van een halve citroen met 2 theelepels tartaarcrème, drie dagen lang tweemaal per dag
Schedeldak, een of twee kopjes per dag
Frambozen-brandnetelthee
Geweekte hop, eenmaal per dag (dit schijnt te werken)
Ook:
Elft (omdat ze afkomstig zijn uit koud water zijn ze donker en vettig)
Het groen van bieslook en knoflook (hun seizoen is bijna voorbij, ik hoop dat ik nog genoeg heb)

Homeopathie: *Apis*, fosfor, zwavel, *colchicum*

19 oktober 1918

Vanochtend Ginny onderzocht. Ze is gevorderd en zacht. Allebei goede tekens. Ik ga proberen de baby op gang te brengen vandaag. Hopelijk is het een langzame, geleidelijke bevalling. Ik heb de maan aan mijn kant. Het is volle maan vandaag, en we hebben het perigeumtij. Bewolking komt binnen vanuit het noordwesten. Een onweersbui zou zeker welkom zijn. Ik zal mijn was ophangen, om de regen uit te nodigen.

Wonderolie, twee grote lepels
Een vingerpuntje teunisbloemolie
Basilicumthee
Voeten tot aan enkels weken in melk, en dan masseren, vooral achter de hiel.
Ginny opdracht gegeven om elk halfuur vijf minuten aan beide kanten in haar borsten te knijpen en te trekken.

Homeopathie: *Caulophylum, cimicifuga, gelsinium*

Zul je net zien dat mijn wonderolie op is. Na het ontbijt loop ik even naar Bertine. Het huis van Laird en Ginny is dichterbij, maar ik wil niet dat hij zich ergens mee bemoeit voordat de baby geboren is. Ginny's gezicht ziet er kalm en glad uit, roze wangen, heldere ogen. Een bezoekje van haar man zou haar opgewekte stemming kunnen breken, en dat mag ik niet laten gebeuren. Ze staart uit het voorkamerraam, en kijkt naar de spelende kinderen en de schepen die de werf in en uit varen.

'Dora, mag ik vandaag alsjeblieft een wandeling maken? De bomen hebben zulke mooie kleuren, en ik voel me veel beter.'

'Nee, lieverd, je moet tot na de bevalling in bed blijven. Als alles goed gaat, zien we je engeltje misschien vanavond al.'

'Maar...'

'Geen gemaar. We hebben nog veel werk te doen – wij alle drie – en je moet er klaar voor zijn. We gaan zo meteen lekker ontbijten en een lang epsombad nemen.'

'Geen elft meer, hoop ik.'

'Ja, weer elft, en ook geweekte hop.'

Ginny trok een pruillip en stak haar tong uit. 'Die hop is echt het afschuwelijkste dat ik ooit geproefd heb, net gekookt afwaswater met geschimmeld brood.'

Ik lachte om haar kinderachtige tegenstribbelingen. 'Nou, wat zijn we ongeduldig vandaag!'

Ik klopte haar kussen op en stopte het onder haar rug. 'Dat is een goed teken. Volgens mij ben je klaar om de baby te krijgen.'

Ze zuchtte en streelde met haar handen over de zijkant van haar buik. 'Ik weet niet of ik al kan. Is het niet te vroeg? Kunnen we niet nog een paar dagen wachten?'

'Zo moet je niet denken.' Ik ging naast haar op het bed zitten. 'Het is niet gevaarlijk als we de baby nu naar buiten brengen, maar wel als we nog langer wachten. Denk aan hoe je je zult voelen als je het gezichtje van je baby ziet, als je hem voor het eerst vasthoudt.'

'Maar als hij nou doodgaat, of ik?'

'En als je niet doodgaat? Als jullie allebei zo gezond zijn als kuikens in de lente? Je hebt veel om over na te denken, veel te doen als hij er eenmaal is.'

Ginny zag er onzeker en bang uit, als een meisje dat voor het eerst probeert te dansen of een gedicht voor moet dragen op school.

'Je hebt dit al eerder gedaan, Ginny. Je kunt het best nog een keer.'

'Maar ik weet er zo weinig meer van.'

'Je vertrouwt me toch, of niet?'

Ze knikte. 'Ja.'

Ik legde mijn handen op haar bolle buik en keek strak in haar bange blik. 'Het gaat ons lukken.'

Alles ging goed... Ginny voelde zich rijp en haar weeën volgden steeds sneller op elkaar, er zat nog maar twintig minuten tussen.

Net na het eten bonsde dr. Thomas op mijn deur. Ik probeerde hem te negeren, maar hij begon te schreeuwen en riep: 'Mevrouw Bigelow, maak de deur open. Laird Jessup zegt dat zijn vrouw bij u is. Ze is mijn patiënte en ik moet haar verzorgen.'

Laird was me op straat tegengekomen toen ik op weg naar huis was van Bertine. Ik deed geen moeite om de grote fles wonderolie die ik bij me had te verstoppen, maar ik zei wel tegen hem dat hij nog één dag weg moest blijven. Hij leek vol begrip op dat moment, maar blijkbaar was hij dat toch niet. Hij is waarschijnlijk direct de stad in gegaan om de hulp van dr. Thomas in te roepen. Ik maakte de deur open op een kier en glimlachte onschuldig naar de dokter. Hij probeerde langs me heen het huis in te kijken. Toen het duidelijk was dat ik niet van plan was om hem binnen te laten, stotterde hij gefrustreerd. 'Mevrouw Jessup moet onder mijn constante supervisie blijven. Ik ga niet weg voordat ik haar gezien heb.'

'Ik geloof dat ze wel genoeg supervisie van u heeft gehad.'

Hij probeerde me opzij te duwen. 'Volgens meneer Jessup houdt u haar hier al dagenlang opgesloten. Hij maakt zich zorgen over de gezondheid van zijn vrouw en kind.' Ik greep het deurkozijn vast en liet niet los, weigerde hem binnen te laten.

Ginny riep vanuit de verloskamer: 'Dora, wie is daar? Is dat Laird? Gaat het goed met de kinderen thuis?'

Ik riep terug naar haar: 'Blijf in bed liggen. Ik zorg wel...'

Voordat ik hem kon tegenhouden, liep Dr. Thomas de keuken door en de verloskamer in. Hij zette zijn tas op het voeteneinde van het bed, haalde er een paar medicijnflesjes uit en zwaaide met een verlostang. Hij bromde in mijn richting: 'Ze ziet er goed uit.' Hij rukte het laken van Ginny af en begon op haar enkels te drukken. 'De zwelling is minder geworden. Ongelooflijk.'

Ginny lag te draaien en probeerde zich los te maken uit zijn greep. 'Dora, je hebt gezegd dat wíj dit zouden gaan doen. Wat doet híj hier?' Ze vouwde zich dubbel, kreunend van de pijn.

Dr. Thomas greep haar arm en probeerde haar pols te meten. 'Ik zie dat ze nog steeds neurotisch is. Een dosis *pituïtrine* zou haar goeddoen. Dit is een fluitje van een cent.'

Ginny begon te gillen, haar gezicht werd rood. 'Haal hem weg van mij!'

Ik trok aan zijn mouw en leidde hem de kamer uit. 'Ik zou graag even met u spreken... buiten.'

'Ik geloof echt niet dat dat nodig is, mevrouw Bigelow. Ik heb nu alles onder controle. Als u me wilt assisteren, hebben we dit zo geklaard...'

Ginny schreeuwde nog steeds. 'Ik wil die man niet bij mij in de buurt. Ga weg, ga weg, ga weg...'

Hij fluisterde naar me: 'Maakt u zich geen zorgen, ik heb chloroform als ze zo door blijft gaan.'

Ik begroef mijn vingernagels in de rug van zijn hand, en stuurde hem de deur uit. 'Wilt u haar vermoorden?'

'Mevrouw Bigelow... ik neem mijn pet voor u af. Ze ziet er veel beter uit dan toen ik haar voor het laatst zag, maar kom, laten we aan de slag gaan, hè?'

'Het gaat beter met haar, maar niet dankzij u. En nu u er weer bent, begint ze zich weer druk te maken. U weet net zo goed als ik, dat zoveel opwinding in haar toestand zowel moeder als kind in gevaar kan brengen.'

'Ik zei net al, ik heb chloroform...'

Hart kwam achter de schuur vandaan lopen met een riek in zijn hand en Pepper aan zijn hielen. 'Heb je hulp nodig, Dorrie?' Ik nam de riek van hem aan. 'Ik denk dat dit wel genoeg is.' Hart liep fluitend terug naar de schuur en draaide zich af en toe om om te kijken of alles in orde was. Pepper bleef bij mij.

Ik drukte de punten van de vork tegen de borst van de dokter. 'Van nu af aan doet u precies wat ik zeg.' Ik gebaarde met mijn hoofd naar de deur. 'We gaan naar binnen. Ú gaat wachten in de voorkamer. Als ik nog één woord hoor – of ik merk dat u probeert weg te sluipen om Laird te halen – zal het hooiseizoen dit jaar laat vallen in Scots Bay.'

Ik draaide om hem heen en prikte in zijn rug. Hij strompelde de treden op. 'Mevrouw Bigelow, vergeet u niet dat in het Wetboek van Strafrecht van 1892 staat dat...'

'Ik geloof niet dat u momenteel in een positie verkeert waarin u nog iets te zeggen heeft, dr. Thomas.'

Eenmaal binnen ging dr. Thomas op de canapé in de voorkamer zitten. Pepper hield voor hem de wacht. Ik knoopte de gordijnen tussen de voorkamer en de verloskamer dicht.

'Is hij weg?' vroeg Ginny.

'Maak je maar niet druk over hem. Tijd om ons te concentreren op de bevalling.'

Tegen de ochtendschemering lagen moeder, baby en dr. Thomas vredig te slapen.

Eli Jessup, geboren op 20 oktober 1918.

Heel klein, maar hij redt zich wel.

46

Toen we het nieuws over de wapenstilstand hoorden, kwamen we bij elkaar bij de kerk, zeiden onze dankgebeden en luidden de klokken de hele nacht door. De kranten staan vol met verhalen over mensen in heel Europa en Noord-Amerika die zingend en dansend de troepen verwelkomen. Ze zijn weer zo veilig dat ze kunnen lachen. De mooiste foto die ik heb gezien was genomen in San Francisco, Californië. Hoewel ze nog steeds aan het vechten zijn tegen de Spaanse griep, renden de inwoners van de stad de straten op om elkaar te omhelzen en te kussen door hun zakdoeken en gazen maskers heen.

Albert en Borden zijn op 15 november aangekomen. Ze zijn de eerste jongens die thuiskomen. Ze zijn nooit verder gekomen dan Cape Breton Island. Ik denk dat Albert zich op een bepaalde manier een beetje schuldig voelt over de eenvoudige taak die ze hebben vervuld op *The Just Cause*, maar als hij te bescheiden wordt, herinnert Borden ons er vlug aan dat verschillende mysterieschepen van de Royal Navy verloren zijn gegaan door de Duitsers.

Albert heeft iets mee naar huis genomen van de oorlog wat niemand van ons had verwacht. Ze heet Celia. Ze is een mooi meisje uit Sydney, en het is duidelijk te zien dat mijn broer dol op haar is. Geen wonder dat hij moeder maar zo'n kort briefje had gestuurd toen hij aan land was: hij was druk bezig een echtgenote te vinden! Ze gaan in oom Erwins jachthut wonen tot hij een huis voor haar kan bouwen in de lente. Momenteel heeft die arme Celia zo te zien heimwee en is ze overdonderd door hoe klein het dorp is, maar we doen allemaal ons best om haar het gevoel te geven dat ze welkom is. Vooral Precious is erg aardig voor haar, ze nodigt haar uit op de thee, en vertelt honderduit over het leven in de Bay. Het leidt haar in elk geval af van het tellen van de minuten tot Sam Gower de deur binnen loopt.

De schoener *Huntley* werd een week na de wapenstilstand te water gelaten. De 520 ton zware schoonheid met vier masten zal van Newfoundland naar Engeland varen. Ze is al twee jaar lang de trots van de Bay; het zweet van bijna alle mannen uit het dorp zit in haar gegroefd. De namen Thorpe, MacDonald, Steele, Tupper, Munro, Rogers, Corkum, Legge, Bigelow, Shaw, Coffill, Brown, Irving en Standford stonden allemaal schouder aan schouder naast mijn vader en mijn ooms om haar op te tillen. Ze zuchtte en liet een vleugje stoom achter toen ze de ligplaats afgleed. Het was moeilijk voor de mannen om haar te zien gaan. Sommige mensen zeggen dat dit het laatste grote schip is dat in de Bay is gebouwd. Oude mannen klopten elkaar op de schouder en zongen:

Kom op kameraden
Kom allemaal bijeen
Kom, recht je rug nu
En zing met me mee
Dan lachen we vrolijk
Door de tranen heen
Want wie weet, misschien zien we
Elkaar hier nooit weer

Die avond kwamen we bij elkaar in het Seaside Centre waar de White Rose Temperance Society een taartenveiling had georganiseerd voor een goed doel. Op een lange tafel vooraan in de zaal stonden tientallen taarten en cakes bij elkaar. Elke taart was versierd met een gazen strik of een rij bloemen van crêpepapier. Ik moet altijd bij mezelf lachen als ik zo'n uitstalling zie, omdat ik weet dat het oorspronkelijke doel van dit soort decoraties op een lang vervlogen traditie berust. Mijn vader en moeder waren een van de laatste stellen die hun verkering 'op de veiling' begonnen.

In het reglement staat dat al het gebak anoniem gepresenteerd moet worden, zodat de jonge mannelijke bieders niet weten welke jongedame wat gemaakt heeft. De meisjes van de Bay, eerlijk maar wijs als ze zijn, spreken onderling af hoe ze hun creaties gaan decoreren, waarmee ze hun gewenste aanbidders een teken willen geven. Met het laatste bod won vader moeders slagroomtaart bedekt met madeliefjes en tevens haar hart. De activiteit is bij iedereen in de Bay favoriet, maar werd tijdens de oorlog afgelast, vooral omdat er zo weinig jonge mannen waren om tegen elkaar op te bieden voor de koopwaar van de jongedames. Gisteravond brachten bijna alle vrouwen, jong en oud, iets mee. Zelfs ik kwam met een taart aan zetten, appeltaart met een rooster van deeg. Bovenop wiebelde een enkele versregel aan een tandenstoker: *De ochtendlucht is zo verfrissend als je al je geld verloren hebt.* Hij was erg eenvoudig vergeleken met de anderen, maar toepasselijk voor een jonge weduwe, denk ik.

Borden en Hart boden tegen elkaar op voor mijn offergave. Het was allemaal voor de grap en ik vond het leuk om te zien wat voor toeren ze uithaalden om ervoor te zorgen dat ik me niet buitengesloten voelde. Mijn lieve broer was een nobele bieder en haalde al zijn zakken leeg om te kijken of hij nog een cent kon toevoegen. Toen hij bij 'drie dollar en tweeënvijftig cent' kwam, zaten zijn zakken binnenstebuiten. Hart hielp hem uit zijn lijden en antwoordde met 'vier dollar.' Toen rinkelde hij met het kleingeld in zijn hand en voegde eraan toe, 'en tweeënvijftig cent.' De traditie wil dat de man die de taart wint hem opeet met de dame die hem gebakken heeft. Hart liep met me mee naar huis, fluitend en plagend, mijn taartvorm in zijn handen balancerend.

Lang nadat zijn buik vol was en Wrennie was gaan slapen, zat hij nog in de keuken en pookte tegen het houtblok in de kachel. Ik keek naar hem en vroeg me af waarom hij nooit een vrouw had gehad, en nooit zo boos of bitter was dat hij hier weg wilde. Als iemand daar het recht op had en de middelen om het te doen, dan was Hart het wel. 'Hier.' Ik gaf hem een zijden handtas vol met geld, dezelfde die hij me gegeven had toen ik naar Boston vertrok.

'Wat is dit? Hij zit nog vol. Heb je er niets van uitgegeven?'

Maxine had me geld gegeven om Hart terug te betalen, met nog een beetje extra. 'Dat hoefde niet.'

Hij legde het op tafel en schoof het naar me toe. 'Neem jij het maar.'

Ik duwde het naar hem toe. 'Zou je niet eens willen zien wat er buiten de Bay is?'

Hij maakte het deurtje van de kachel open en duwde nog een blok hout tussen de vlammen. 'Ik vind dat ik genoeg heb gezien.'

'De anderen zouden voor je moeder kunnen zorgen. Ik zou geregeld bij haar langs kunnen gaan. Je zou je geen zorgen hoeven maken.'

'Waarom – wil je zo graag van me af?'

'Nee, zo bedoel ik het niet. Ik dacht gewoon, nu de oorlog voorbij is, misschien wil je dan wel...'

Hij stond op alsof hij weg wilde gaan. 'Maak jij je maar niet druk over wat ik misschien wel en niet wil.'

Ik trok hem aan zijn mouw omdat ik wilde dat hij me aankeek. 'Het spijt me. Je bent ontzettend behulpzaam voor me geweest. Ik geloof dat ik alleen nog maar dankjewel kan zeggen.' Ik ging op mijn tenen staan en kuste hem op zijn wang. De beginselen van zijn winterbaard wreven ruw tegen mijn gezicht, samen met de geur van zoet, muf hooi gemaakt van klaver van de afgelopen zomer.

We hebben pas de volgende morgen afscheid genomen. En zelfs nu hij weg is, is zijn ademhaling er nog steeds, hier tussen mijn borsten, in de kreukels van mijn kussen. Hij heeft me achtergelaten met een rustig, zeker geluksgevoel dat niet meer weggaat, en ik geloof niet dat het ertoe doet of hij ooit tegen me zegt dat hij van me houdt. Ik ken hem, ik heb hem altijd gekend. Net zo goed als ik weet dat hij niet van te veel suiker houdt, niet in de koffie, niet in een meisje. Net zo goed als ik weet dat hij een hekel aan leugens heeft. *De zonde gebruikt veel gereedschappen, maar de leugen heeft een handvat dat overal aan past.* Net zo goed als ik weet dat Hart Bigelow vannacht om 12 uur, of halftwee, of zodra hij ziet dat de rest van de Bay slaapt, de weg naar Spider Hill zal oplopen en zijn lichaam weer naast het mijne zal leggen.

Maxine Cabott
Charter Street 23
North End, Boston
Massachusetts
USA

30 januari 1919

Dora Rare,
Scots Bay, Nova Scotia
Canada

Mijn liefste vervlogen Dora Rare,
We missen je nog steeds op Charter Street 23.
Ik stuur je deze brief zodat je je niet ongerust maakt als je hoort wat voor tragedie we een paar dagen geleden hebben gehad op North End. Ik weet dat het niet te vergelijken is met de Wereldoorlog, of jouw vreselijke Halifax Explosie, maar het was zo schokkend dat ik er nog van beef.
Het North End stond klaar om onze moedige jongens die in de Wereldoorlog hadden gediend te verwelkomen. Of het ter ere van hen was, of omdat de drooglegging aan een zijden draad hangt, weet ik niet, maar er stond een gistingstank zo groot als een huis die tot de nok toe was gevuld om meer duivelse rum te kunnen produceren dan gewoonlijk.
Het was een warme dag, te warm voor januari. Met het stijgen van het kwik begon de stroop te pruttelen en bubbelen, het zette zich uit binnen in de tank die toch al overvol was. Niemand kon vermoeden... niet de jonge Peter Murphy die tegen de warmte van de tank aanleunde, niet de lieve katholieke schoolmeisjes die naar huis liepen voor de lunch, niet de vrouwen die hun dagelijkse boodschappen gingen doen op de markt, niet de beste mannen die in het pakhuis aan Commercial Street werkten. Niemand hoorde het oprekken... tikken... en toen... BOEM*!! Het akeligste idee is dat ik een van die nietsvermoedende mensen was die op die dag over straat liepen. Ik wandelde onschuldig hand in hand met Charlie, toen*

de tien meter hoge bruine golf door North End heen drong en op zijn pad de spoorbrug verwoestte, tegen gebouwen aan sloeg en eenentwintig mensen doodsmoorde.
Als Charlie er niet was geweest en de terrasmuur opgeklommen was om mij op te trekken en in veiligheid te brengen, nou, dan was ik nummer tweeëntwintig geweest, dan was ik een stroopwafel geweest. Ik geloof dat ik nu toch echt met je broer moet trouwen.
Zit jij weer in het vak van het baby's halen? Charlie, de meiden en ik zijn een nieuwe onderneming begonnen, een 'transportbedrijf', alcoholische drankjes bezorgen vanuit mijn goeie ouwe Hupmobile. Als de stroop op de trottoirs niet zo aan mijn schoenen zou plakken, dan was ik nu helemaal gelukkig.

Kusjes voor jou en Wrennie,
Max

PS Ik kwam iets van George Sand tegen en toen moest ik aan jou denken: 'Op een dag zal de wereld me kennen en begrijpen. Maar als die dag niet komt, is dat niet zo erg. Ik zal de weg hebben vrijgemaakt voor andere vrouwen.'

Dora Rare
Scots Bay, Nova Scotia
Canada

10 februari 1919

Maxine Cabott
Charter Street 23
North End, Boston,
Massachusetts
USA

Lieve Maxine,
Ik was opgelucht toen ik je brief kreeg. Afgelopen week stond er

een foto van jullie grote stroopvloed in de krant van Halifax. Wat een troep zal dat zijn! In het artikel stond dat de brandweer van Boston het nu probeert op te ruimen door met zout water uit de haven te spuiten. Nu is het tenminste nog winterweer bij jullie. Ik stel me voor dat er misschien restjes aan de gebouwen vastvriezen, die je af kunt breken, dan heb je stroopsnoep. Charlie vond dat altijd heerlijk als kind.
Mijn lieve kleine Wrennie groeit zo snel. Ze heeft al twee tanden, en ze denkt dat ze al kan lopen. Haar benen willen haar echter nog niet helemaal van dienst zijn. Haar haar is zo rood als altijd, alleen is het veel meer geworden. Volgens mij lijkt ze een beetje op tante Max.
Het leven op Spider Hill is geweldig, want ik ben in de afgelopen maanden extra gelukkig geweest. Ik geloof dat ik een geliefde gevonden heb. Wees alsjeblieft niet boos op me dat ik het niet eerder verteld heb, maar ik dacht dat ik het eerst beter voor mezelf kon houden om te kijken of het wel standhield. Ik weet dat jij het niet zo schandelijk vindt als de meeste mensen van de Bay, maar de man met wie ik mijn bed deel is niemand anders dan Hart Bigelow, de broer van mijn listige dode echtgenoot. Geen zorgen, hij lijkt helemaal niet op zijn broer. (Charlie kan dat beamen.) Hij heeft het onderwerp trouwen wel aangeroerd, maar voorlopig ben ik tevreden om de dingen zo te laten als ze zijn, ondanks de schok die het in de gemeenschap teweegbrengt.
Kom ons opzoeken in de lente, dan kunnen we misschien een dubbele bruiloft houden.

Op de liefde!
Dora

'Ik vraag steun aan niemand, ook niet om iemand voor me te vermoorden, een boeket te plukken, een drukproef te corrigeren, of met me naar het theater te gaan. Ik ga er alleen heen, als man, omdat ik daarvoor kies en als ik naar bloemen verlang, ga ik, in mijn eentje, naar de Alpen.'
– George Sand

47

Tegen de tijd dat het lente was kwam Hart bijna elke dag naar Spider Hill. Hij blijft tot laat; we geven er allebei niets om wat anderen erover zeggen. Zijn moeder kan me nauwelijks aankijken. Als ik langs haar kerkbankje loop, slaat ze haar ogen neer en doet alsof ze aan het bidden is. Hart zegt dat ze nog steeds rouwt om Archer en dat ik me er geen zorgen over moet maken, maar ik heb het gevoel dat er meer achter zit, dat ze het in haar hoofd heeft gezet dat ik op de een of andere manier schuldig ben aan Archers dood en dat ik ook het einde van Hart beteken. Moeder heeft geen woord gezegd, maar ze straalt als ze ons samen ziet, en ik heb vader meer dan eens in zichzelf horen mompelen: 'Hij moet gewoon een eerlijke vrouw van haar maken, dan zijn we klaar.'

Mijn lieve zusters van de VBV kunnen het niet laten om erover te praten, en plagen me bij elke bijeenkomst. Precious is nu een 'juniorenzuster' en het meest vasthoudend van allemaal wat betreft de pogingen me aan het praten te krijgen.

'Ben je niet bang voor de vloek van Bigelow? Alle mannen in die familie sterven jong.'

Sadie lachte. 'Reden te meer om hem nu aan de haak te slaan...' Ze was mijn haar aan het knippen met mijn keukenschaar, en haalde eraf wat er aan was gegroeid sinds ik weer in de Bay was. 'Niet zo giechelen, Dora, anders zie je er straks uit alsof Bertines dochtertje, Lucy, je haar geknipt heeft. Heb je gezien wat ze met haar pop heeft gedaan?'

Mabel bekeek me eens goed, met haar hoofd schuin liep ze achter de stoel langs. 'Staat je goed, Dora.' Ze hield haar haar omhoog tot bij haar oren, en draaide haar hoofd om te zien wat wij ervan vonden. 'Wat denken jullie, zou het mij ook staan?' Nadat we allemaal een paar kopjes thee met wanten hadden gedronken, pakte ik de schaar en knipte alle lokken van de Vrijblijvende Breisters af. Tante Fran zal het me zeker niet in dank afnemen dat ik de mooie krullen van haar dochter heb afgeknipt, maar Precious wilde per se meedoen aan het ritueel. Ze ziet er in elk geval gedistingeerd uit. Misschien zelfs oud genoeg om zich te verloven met Sam Gower.

Toen ik Bertines haar aan het knippen was, vertelde ze me het nieuws dat haar schoonzus, Irene, zwanger was. 'Ze hebben niet genoeg geld om met haar naar Canning te gaan, niet dat ze dat zou willen, overigens. Zou jij haar kunnen helpen, Dora? Ik kom je wel helpen. Ze heeft nog twee maanden te gaan, maar ze is nu al helemaal bol en begint zich druk te maken over wat ze moet doen. Het is haar eerste.'

Ginny hield mijn handspiegel omhoog zodat Sadie haar kapsel kon zien. 'Ze zou hier bij jou op Spider Hill kunnen logeren. Met alleen jij en Wrennie in dit grote huis is er plek genoeg. Je hebt toch geen man waar je rekening mee moet houden.'

Sadie griste de spiegel uit Ginny's hand. 'Misschien vindt Dora dat juist fijn. Misschien wil ze helemaal geen andere man en is ze het zat om baby's op te vangen. Denk toch eens na voordat je je mond opendoet.'

'Ik was nog niet klaar met wat ik wou zeggen,' zei Ginny met een pruillip. 'Ik wilde Dora een compliment geven. Als ik niet bij haar was gebleven, had ik nu mijn kleine Eli niet gehad, en misschien was ik er zelf ook niet meer geweest.'

Mabel zat in de schommelstoel van Wijze Marie te breien. 'Het zou het wel gemakkelijker maken voor je – als je zou besluiten om weer vroedvrouw te worden, bedoel ik. Jij kunt gewoon hier thuis zijn, en wij zouden vlakbij zijn om te helpen.'

Bertine had de spiegel nu vast en tuurde naar mijn gezicht terwijl ik me concentreerde om recht te knippen. 'Je zegt niets, Dora. Wat is er?'

Ik keek in de spiegel. 'Ik weet niet zeker of ik dat wel moet doen.'

'Irenes huis is nogal klein, maar ze zou bij mij kunnen logeren als je haar niet hier wilt hebben. Ik begrijp het wel, het is immers jouw thuis.'

'Dat is het niet.'

'Wat dan wel?'

'Het...'

Bertine foeterde me uit. 'Brady Ketch zit in de gevangenis. Je hebt Ginny én haar baby gered. Wat kan de dokter nu nog tegen je hebben?'

Ik borstelde de losse haartjes uit haar nek. 'De ochtend na Ginny's bevalling heeft hij geen woord gezegd. Hij is gewoon in die auto van hem gestapt en weggereden. Sindsdien heb ik niets meer van hem gehoord.'

Sadie lachte. 'Misschien is hij bang dat je achter hem aan gaat met de riek.'

Ik knikte. 'Dat had ik waarschijnlijk niet moeten doen. Hoe langer hij stil is, hoe meer ik het gevoel krijg dat hij iets aan het uitbroeden is. Het zou me niets verbazen als ik morgen wakker word en mijn oude vriend agent McKinnon voor de deur zie staan.'

Ginny glimlachte en stootte tegen mijn arm. 'Dan moeten we allemaal onze riek oppakken en hem de Bay uitjagen.'

'Ginny heeft gelijk: laten we hem pakken voordat hij jou kan pakken.' Bertine lachte, haar voet tikte op de grond. 'Laten we die dr. Thomas voorgoed uit de weg ruimen.'

20 april 1919

Bertine en Sadie deelden brieven uit aan alle vrouwen uit de buurt om hun steun te vragen voor een protestmars in Canning op Moederdag. Precious en Mabel hebben een groot spandoek voor de vrouwen genaaid, en ik heb ermee ingestemd om een toespraak te houden (voor iedereen die het maar horen wil).

Als vrouwen het recht verliezen waar en hoe ze hun kinderen baren, dan raken ze iets kwijt dat net zo fundamenteel is in het leven als ademhalen.

Ik ben het zat om bang te zijn.

Honderden demonstranten in Canning

Vrouwen en kinderen eerst! – Dit stond er op het spandoek dat de stoet voorging door de straten van Canning, Nova Scotia, afgelopen woensdagmiddag. Meer dan tweehonderd vrouwen uit de dorpen rondom de North Mountain kwamen bij elkaar om hun stem te verheffen ter ondersteuning van plattelandsvroedvrouwen. Ze kwamen niet alleen. Elke vrouw had minstens één kind bij zich, sommigen hadden baby's op de arm. Hun gescandeer en gezang veroorzaakte heel wat opschudding in ons stadje, en alle handel werd voor de rest van de dag stilgelegd.

Mevrouw Bertine Tupper had het volgende te zeggen over de bijeenkomst: 'Mannen hebben het recht om hun vrouwen te zeggen wat voor ontbijt, lunch en avondeten ze willen eten, maar ze proberen vrouwen ook het recht te ontzeggen om te kiezen waar ze hun baby willen krijgen. Iemand die denkt dat dat rechtvaardig is, is nog dommer dan een geit.'

Mevrouw Kathleen Jess uit Baxter's Harbour vertelde het gruwelijke verhaal van haar zusters vroegtijdige dood tijdens de bevalling. 'De vroedvrouw, mevrouw Sommer, kwam naar ons toe om te kijken of ze kon helpen. Toen ging Kathleens man de dokter halen. Die dr. Thomas duwde de oude vroedvrouw zo naar buiten. Ze bleef smeken bij de deur en zei tegen hem dat het een stuitligging was, dat ze kon helpen, maar hij stuurde haar weg en zei dat hij er wel uit zou komen. Hij kwam er inderdaad uit. Tegen de ochtend waren zowel mijn zus als haar baby gestorven. Hij stond daar maar in zijn handen te wringen en zei tegen ons dat hij alles had gedaan wat hij kon.'

Mevrouw Ginny Jessup vertelde over haar bevalling onlangs, een gezonde jongen geboren in het huis van vroedvrouw Dora Rare. 'Ze weet precies wat ze moet doen. De traditie is aan haar doorgegeven. Net als een meesterscheepsbouwer, of een boer die het land van zijn familie kent, weet ze precies wat ze moet doen. De dokters zouden iets van haar kunnen leren.'

Juffrouw Rare hield een welluidende toespraak voor de menigte die zich voor de Canning Geboortekliniek verzameld had. Ze sprak over haar ervaringen als vroedvrouw, en ook over de gevaren die de plattelandsvrouwen tegemoet treden als ze in de laatste fase van de bevalling de berg af moeten. Ze riep op tot 'samenwerking en vertrouwen' tussen dokters, vroedvrouwen en de vrouwen die ze behandelen. Haar laatste opmerkingen gaven aanleiding tot een uitbarsting van instemmend gejuich. 'Als een schip aan het zinken is, schreeuwen de mannen allemaal, "Vrouwen en kinderen eerst!" Zusters en moeders van North Mountain, uit Scots Bay, Blomidon, Halls Harbour, Ross Creek, Gospel Woods en Baxter's Harbour, zorg ervoor dat ze het niet vergeten: Vrouwen en kinderen eerst, vrouwen en kinderen eerst!'

The Canning Register
2 mei 1919

Bertine knipte het artikel uit, stopte het tussen de bladzijdes van een gezangenboek en gaf het door in de kerkbankjes tijdens de mis.

Canning Geboortekliniek gaat sluiten

De Farmer's Assurance Company heeft aangekondigd dat ze de activiteiten in de Canning Geboortekliniek met onmiddellijke ingang zullen stilleggen. Dr. Gilbert Thomas legde de volgende verklaring af: 'Namens mijzelf en de Farmer's Assurance Company van Kings County, wil ik graag alle moeders en families bedanken die gebruik hebben gemaakt van onze zorg in deze prachtige inrichting. Tot mijn grote spijt heb ik geen goede reden meer om mijn praktijk momenteel voort te zetten in uw mooie stad. Er is simpelweg niet genoeg vraag om zo'n onderneming te ondersteunen.'
De vrouwen die nog steeds een Moedersaandeel hebben, kunnen hun verloskundige zorg genieten in de nieuwe praktijk van dr. Thomas – in Halifax.

Ik heb besloten om Spider Hill in te richten als geboortehuis voor de Bay. Hier volgen de enige voorwaarden die ik van de vrouwen vraag die hier komen:

– Geen vrouw of kind zal worden weggestuurd.
– Er is geen betaling nodig.
– Roddels of kwaadsprekerij komen de deur niet in.
– Niemand mag de bevalling bijwonen behalve als de moeder erom vraagt.
– Moeder en kind (of kinderen) blijven ten minste negen dagen na de geboorte binnen, of totdat ze gedoopt zijn.
– Mensen die geluk willen wensen mogen niet naar binnen tenzij de moeder het goedvindt.
– Het huis van de moeder moet schoon en netjes zijn, het huishoudelijk werk moet gedaan worden, en als ze thuiskomt, moet er genoeg avondeten in huis zijn voor een hele week.

Toen ik vanavond mijn thee op had, draaide ik het kopje om. Een, twee, drie keer in de rondte. Ik zie een mooi klein huisje, helemaal vol met baby's.

Epiloog

Scots Bay krijgt elektriciteit

Tweeëntwintig jaar nadat in Canning de eerste elektrische straatlantaarns gingen branden, hebben de elektriciteitspalen eindelijk hun weg de North Mountain op gevonden naar de laatste gemeenschap op de lijn, Scots Bay. Joseph Berch van Kings County Electric zei: 'Het is een enorme onderneming geweest en we zijn de mensen van Scots Bay zeer dankbaar voor hun geduld en begrip.' Naar verwachting zullen veel huizen, en ook de Union Church, het Seaside Centre en de Scots Bay School tegen het eind van de maand elektriciteit hebben.

The Canning Register
4 juli 1944

Men had niet veel driemasters meer nodig na de oorlog. De scheepswerf raakte in verval, en vader ging elke dag opnieuw de deuren langs bij andere mensen om te kijken of hij hen kon helpen met 'wat er ook gedaan moet worden'. Niet dat hij zo hard een baan nodig had, maar hij kon gewoon niet stilzitten. Tot vlak voor zijn dood heb ik hem nooit rustig met zijn handen op zijn schoot zien zitten. Mensen kwamen en gingen in de Bay, er gingen er meer weg dan er bleven. Ze hadden het gevoel dat er iets beters voor hen was in de wereld, iets groters. Wij achterblijvers weten nog steeds niet of het nog iets wordt met deze plek, we noemen het gewoon thuis.

Mijn thuis op Spider Hill, dit geboortehuis, heeft heel wat leven en baby's meegemaakt. Natuurlijk is dat nu wat minder, nu de meeste mensen een auto voor de deur hebben en de helft van de jongemannen weer naar de oorlog is. De meesten van die jongens zijn in mijn huis geboren; ze zijn ook zonen van mij. Er komen nog steeds vrouwen naar me toe 'voor wat er ook moet gebeuren', een flesje van de hoestsiroop van Wijze Marie, een kopje thee met wanten, een paar minuten rust met hun voeten omhoog en mijn handen op hun buik – om te zeggen: 'Het is allemaal in orde, echt.' Sommige vrouwen zijn er, als de tijd is aangebroken, behoorlijk goed in geworden om te lang te wachten met naar het ziekenhuis gaan, en dan scheuren hun mannen met hen de weg over tot vlak voor mijn deur. Ik vind het nooit erg.

Mabel heeft er hier nog twee gekregen...

Bertine kreeg een jongetje.

Precious trouwde met Sam Gower... en is sindsdien altijd zwanger.

Zwanger of niet, de Vrijblijvende Breisters missen geen enkele woensdagavond.

Geen vrouw of kind zal worden weggestuurd.

Er zijn vrouwen geweest die een dag, een week, zelfs een maand of meer gebleven zijn. *Elke vrouw heeft een toevluchtsoord nodig.* Judith verliet Boston en ging met een dichter naar Parijs, en liet Rachael achter met een gebroken hart. Het arme ding kwam naar Scots Bay en verstopte zich in haar slaapkamer, vulde hem met haar verdriet en maakte achter elkaar schilderijen van een donkere, dreigende zee.

En Wrennie, mijn kleine mosbaby, leerde al snel net zo veel zorg voor de vrouwen te hebben als ik. Ze vond het leuk om naast het bed te zitten, de hand van een jonge moeder vast te houden, of haar poppen te delen met twee kleine meisjes die hun huis waren kwijtgeraakt door een brand. Een mooi meisje zoals altijd, maar de tijd van de onschuldige ogen zijn voorbij. Ze weet niet precies hoe ze het vuur in haar hart moet temmen, een vuur waarvoor alle mannen smekend voor haar voeten vallen. Ze is achtentwintig en al zo vaak op en neer naar Boston geweest dat ik de tel ben kwijtgeraakt.

Charlie komt elke zomer met Maxine, gelukkig lachend dat hij zijn vrouw aan zijn zij heeft. Ik verwacht hen altijd rond deze tijd van het jaar, als het heet wordt in Boston en de 'godvergeten stroop weer uit de barsten in de trottoirs in Beantown komt sijpelen'. Als Max in de Bay is, kun je er zeker van zijn dat de rum en de gesprekken blijven vloeien. Ze heeft altijd een stapel cadeautjes bij zich. 'Ik zou toch geen goeie tante zijn als ik niet een hoop boeken voor Wrennie zou meebrengen en een hoop jajem voor mammie?' En dus werd Wrennie opgevoed met een gezonde dosis Virginia Woolf, Katherine Mansfield, James Joyce, F. Scott Fitzgerald, met daarnaast zoet brood, zwarte frambozen en elft. Toen Wrennie vijf was, bracht Max een mechanische Victrola voor haar mee. Wrennie giechelde en lachte: 'Dat is de grappigste bloem die ik ooit heb gezien, tante Max!' Maar toen Max hem in beweging bracht en de muziek inzette, was Wrennie verkocht. Ze danste de kamer rond, met uitgespreide armen en haar ogen dicht. Tango's, walsen, de Charleston, ze vond ze allemaal geweldig. Op lange zomeravonden in juli en augustus sleepten we Wrennies 'zingende bloem' de veranda op en kwamen mensen van rondom de Bay luisteren en soms dansen in de voortuin.

Hart is mijn danspartner gebleven. Altijd mijn geliefde, nooit mijn echtgenoot. Van tijd tot tijd vraagt hij nog steeds om mijn hand, maar hij klaagt nooit als ik zeg dat ik het liever zo heb. Zelfs toen weduwe Bigelow op sterven lag, foeterde ze op me en gaf de schuld van mijn afwijzingen aan het feit dat ik bij de geboorte al anders was, of omdat ik bij Wijze Marie had gewoond, of omdat ik 'het meisje dat naar Boston ging' was. Ik had tegen haar moeten zeggen dat ik wilde voorkomen net zo te worden als zij – met twee echtgenoten, twee broers, twee Bigelow-mannen getrouwd en weer kwijtgeraakt. Ik denk dat Wijze Marie er hartelijk om zou hebben gelachen. *Die boeken van Jane Austen eindigen altijd met een bruiloft. Catherine trouwt met Henry, Elizabeth Bennett trouwt met Darcy, en dan* fin, *einde. Volgens mij probeert ze te zeggen dat als je eenmaal getrouwd bent, het net zo goed afgelopen kan zijn.*

Ik ben van plan om net ver genoeg van Hart vandaan te blijven om het niet kapot te maken. Hij kan het gammele knalrode oude huis van zijn moeder hebben. Ik blijf hier boven op Spider Hill zitten, om af en toe een baby op te vangen, de wiegeliedjes van Wijze Marie te zingen, gedichtjes te schrijven op oude bonnetjes en Hart gezelschap te houden als hij langskomt.

Vanavond komt hij weer de heuvel op, moe maar voldaan, terug van het zeewiertij. In de schemering zie ik de mensen bij elkaar staan, sommige zitten in bootjes op het water, andere in een grote kring rondom de kerk. Ze staan te wachten op iets sprankelends, iets extatisch. Ze staan te wachten tot de lichten aangaan in de Bay.

Notities uit het Wilgenboek

De maan bezit de wilg

De Tuin van de Vroedvrouw

A is voor anijs, een zoete verlichting voor de darmen
B is voor brandnetel, niet het zaad, wel de bladeren
C is voor cayenne; de hitte stopt het bloed
Distel is gezegend en brengt melk in overvloed

E is voor eieren, hardgekookt, elke dag één
Face d'étanger, pas op, de moeder gaat bijna heen
G is de goudsbloem, maakt de gewonde huid weer glad
Hysop, wormkruid, en bijvoet voor in het bad
I is de Ierse mos voor hutspot en *blanc-manger*
Jeneverbes zonder de bes is voor het maken van thee
K is klein hoefblad, helpt uitstekend tegen de hoest
Labradorthee zorgt voor een goede nachtrust

M is voor mosterd, op haar buik, zodat ze weer bloedt
Nat van gerst voor de liefde, elke dag een kop
Offert ou pas, Dieu est ici
P is voor paardenbloem, gedroogd goed als koffie
Queen Anne's lace is geen kant maar giftige peen
Rode frambozenthee drink je nooit te veel
S is voor salie, daarvan droogt de melk op
T is voor taxus, draagt ruzie in de dop
Uien op de voeten verlaagt de koorts
Venkel brengt moedermelk en ongesteldheid voort

Wintergroenthee is het beste in het voorjaar
X staat voor kruisbes, voor jam of voor taart

Y is voor ijskoud bad, om hoge koorts te doen beven
Zoetzuur is honing met citroen, zo is het leven!

Alruinwortel

Balsem voor de gepijnigde vrouw. Ga met je rug in de wind staan. Trek met een mes drie cirkels met de klok mee om de plant heen. Giet er Mariatranen overheen. Draai naar het westen om de wortel eruit te trekken.

Althea

(ascesewortel)
Trekt geesten aan. Roept goede geesten naar het huis.

Bernage

De zaden en bladeren geven een moeder meer melk. Geneest een gebroken hart.

Beverbrouwsel

Week de oesters van bevers in jenever. Zet het in het licht van drie volle manen. Een dosis (puur of met thee) zorgt dat ze een maand lang geen baby kan krijgen.

Bloedstopper

Brouw een thee van gebroken hartjes en laurierbessenbast.

Bonen

Drie blauwe bonen in een blauwe blaas. Ratel, blaas, ratel. Zing dit drie keer in één adem om de boze geesten weg te jagen.

Cayenne

(Spaanse peper)
Zie ook *Vleugelen*. Geeft de baarmoeder kracht. Nuttig voor gele baby's.

Citroen

Het sap van een rijpe citroen maakt je hoofd weer helder. Uitpersen in je hand en *opsnuiven!*

Dille

Voor baby's met koliek, wrijf de buik van het kind in met dillezaadolie. Dan zijn ze weer zoet. Voor de hik, kook de zaden in witte wijn en adem de geur in.

Dodennaald

Om de dood vast te stellen. Steek een schone naald in het vlees van de linkerarm. Als hij er donker uitkomt, leeft ze. Als hij er glimmend uitkomt, is ze dood.

Duivelsbeet

(scabiosa)

Brouw de bloemen om haar cyclus regelmatig en schoon te houden. Ruikt naar honing. *Zo zoet dat de duivel de wortel van de eerste plant afbeet omdat hij hem van ons af wilde pakken.*

Els

Om de lever te zuiveren en kroep te genezen. Zet een pot slappe elsthee. De pasgeborene druppels geven. Dan wordt de baby niet geel.

Engelenwater

Om een engel naar beneden te roepen als de moeder twee middagen over tijd is. Breng venushaarvaren, polei en wild wortelzaad aan de kook, voeg een snufje borax en een snufje buskruit toe. Mengen met whisky, opdrinken, en wachten.

Face d' étranger

(Gezicht van de vreemdeling)

Pas op voor het Gezicht van de vreemdeling. Als het over een moeder heen komt, breng haar dan onmiddellijk naar bed en haal de baby eruit.

Framboos

Gods geschenk aan alle moeders. Geeft haar hele wezen kracht. Haar hart, haar baarmoeder, haar botten.

Gerst

Voor de deur strooien om het kwaad buiten te houden. Als je liefde wilt, drink dan elke dag een kop gerstewater. *Gerst en uien in het bad brengen iemand gegarandeerd weer bij.*

Gladde iep

Brengt de engel naar beneden. Smeer de Mariakaars drie keer in met de olie van de gladde iep. Laat het puntje in haar zoete plekje glijden. Om roddels tegen te gaan: Bind een geel koord om een tak. Gooi de tak op het vuur.

Goudsbloem

(calendula)

Zalf van goudsbloemhoning geneest alle brand- en schaafwonden.

Meisjes die blootsvoets met de goudsbloem dansen zullen de taal van de vogels leren kennen.

Helm

Een baby met een helm ziet meer dan anderen. Brengt de gave van telepathie. Redt mensen van de verdrinkingsdood.

Hoofdpijn

Gewoon – loop in slakkengang een kilometertje achterwaarts Ziek – drink kattenkruidthee. Maak een smeersel van cayennepeper en azijn, breng het aan op je voorhoofd en neem een goede nachtrust.

Een roddel verspreidt zich net zo makkelijk als boter op je brood en is even moeilijk te verwijderen

Iers mos

Voor *blanc-manger* en om een maag die van streek is tot rust te brengen. Kook een theelepel gedroogde mos in een kop water. Twee kopjes per dag.

Kamfer

Te gebruiken tegen kroep of pijnlijke huid. Bij de was doen om vlooien en bedwantsen af te schrikken.

Klein hoefblad

(zoon-voor-de-vader)
Plant klein hoefblad niet in je tuin, tenzij je niets anders wilt. Lang voordat de bladeren uitkomen, zie je de gele knopjes al tussen de rotsen en langs de sloten prijken, de-zoon-voor-de-vader. Noteer waar je ze in de lente hebt gezien zodat je ze weer terug kunt vinden. Bladeren inkoken en laten trekken, suiker toevoegen, en koken tot een druppel van de siroop hard wordt in koud water. Het beste middel tegen een boze keel.

Koffie van bruine bloem

Goed tegen misselijkheid. Zet een pond bloem op het fornuis tot het heel droog wordt – roeren en roosteren tot het net zo bruin is als koffie. Doe twee eetlepels in een halve liter kokend water. Voeg gekookte melk toe en maak het zoet met honing.

Kool

Neemt de pijn weg uit hete borsten. Stoom de bladeren. Af laten koelen. Op mama's tieten leggen. Poot kool direct na het huwelijk voor geluk en liefde.

Kraamkoorts

Veroorzaakt door handen die niet schoon zijn.
Was voor het gebed altijd je handen.

Kreuncake

(kimbly, gateau à la mélasse)
2 kopjes melasse
1 kop kokende melk
1 theelepel bakpoeder
3½ kopje gezeefde bloem
4 eieren
1 kopje boter
1 eetlepel gemalen gember
¼ theelepel gemalen kruidnagel
¼ theelepel gemalen kaneel
½ kopje rozijnen (of geraspte appel)

Kwee
Heelt pijnlijke, gebarsten tepels en is heel aangenaam. Verwarm kweezaad in een beetje koude thee totdat de vloeistof kleverig wordt. Op tepels aanbrengen.

Laurier
Schrijf je wensen op laurierbladeren en ze komen diezelfde dag nog uit.

Lavendel
Bloem van de Maagd Maria. Thee: voor waarheid, geloof en liefde.

Lobelia
De bloem die weet. Als een moeder kramp krijgt en bloed verliest, zal lobelia haar lichaam vertellen wat ze moet doen. Als het kind gered kan worden, dan gebeurt dat ook. Zo niet, dan zal het haar helpen los te laten. Maakt haar schoon vanbinnen. Thee: lobelia, moederkruid, rode framboos, kattenkruid. *Thee en rust.*

Maanbad
Ga naakt op een kruispunt liggen in het licht van de volle maan. Maakt de baarmoeder rijp.

Maanelixir
Maakt haar klaar om zwanger te raken. Zoethoutwortel, moederkruidbloemen en bijenbalsem in wijn laten weken bij volle maan. Langzaam inkoken, niet hard laten koken. Voeg kaneel, nootmuskaat en suiker naar smaak toe. Maakt een vrouw zoet en haar man zoet op haar. *Drink de hele dag, voor een zoete, rijpe lach.*

Mariakaars
Om een engel uit haar zetel te wippen. Zie *Gladde iep.*

Mariatranen
Spreid een laken uit tussen de bomen op de laatste avond voor mei. Leg een steen in het

midden zodat de dauw naar beneden loopt. Zet je kom eronder om de druppels op te vangen. Doe het in een fles bij zonsopgang op 1 mei en zing er dit liedje bij:
Op de eerste mei
Voordat de zon opkomt
Laat Maria haar tranen vrij
Voor goddelijke genezing

Moederkruid
Maak thee van de bladeren. Goed voor geïrriteerde dames. Plant en bloemen laten sudderen in water voor een dameszitbad voor haar edele delen. Geeft de baarmoeder kracht. Weg van andere planten houden in de tuin. Bijen willen er niets mee te maken hebben. Goed voor *Maanelixir.*

Moederthee
Frambozenblaadjes, brandnetel, melisse, gedroogde appel, venkel.

Mos
Van het graf van een goede vrouw brengt geluk.

Muizenoor
Groeit op rotsen en aan de rand van zoet water. Muizenoorthee kan je leven redden. Geneest de kroep als het rond het hart zit.

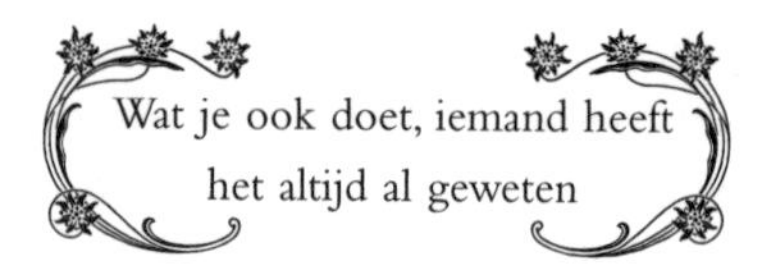
Wat je ook doet, iemand heeft het altijd al geweten

Navelstrengverzorging
Vet een stuk fijn neteldoek in met talg, leg het op een schop en houdt het boven het vuur totdat het bruin geschroeid is. Knip een gaatje in het doek en trek de navelstreng erdoor. Bind er een stevig lint omheen, zodat het vast blijft zitten, om scheuren in de buikwand door het huilen te voorkomen. Laat 3 tot 6 dagen liggen totdat het stompje van de navelstreng opdroogt en eraf valt. Canadese geelwortel droogt goed.

Pijpbloem
Beschermt een moeder tegen ziekte. Wat sap in het bad zorgt dat een slangenbeet je geen kwaad kan doen.

Placenta
Begraaf de nageboorte met een zeeschelp. Geeft de vrouw

minstens een jaar voordat ze weer zwanger wordt. Als je hem onder een appelboom begraaft zal het kind nooit honger lijden. Als het bloeden van de moeder niet stopt, strooi er dan zout overheen, doe er papier omheen en gooi het op het haardvuur. Brandt het bloed weg.

Salie

Helpt bij naweeën. Voorzichtig! Droogt melk op. Padden zijn er dol op. *Zij die honderd jaar wil zijn, moet salie eten in mei.*

Spenen

Saliethee tijdens de afnemende maan. Om de melk op te drogen na het spenen, laat haar wat melk afkolven op een hete steen.

Stenen man

Geneest een gekiepte baarmoeder. Zoek een gladde kleine man tussen de stenen in de Bay; zonder armen, zonder benen. Laat hem dag en nacht binnen in je slapen, tot je geliefde weer bij je is.

Stuitligging

Problematisch voor moeder en kind. Het beste is om de baby zichzelf om te laten draaien. Probeer: de moeder ondersteboven te leggen, haar de olifantenpas te laten doen, haar een koude buik te geven, een zoet liedje te zingen voor het kind, en geef haar Moederthee met wildemanskruid.

Uien

Om verkoudheid tegen te gaan, wrijf je voeten in met uien. Begraaf ze als je klaar bent. Uiensiroop (knoflook, uien, melasse): Drie keer per dag, verjaagt alle soorten misselijkheid. *Bain de oignon et orge:* een bad van uien en gerst breekt de ergste ziektes. *Als je een ui naar een bruid gooit, gooi je al haar tranen weg.*

Venkel

Zorgt voor melk in moeders borsten. Kook de bladeren met gerst en drink als thee. Zorgt voor een goede romige vloed.

Vioolvaren
Pluk in het voorjaar de eerste varenbladeren die je ziet. Houdt je een jaar lang vrij van kiespijn.

Vlas
Maak thee van de zaden, citroen en honing – tegen hoest en zere keel.

Vleugelen
Brengt het kind naar buiten als de moeder moe geworden is. Neem een veer, duw er peper in. Blaas de peper tijdens een wee haar neus in en ze duwt de baby zo naar buiten.

Vloedthee
Om menstruatiepijn te verzachten en de cyclus regelmatig te houden. Een vrouw moet drie dagen voordat ze ongesteld moet worden deze thee gaan drinken:
Een deel klis
Een deel zeewier
Drie delen venkelzaad
Een deel wild wortelzaad
Doe de kruiden in een zakje van neteldoek en dompel het in kokend water. Twee keer per dag, bij voorkeur met vloed. Moet niet gebruikt worden door vrouwen die zwanger willen worden.

Vrouwenmantel
Vrouwenmantel geeft haar tranen tussen zonsopgang en dauw. Kniel in het midden van je cyclus voor haar neer en lik de tranen af met je tong, dan brengt ze je een kind.

Wildemanskruid
(paarse anemoon, pulsatilla)
Zie ook *Stuitligging*. Voor een vrouw die het ene moment huilt en het andere vrolijk is. Voor een vrouw die bang is om alleen te zijn, die steeds van gedachten verandert. Verwarmt het bloed en brengt haar aan het zweten. Als de baby van de vrouw in een stuit is gaan liggen, kan een dosis Moederthee het omdraaien. Wikkel de eerste bloesems in de lente in een rode doek en bind het aan de arm vast. Houdt ziekte op afstand.

Wilg
Klop op de wilgenboom drie keer drie, dan volgt het kwaad je zeker niet.

Wonderolie
(Palma Christi)
Heelt elk deel van het lichaam waar de olie wordt aangebracht.
Mijn handen zijn Zijn handen
Mijn handen zijn Zijn handen
Palma Christi
Palma Christi
De handen van Christus

Zeewier
(De gordel van Neptunus)
Brengt zout in de aderen. Houdt het bloed een jaar lang sterk. *Voorzichtig! Kan lust in een man oproepen.*

Zuring
Aan de linkerarm van een vrouw binden die zwanger wil worden.

Salve nos, Stella Maris,
Red ons, Ster van de Zee.

Nawoord

Tijdens de Eerste Wereldoorlog werden de koppen van de kranten gedomineerd door het nieuws van het front. Verhalen over de beweging rondom het vrouwenkiesrecht verdwenen naar de bijlagen. Andere kwesties zoals vruchtbaarheidsbewustzijn, geboortebeperking en de verloskundige wetenschap werden slechts terloops genoemd in de kranten van de grote steden (behalve als men verslag kon doen dat Margaret Sanger weer gearresteerd was, omdat ze informatie had uitgedeeld over gezinsplanning) en zelden, of nooit, besproken door de pers in kleine plaatsen.

De strijd van de vrouw om het recht te krijgen om te kiezen wat er met haar lichaam gebeurde was een stille kwestie, die werd opgetekend in persoonlijke dagboeken of in brieven, van de ene vrouw naar de andere. Tradities, informatie en ideeën over geboorte, en gezondheid en welzijn van vrouwen, werden gedeeld in het zusterschap van breikringen en rond de keukentafel. In kleine, geïsoleerde gemeenschappen werd die wijsheid in pacht gehouden door de vroedvrouw.

Toen ik jong was, observeerde ik mijn moeder zodat ik van haar kon leren. Ik vond het heerlijk om bij haar te zitten terwijl ze kookte, naaide of tuinierde, en zelfs als ze haar make-up opdeed. Eén ding dat ik me nog heel goed kan herinneren was haar ritueel om de dag af te sluiten, waarbij ze de inhoud van haar zakken op haar spiegel legde.

Een lege spoel, een briefje van een vriendin, haarspeldjes, een recept. Een dennenappel die ik haar cadeau had gedaan, een foto die ze uit een tijdschrift gescheurd had – lagen bij elkaar op een spiegelend dienblad, alsof ze elk moment aan de koningin zouden worden gepresenteerd. Dit was haar dag, haar kunst. Toen ik ervoor ging zitten om *Het Geboortehuis* te schrijven, besefte ik dat dit ook de manier was waarop ik mijn woorden wilde ordenen: door een literair plakboek te maken over de tijd van Dora.

Tijdens het schrijven heb ik uit vele bronnen en boeken geput, waaronder *Shattered City: The Halifax Explosion and the Road to Recovery* van Janet F. Kitz, *A Midwife's Tale: The Life of Martha Ballard, Based on her Diary, 1785-1812* van Laurel Thatcher Ulrich, *Giving Birth in Canada, 1900-1950* van Wendy Mitchinson, *The Technology of Orgasm: 'Hysteria,' the Vibrator, and Women's Sexual Satisfaction* van Rachel P. Maines, *Hygieia: A Woman's Herbal* van Jeannine Parvati, *Herbs and Things* van Jeanne Rose, *Edible Wild Plants of Nova Scotia* van Heather MacLeod en Barbara MacDonald, en het prachtige, geheimzinnige *Science of a New Life* van dr. John Cowan. Maar bovenal waren mijn gesprekken met vroegere en huidige bewoners van Scots Bay van onschatbare waarde.

Dankwoord

Dank aan de Provincie van Nova Scotia en het Department of Tourism, Culture and Heritage voor hun vrijgevigheid en steun in de vorm van een Creativiteitsbeurs.

Voor het schrijfwerk wil ik speciaal mijn engel van een vroedvrouw, Louise MacDonald, bedanken. Voor de vele uren wandelen, praten en theedrinken, stuur ik mijn dank aan mijn vroedvrouw van vriendschap, doorzettingsvermogen en plezier, Jen White.

Voor haar niet aflatende belangstelling en raad (en omdat ze altijd aandrong op iets spectaculairs), ben ik mijn onvermoeibare en fantastische agent, Helen Heller, dankbaar.

Heel veel dank aan mijn uitgever, Diane Martin, voor haar geloof in mijn werk en haar scherpe redactionele oog, en aan mijn redacteur, Angelika Glover, voor haar sterke gevoel voor visie en haar feilloze literaire intuïtie. Speciale dank aan de dames die me mee uit lunchen namen, Marion Garner, Deirdre Molina, Kendall Anderson, Mary Giuliano, Constance MacKenzie en Jan Sibiga, omdat ze zulke geweldige lezers waren en opkwamen voor mijn werk. Dank aan de ontwerpster Kelly Hill voor haar deskundigheid en creativiteit en aan Sue Sumeraj voor haar hulp bij het persklaar maken.

Dit boek had niet geschreven kunnen worden zonder de voortdurende steun van geweldige mentoren. Mijn eeuwige respect en dank gaan uit naar Dick Miller van CBC RADIO voor zijn bemoedigingen en gevoel voor creativiteit. Mijn vriendschap en bewondering gaan uit naar Richard Cumyn voor urenlange gesprekken en raad. Ik zal Jane Buss en de Writer's Federation van Nova Scotia altijd dankbaar blijven voor het voorbereidende werk om een mentorprogramma te krijgen.

Behulpzame adviseurs op het gebied van onderzoek waren Dan Conlin van het Maritime Museum of the Atlantic, alsmede de geweldige vrijwilligers van de Kings County Historical Society en de Fieldwood Heritage Society. Extra inspiratie voor dit werk kwam voort uit vele geweldige gesprekken rondom de keukentafel en middagjes met mevrouw Mary Rogers Huntley, de gezusters Tupper – Pat en Sharon, Calvin en Joy Tupper, mevrouw Fran Steele en mevrouw Irene Huntley. Ik dank jullie allen voor jullie vrijgevigheid en jullie verhalen. Dank ook aan mevrouw Rhea P. McKay voor haar bemoedigingen en het toesturen van haar uitgave van *The Science of a New Life.*

Hoewel ik vele uren in de stilte van mijn kamer heb zitten krabbelen, kon ik de psychische aanwezigheid van mijn familie en vrienden altijd voelen. Dank aan mijn broers en zus, Skip, Doug en Lori, dat ik af en toe mocht overlopen en het gesprek tijdens het eten mocht domineren. Dank aan pap en mam, dat ze me (en elkaar) altijd hebben voorgelezen voor het slapen gaan. Dank aan Dawn en Marta, mijn madeliefjeszusjes, voor hun duurzame vriendschap. Dank aan Mitze van Box of Delights, voor haar altijd belangstellende vraag, 'Hoe gaat het met het boek?' Dank aan Doretta en de andere vollemaanwandelaars (Chris, Holly en alle anderen) voor de wandelingen, picknicks en kampvuren op het strand, en voor het bewijs dat moeders kunst maken. Dank en liefde voor mijn zoons, Ian en Jo, voor de tijd die ze me gegeven hebben om mijn kunst te maken. De allerliefste dank aan mijn geliefde man, Ian, dat hij me op een stormachtige novemberavond bij de hand genomen heeft en naar huis heeft gebracht.

Het werk van AMI MCKAY werd uitgezonden tijdens *Maritime Magazine, This Morning, Outfront* en *The Sunday Edition* van CBC RADIO. Haar documentaire, *Daughter of Family G,* heeft de medaille voor Excellence in Journalism gewonnen bij de Atlantic Journalism Awards van 2003. Ze woont met haar man en twee zoons in een oud geboortehuis aan de Bay of Fundy. De website van Ami is te vinden onder www.thebirthhouse.com.